당신도 할 수 있다

빚 안 지고 사는 법

How to Get Out of Debt, Stay Out of Debt & Live Prosperously
by Jerrold Mundis
Copyright ⓒ Jerrold Mundis
Korean Translation Copyright ⓒ 2001 by Booktree Publishing Co.
This translation published by arrangement with Jerrold Mundis
through Korea Copyright Center, Seoul

이 책의 한국어판 저작권은 Kerea Copyright Center를 통한 저작권자와
독점 계약에 의하여 도서출판 나무의꿈에 있습니다.
신저작권법에 의하여 한국 내에서 보호를 받는
저작물이므로 무단 전재와 무단 복제를 금합니다.

당신도 할 수 있다

빚

안 지 고 사 는 법

체를드 모티스 지음 | 김도형 옮김

나무의 꿈

빚 안지고 사는 법

2004년 4월 15일 초판 1쇄 인쇄 | 2004년 4월 20일 초판 1쇄 발행 | 지은이 제롤드 먼디스 | 옮긴이 김도형 | 펴낸이 박진희 | 펴낸곳 나무의꿈 | 서울특별시 마포구 상수동 171번지 1층 | Tel : (02)332-4037~8 | Fax : (02)332-4031 | 등록 제10-1812호 | ISBN 89-91168-04-2 03320 | 잘못 만들어진 책은 서점에서 바꾸어드립니다. | 값은 뒤표지에 있습니다.

좋은 책 좋은 세상   나무의 꿈

이 책은 당신에게 혁명을 말하고 있습니다.
처음부터 끝까지 순서대로 읽을 것을 당부드립니다.
또한 필요하다면 몇 번이고 앞장으로 되돌아가서
다시 읽으시길 바랍니다.
연필과 종이를 준비하고 적극 활용하셔야 합니다.

⋮

당신은 틀림없이 빚을 다 갚고
진정한 풍요와 번영된 삶을 살게 될 것입니다.

이 책을 존과
내 아들 셰프와 제시,
그리고 수잔에게 바친다.

차례
contents

머리말 ...8

제1부_ 악순환되는 빚지기

1장 | 빚지기의 본질 ...17

2장 | 빚의 종류 ...29

3장 | 빚꾸러기에 보내는 경고 신호들 ...35

4장 | 빚더미에 이르는 길 ...49

제2부_ 악순환되는 빚지기의 확실한 탈출

5장 | 변화를 위한 개념들 ...79

6장 | 빚 갚기 프로그램 수행의 기초 작업 ...95

7장 | 빚 갚기 프로그램 수행의 핵심 ...112

8장 | 빚 갚기 프로그램 수행에 유용한 수단들 ...122

9장 | 빚 갚기 프로그램 수행의 강화 ...141

10장 | 소비계획 ...168

11장 | 빚 갚기 프로그램의 안정화 단계 ...177

제3부_ 삶의 전환

12장 | 삶의 새로운 방식   ...189

13장 | 힘이 되는 친구들   ...206

14장 | 원칙의 점검   ...213

제4부_ 자유 · 번영 · 풍요

15장 | 상환 제1부   ...235

16장 | 상환 제2부   ...248

17장 | 공포스러운 장벽들   ...262

18장 | 지원책들   ...278

19장 | 특화된 원칙들   ...289

20장 | 인간의 한계와 능력   ...312

21장 | 유지하기 제1부   ...315

22장 | 유지하기 제2부   ...320

맺음말   ...327

옮긴이의 말   ...333

| 머리말 |

이 책은 빚이란 무엇인지를 분명하게 하고, 빚으로부터 고통받고 있는 당신을 영원히 자유롭게 해 줄, '효율적으로 빚 갚는 방법'에 대하여 쓴 것이다.

이 책의 저자인 나나 독자인 당신이나, 그리고 세상의 모든 사람들이나, 이런 사람들 중 하나임에 분명하다.
첫째, 언제나 빚에 짓눌려서 살아가는 사람.
둘째, 항상 그런 것은 아니지만 때때로 현재 안고 있는 빚 때문에 걱정하거나 고통스러워하는 사람.
셋째, 돈이 남아돌아 빚이나 외상이라는 말을 모르고 지내는 극히 소수의 사람.

아마도 우리들 중 상당수는 이들 중 첫번째나 두 번째 유형에 속할 것이다. 만약 당신이 첫번째나 두 번째 유형에 속한다면, 이 책은 바로 당신을 위한 것이다. 이 책은 당신에게 빚으로부터 단계적으로 벗어나게 하는 방법과, 일단 빚을 벗어난 뒤에 더 이상은 빚을 지지 않고 살아가는 방법, 그리고 나아가 풍요롭고 풍족하게 살아가는 방법을 가르쳐 줄 것이다.

어쩌면 당신은 정말 다행하게도 빚이나 외상 문제에 크게 관련이 없는 세 번째 유형에 속하는 사람일 수도 있다. 그렇다고 "나와는 상관없구먼"이라면서 이 책을 놓지 마시길. 왜냐하면 당신은 이 책을 통해 보다 효과적으로 돈을 관리하는 방법, 보다 효과적으로 돈을 더 많이 버는 방법, 그리고 어떻게 하는 것이 돈을 보다 더 즐겁게 쓰는 방법인지에 대한 정보를 얻을 수 있기 때문이다.

싸구려 음식을 먹고, 열심히 일만 한다고 빚이 갚아지는 것은 아니다

이 책은 어떻게 빚을 갚을 것인가, 그리고 어떻게 하면 앞으로 다시는 빚지지 않고 살아갈 수 있을까 하는 문제를 다루고 있다. 얼마나 오랫동안 빚을 지고 있는지, 빚의 규모가 얼마나 되는지는 문제되지 않는다. 여기서 중요하게 다뤄지는 것은 빚을 어떻게 갚을 것인가, 즉 '빚을 청산하는 방법'에 관한 것이다.

이런 점에서 이 책은 할인 쿠폰을 모으거나 잔돈을 저축하는 것에 대한 내용도 아니며, '이렇게 하면 당신도 부자가 될 것이다'라는 최신 주식 투자기법을 소개하거나 기타 부자가 되는 방법을 다루는 책이 아님을 분명하게 하자. 이 책은 당신이 빚으로부터 벗어나, 영원히 빚 없이 살고, 그리고 당신의 삶을 풍족하게 해 줄 분명하고 쉬운 프로그램인 '흑자로의 전환(Back to the Black)' 프로그램에 관해 말하고 있다.

정말이냐고?

물론 정말이다. 원한다면 얼마든지 의심해도 좋다.

중요한 것은 이 프로그램을 따라하기만 하면 당신은 분명히 빚을 갚을 수 있고, 빚의 굴레를 벗어 던진 당신의 미래는 풍족하게 된다는 것이다. 이 프로그램은 결코 이론적 아이디어가 아니다. 지난 20년간 빚의 수렁에서 벗어나기 위해 이 프로그램을 사용한 수천 명의 남녀에 의해 검증되고 증명된 것이다. 그리고 바로 지금도 수천 명이 빚으로부터 벗어나기 위해 사용하고 있는 프로그램이다. 그러니까 당신도 얼마든지 할 수 있다. 더 좋은 소식은 이 프로그램이 지극히 성공적으로 수행된다는 것이다. 즉 아주 쉽다.

당신만 빚을 지고 있는 것이 아니다!

자신이 빚지고 있다는 것을 다른 사람에게 털어놓기란 쉬운 일이 아니다. 게다가 만약 다른 사람이 나의 빚에 대해 얘기한다면, 아마도 내 자존심은 깊은 상처를 입게 될 것이다. 다시 말하자면, 개인의 재정 상태란 언급하기가 아주 조심스러운, 사람들의 마지막 터부라고 봐도 무방하다. 그리고 대부분의 사람들은 지겨운 것들은 피하려 하듯이, 빚 문제를 언급하는 것 자체를 꺼린다. 그러나 이미 빚 문제는 패션의 유행이나 전염병의 창궐처럼 널리 퍼져 있는 사회적 현상이다.

미국을 예로 들어보자면, 2백만 명 이상이 바로 이 순간에도 빚에 시달리고 있고, 그들 중 많은 수가 대파국이 코앞에 닥쳐 있어도 개인 가계수표를 더는 쓸 수 없는 지경에 처해 있다. 또한 그보다 더 많은 수백만 명 이상의 사람들이 빚 때문에 매일매일을 스트레스와 불안감 속에서 살고 있다. 사실 미국에서는 한때, 경이롭게도 개개인의 빚이 개인 소득의 72%까지 치솟아 오르기도 했었고, 개인 파산도 35%에 이르렀었다.

빚 문제는 박사와 변호사에서부터 목수나 교사에게까지, 심리학자와 회사 간부에서 페인트공과 소방관에 이르기까지, 컨설턴트와 비서에서부터 증권회사 직원과 증권 브로커에 이르기까지 모든 사회 계층에 가로놓여 있는 것이다.

당신 혼자만이 빚 때문에 골치가 아픈 것이 아니다.

물론 누구는 연 수입이 몇 십만 달러에 이르는 사람도 있을 것이고, 누구는 실업자일 수도 있다. 마찬가지로 몇 만 달러의 빚을 갚아야 하는 사람도 있겠지만, 어떤 사람은 몇 천 달러, 혹은 몇 백 달러만 갚아도 머리를 지끈지끈하게 하는 빚으로부터 벗어날 수 있을 것이다. 하지만 이제부터는 얼마를 버는지, 얼마를 갚아야 하는지와는 상관없이, 빚은 빚이라는 사실과 그 빚이 머지 않아 우리의 삶에 독이 될 수도 있다는 사실만을 명심해야 한다. 우리는 이미 빚이 삶의 독이 되는 것을 경험했거나 주위에서 종종 보아왔다. 불행하게도….

빚은 우리에게 무엇을 주는가?

빚 문제가 있는 사람은, 즉 우리는, 부과되는 각종 계산서나 청구서에 대한 지불 능력을 증명하려고 다른 사람과 자기 자신을 속이기 시작한다. 그렇게 되면, 그 뒤로는 돈이 모자라지는 않을까, 아예 다 떨어지면 어쩌나, 돈 문제로 창피를 당하는 것은 아닐까, 결국은 법정에 끌려 나가게 되지나 않을까 등등 재앙이 임박했다는 걱정과 두려움 속에서 줄타기를 하듯이 아슬아슬하게 살아가게 된다.

이러한 두려움은 우리에게 과도한 압력을 행사한다. 가족의 삶과 개인적인 관계를 파괴하며, 일상에서의 기쁨과 즐거움을 빼앗아 간다. 정서적, 육체적으로 치러야 할 대가는 점점 커지고, 시간이 지남에 따라 더욱더 지치게 된다. 풀이 죽고, 패배감과 무력감을 느끼게 된다. 걱정과 절망감이라는 지속적인 고통 속에서 심지어는 자살 충동까지도 느낄 수 있다.

다시 말하지만, 불편함의 정도에 상관없이, 빚이 있다는 것은 누구에게나 불쾌한 조건이다. 사실 행복한 삶에는 전적으로 불필요한 것이다.

빚 갚기 프로그램의 탄생 배경

'익명의 빚꾸러기들(Debtors Anonymous)'은 1976년 미국에서 설립된 자구 조직이다. 설립 이후 급속하게 성장하여, 현재는 미국 전역과 몇몇 외국에 지부를 두고 있다. 이 조직의 회원 자격을 얻기 위한 단 하나의 요건은 '더 이상 빚을 지지 않겠다는 의욕'뿐이다. 이 조직은 회원들의 자원봉사를 통하여 운영되고 있는데, 조직의 주요 목적은 회원 각자의 지불 능력을 유지하는 것과, 빚을 지고 있는 다른 사람이 지불 능력을 가질 수 있도록 도와주는 것이다.

물론 이 책은 정책적으로 어떠한 외부 프로젝트에 대해서도 지지 및 반대하지 않는 그 조직과 아무런 관계가 없다. 하지만 흑자로의 전환 프로그램의 개념과 테크닉, 전략들의 많은 것은 '익명의 빚꾸러기들'에서 유래하고 있다. 흑자로의 전환 프로그램 내 다른 자료들은 그 조직 회원들의 의식 관련 세미나, 형이상학적 훈련 과정, 성공 관련 워크숍 등에서 얻어진 것이다.

그러나 결론적으로 말해서, 모든 자료는 내 자신의 경험을 통해 걸러졌다. 그리고 나처럼 이러한 원칙을 성공적으로 수행하여 빚으로부터 벗어난 수백 명(좀 광범위하게 잡는다면, 수천 명 이상)의 사람들과 나의 개별적인 접촉을 통해 보완된 것들이다.

세상에 핑계 없는 무덤은 없다. 빚을 진 모든 사람들은 빚을 지게 된 자신만의 독특한 사연들이 있는 법이다.

수년 전, 이 프로그램을 처음 시작했을 때 나는 5만 달러의 빚을 지고 있었고 매달 3천 달러를 고정적으로 지출해야 하는 반면에, 수입이라고는 고작해야 그 당시 소유했던 부동산의 저당권에서 나오는 월 350달러가 전부였다. 물론 그 지경에 이르기까지 나로서도 어쩔 수 없었던 몇몇 상황들이 있었다. 프리랜서 작가 수입의 불규칙성, 이혼, 질병, 경력상의 후퇴를 초래한 출판산업의 변화 등등인데, 그때는 내 빚은 그런 상황들 탓이라고 생각했다. 그러나 지금은 이 책의 자료가 된 것, 즉 내가 배운 것 때문에 다르게 생각하고 있다.

나는 이 프로그램을 실행한 날부터, 단 한 푼의 돈도 더 빌리지 않았다. 그리고 그때부터 1만 달러 이상의 빚을 갚았고, 천천히 소득을 증가시켰으며, 휴가와 오락, 가구 등의 소유 재산을 통해서 내 삶의 질을 대단히 향상시켰다. 어쩌면 극적이라는 단어를 사용해도 될 것 같기도 하다. 가장 중요한 소득은 스트레스와 빚의 고통으로부터 심리적, 정서적 자유를 얻었다는 점이다. 지금의 변제 추세로 보면 앞으로 3년 내에 모든 실제적 빚으로부터 완전히 자유롭게 될 것이다.

폴은 이미 빚을 다 갚았다. 마흔 살의 시카고 부동산 세일즈맨인 폴은 이 프로그램을 시작했을 때, 3만 6천 달러의 빚을 지고 법원에 개인 파산을 신청할 지경에 처해 있었다. 5년 후인 지금, 그는 채권자들에게 완전히 빚을 다 갚았으며, 연 수입도 4만 달러에서 7만 달러로 증가하였다.

보스턴에 살고 있는 34세의 상업미술가인 크리스틴도 빚을 다 갚은 사람이다. 6년 전에는 1만 2천 달러를 빚지고 있었다. 지금은? 빚이 전혀 없다! 뿐만 아니라 크리스틴의 연 수입은 1만 9천 달러에서 3만 4천 달러로 뛰어 올랐다.

뉴욕의 하이패션 분야에서 일하고 있는 60살의 비비안은 아직 빚에서 자유롭지는 않다. 그녀는 아직 8만 달러의 빚이 있다. 하지만 그녀가 4년 전 이 프로그램을 처음 시작했을 때에는 24만 달러를 빚지고 있었다.

이런 사람들은 셀 수도 없을 만큼 많이 있다. 이 프로그램을 선택한다면 당신도 그들이 한 것처럼 할 수 있다.

이제 단돈 1달러도 더 이상 빚지지 마라

물론 나는 더 빚지지 않았다. 그리고 열심히 박수를 치면서 믿는다면, 팅커벨은 살아날 것이다(설마 피터팬 이야기를 모르지는 않으리라).

게다가 이 프로그램은 단순한 이야기가 아니라 진실이다. 이 책에서 말하는 원칙과 테크닉들을 사용하면서, 정말 많은 사람들이 더 이상 빚지지 않았고, 빚으로부터 완전히 벗어났다. 때로는 엄청난 빚으로부터도.

자, 당신도 할 수 있다.

책을 읽으면 당신도 알 수 있을 것이다. 이제까지 당신의 어깨를 짓누르고 있는 빚을 털어 버리고, 앞으로 영원히 빚에서 벗어나는 대장정의 첫걸음을 방금 내디뎠다는 사실을 말이다.

Get Out of Debt

제1부

악 순 환 되 는

빚 지 기

제1장 | 빚지기의 본질

I.O.U.

빚이란 가장 단순하게 정의하면 '누군가에게 또는 어떤 기관에 갚아야 할 돈'이다.

그러나 우리의 목적상 보다 세련된 정의가 필요하다. 엄밀히 말해서, 어떤 기관으로부터 예컨대 부동산 등을 담보로 하여 대부 받은 담보 대출(secured loan)은 빚이 아니다. 조금 이상하게 들리겠지만 담보 대출은 분명 빚이 아니다.

담보 대출은 빚이 아니다

대출을 보증한다는 것은 빌려준 사람에게 '안전하다', '즉 그 돈을 잃을 리스크가 없다'라고 말하는 것이다. 다른 말로 하자면, 누군가가 돈을 빌려 준다는 것은 돈을 잃을 염려가 없기 때문에 그렇게 했다고 할 수 있다.

그런데 현재의 대출을 보증하는 것은 당신의 약속이나 당신에 대한 신뢰, 심지어는 예전에 빚을 확실하게 갚았다는 개인적인 내

력과 같은 것이 아니다. 빌려 주는 입장에 서게 되면 대출을 원하는 사람이 갑자기 아프거나 실직을 할 수도 있고, 아니면 단순히 머리가 돌아 브라질로 날아가는, 즉 대출금을 받지 못하게 되는 상황이 발생할 수도 있다는 점을 염두에 둔다. 만약 그런 상황이 발생하면 빌려 준 사람은 자기 돈을 잃게 될 것이다. 그래서 그들은 담보물을 요구한다.

담보물(collateral)은 그 기본 정의상 다른 무엇인가에 부수되는 것이다. 재정적 용어로 바꾸면 '담보물은 빌려 주는 사람에게 담보로 잡히거나 또는 대출 기간 동안 그가 실제로 지니고 있도록 주어지는 재산'을 말한다. 그 재산은 빌려 주는 사람의 돈을 보호하고 안전하게 하는 것이다. 당신이 돈을 갚는다면 그는 그것을 돌려줄 것이다.

전당포에서의 대출을 고전적인 예로 보면 된다. 예컨대 카메라를 전당포 주인에게 갖다주면 주인은 50달러를 빌려준다. (당연히 이자를 덧붙여) 그 돈을 갚으면 전당포 주인은 카메라를 돌려줄 것이다. 갚지 않는다면 카메라는 전당포 주인이 가질 것이다. 그렇게 되면 당신은 더 이상 카메라를 소유하지 못하지만, 그에게 빌린 50달러는 갚지 않아도 된다. 대출은 끝났다. 이것이 바로 담보 대출이다.

아! 그런데 당신은 전당포와 카메라 정도에는 흥미가 없다고? 5천 달러, 혹은 5만 달러, 혹은 그보다 더 큰 돈이 당신의 관심이라는 말씀이신데…, 그래도 좋다!

숫자에는 차이가 없다

5달러든, 50달러든, 5천 달러든, 대출은 대출이다! 한 번 더 말하지만, TV 수상기든 TV 방송국이든 담보물은 담보물일 뿐이라는 것이다.

담보 대출의 가장 일반적 형태 중의 하나에 저당(mortgage)이 있다. 10만 달러짜리 집을 한 채 산다고 하자. 나는 은행에 2만 달러를 저축하고 있었는데 그 돈을 계약금으로 사용하려 한다. 은행은 내 경력, 봉급, 신용 기록에 대해 우호적이다. 그들은 나를 신뢰하고 있다. 그러나 신용만으로는 내가 필요로 하는 나머지 8만 달러를 빌려 달라고 그들을 설득할 수는 없으니, 대신 조건을 달아야만 돈을 빌릴 수 있다.

오! 예측 불가능한 삶이여!

은행은 내 집을 그들에게 저당 잡힐 것과 그에 관한 문서에 서명할 것을 요구한다. 그 문서에는 만약에 내가 실수할 경우, 즉 내가 특정한 기간(예를 들어 6개월일 수도 1년일 수도 있다)에 대출금을 못 갚는다면, 내 집에 대한 모든 법적 권리가 은행으로 돌아간다는 내용이 들어 있다. 즉 그 문서는 내가 실수를 하기만 하면 은행으로부터 저당물을 되찾을 권리를 잃게 될 것이며, 은행이 나 대신 내 집을 소유하고, 팔고, 이익을 챙기고, 그럼으로써 그들의 8만 달러를 벌충할 수 있다는 권리에 관한 항목을 세세하게 기록하고 있다. 나는 내 집을 담보물로 저당 잡힘으로써 대출금에 대해 보증을 한 것이다. 나는 은행에다 '나에게 돈을 빌려 주어도 당신들이 돈을 잃을 위험은 절대 없다'는 것을 보장한 것이다.

자동차 대출도 똑같은 방식이다. 1만 2천 달러에 신형 시보레를 산다고 하자. 나는 2천 달러를 계약금으로 주고 잔액 1만 달러를 은행이나 GM으로부터 빌릴 수 있다. 물론 융자를 얻기 위해, 대출을 갚지 않으면 대출자에게 차에 관한 권리와 자격을 부여한다는 내용의 서류에 서명하고.

두 가지 중에서 어느 하나에 실수를 하면 나는 내 집 또는 자동차를 잃는다. 그것은 고통스러울 것이다. 그러나 집이나 차를 잃은 것 외에는 더 이상 그들에게 돈을 주지 않아도 된다. 즉 빚을 진 것은 아니다.

현금 대출도 보증을 세울 수 있다. 물론 담보물의 가치는 빌린 액수와 비교하여 적어도 같거나, 보통은 더 값진 것일 때 가능하다. 어떤 은행도 5천 달러를 대출해 주면서 1천 달러치의 증권을 담보물로 받지는 않을 것이고, 마찬가지로 어떤 전당포에서도 빅 라이터(Bic lighter, 1회용 라이터로 보면 됨 : 역자 주)를 담보로 해서 25달러를 빌려 주지는 않는다.

우선 현금 대출의 보증으로 종종 쓰이는 담보물의 예를 보자.

- 무기명 공채
- 기명 증권
- 2차 담보 형태의 재산 물건의 순가(純價 : 담보·과세 등을 뺀 가격)
- 땅 또는 다른 부동산
- 재고품
- 예술 작품
- 평생생명 보험증권
- 귀금속
- 독점 판매권

- 저작권
- 특허권
- 사업체

그런데 빚지고 있는 사람은 누구나 잘 알고 있듯이, 은행 같은 금융기관만이 대출받을 수 있는 유일한 곳은 아니다. 고용주로부터는 가불을, 대학 당국으로부터는 학자금 융자를 받을 수 있고, 동업자 조합, 정부, 그리고 친구와 친척에게서도 돈을 빌릴 수 있다.

아마도 가장 빈번한 대출 창구는 주위의 친구나 아는 사람일 것이다.

"내일 갚을게 5달러만 빌려 줄 수 있겠니?"

"결제일까지 20달러가 필요해."

"내 어음이 회수될 때까지 3백 달러만 빌려 줬으면 좋겠다."

가족으로부터의 대출 또한 아주 흔하다. 가구를 장만하거나 처음으로 집을 사는 젊은 부부들은 부족한 돈을 종종 가족에게 빌리게 된다. 나는 1971년에 처음으로 집을 사서 이전까지 살던 도심의 아파트로부터 전원의 집으로 이사 가게 되었다. 그때까지의 나의 저축금 전액을 계약금과 중도금으로 모두 지불했기 때문에, 나머지 잔금과 기타 비용조로 필요한 7천 5백 달러를 아버지께 빌렸다.

내 경우, 부모님을 포함하여 주위의 친척에게 돈을 뜯어낸 것은 집 살 때 뿐만이 아니었다. 실직, 교육, 휴가, 크리스마스 선물, 가구, 의료비, 꽤 많은 택시비, 출산, 결혼, 이혼, 그 밖의 각종 위기에는 물론이고, 일반적으로 어려운 일이 있을 때면 그들로부터 돈을 빌렸다.

가족이나 친구가 해 주는 대출은 보통 담보물 없이 신뢰민으로도 가능하며, 설사 담보물을 요구하더라도 과보증(담보 가치보다 더 많이 보증해 주는 것)되는 경향이 있다. 담보물의 종류에도 더 관용적이다. 은행과 같은 상업적 채권자들은 시장에서 확고한 수요가 있는 담보물을 원하는데, 그것은 채무자가 돈을 갚지 못했을 때(채무를 이행하지 않는다면), 즉시 현금으로 전환할 수 있는 것들이다. 친구나 친척도 기본적으로야 똑같은 것을 선호할지라도, 그들은 보통 그들 자신이 소유하거나 사용할 수 있는 비디오 카메라 같은 형태의 담보물에도 만족해 준다.

이전에 나는 내 친구에게 2천5백 달러를 빌리는 데 대한 담보물로 그가 늘 부러워하던 아이보리색의 골동품 조각상을 제공하려 한 적이 있었다. 그는 담보물을 전혀 원하지 않았으나, 나는 스스로의 이유 때문에(아직은 언급되지 않은 뒷장의 내용과 관계가 있다) 이 대출은 제대로 보증되어야 한다고 결심했다. 우여 곡절 끝에 그는 담보물을 제공하겠다는 나의 결정을 받아들였으나 그 조각상은 사양하였다. 결국 우리는 최종적으로 다음과 같이 합의했다. '적극적으로 빚을 갚기 위한 징표로 나의 저작권 대리인을 통하여 내 책 중의 한 권에서 생기는 모든 수입을 2천 5백 달러가 될 때까지 그에게 양도한다.' 그 또한 소설가였기 때문에, 그러한 양도는 만족스러운 것이었고, 우리들은 서로 흡족해 했다.

개인적 대출의 담보물이 될 수 있는 것들은 무수히 많다. 예를 들면, 다음과 같은 것을 이용할 수 있다.

- 상업적 대출을 보증할 수 있는 모든 것
- VCR
- 보석
- 모피 코트
- 예술 작품
- 악기
- 골동품
- 컴퓨터
- 동전 수집물
- 백과사전
- 재봉틀
- 여행 가방
- 가구
- 카메라
- 스노모빌
- 전동 공구
- 양탄자

요약하자면, 보증된 대출이란 '누군가가 당신에게 돈을 빌려 줄 때, 당신이 그 돈을 갚을 때까지 대출자에게 적어도 동등한 가치 또는 더 많은 가치가 있는 물건을 갖고 있도록 하는 것'이다.

왜 보증된 빚은 빚이 아닐까?

엄격한 관점에서 본다면 보증된 빚도 빚이다. 그것도 당신이 '갚아야 할' 돈이다. 그러나 차이가 있는데, 그 차이를 아는 것이 중요하다.

당신은 어떠한 이유에서든 일이 잘못되어서 빚을 못 갚을 수 있다. 만약 그렇게 되면 어떤 일이 일어나는가? (빚에 담보로 두었던) 당신의 재산을 잃게 된다. 고통스러울 것이다.

그러나 이제 당신은 누구에 대해서도 돈을 지불할 의무가 없다. 깨끗이 떠날 수 있다. 갚지 않아도 된다. 더 이상 빚진 것이 아니다.

이것이 진짜 빚이다

이것이 진짜 빚이다.
1. 담보물 제공 없이 빌린 어떤 돈
2. 당신에게 베풀어진 어떤 신용
3. 지불하지 않고 받은 어떤 서비스

그리고 우리는 이런 이유에서, 다음 사례를 통해 진짜 빚이란 무엇인지 살펴볼 수 있다.

> - 이번 주 쓸 돈이 부족해서 사무실의 친구에게 20달러를 뜯어낸다.
> - 한 달을 넘기기 위해서는 최소한 5백 달러가 필요한데 부족한 듯해서 은행에 가서 서명하고 빌린다.
> - 겨울 코트가 필요하지만 돈이 없어, 부모님께 전화해서 빌린다.
> - 친구와 외출하던 중 가게에서 뭔가를 사고 싶지만 현금이 부족해서 친구에게 몇 달러를 빌린다.
> - 세금 환급금이 곧 나올 것 같지만 그것을 기다릴 수 없어,

형에게 3백 달러를 빌린다.
- 복지 센터에서 CD플레이어를 사고 나의 신용 카드 계좌로 달아 놓는다.
- 모빌 카드로 차에 기름을 넣는다.
- 외식하러 가서 비자 카드로 계산한다.
- 추수감사절을 친척과 함께 보내기 위해 시카고로 날아가는데, 비행기표를 아메리칸에어라인 카드로 결제한다.
- 봄옷을 블루밍데일 카드로 산다.
- 새 잔디깎기 기계를 사고 시어즈 계좌에 달아 놓는다.
- 자동차 수리를 해야 하지만 다음 달까지 돈을 지불할 수 없다. 평소 수리공과 사이가 좋은 편이라 외상으로 고쳤다.
- 자녀의 대학등록금 납입일이 되어, 봉급이나 수수료의 가불을 요구한다.
- 이빨 두 개를 씌우고 하나는 떼워야 하지만, 돈이 없어 치과 의사에게 몇 달 뒤 지불하겠다고 약속한다.

이것들은 전부 진짜 빚이다. 이 사람들에게는 돈을 갚아야 한다. 그들은 당신에게서 담보물을 받지 못했다. 치과 의사는 당신 입의 석고틀을 팔 수 없고, 시어즈는 당신의 사인을 돈으로 바꿀 수 없다.

자, 이제 우리의 문제 해결을 위해서 몇 분 간 쓰기를 해보자.

먼저, 위에서 언급된 내용이나 그 변형들 중에서 당신이 지난 1년 동안에 했던 것을 종이에 적어 내려가 보라. 그리고 그 목록 아래에 일단 줄을 그어라.

이제 두 번째 목록을 만들자. 여기에는 첫번째 목록에는 언급되지 않았지만, 같은 기간 동안에 당신이 빚을 지게 된 모든 방법들을 포함시킨다. 다시 줄을 그어라.

세 번째는 보다 창조적이 되어 보자. 이제는 당신 친구들이나 주위의 사람들로부터 들어 본 적이 있는 빚지게 된 모든 사례를 제시해 보고, 거기에다가 당신이 상상할 수 있는 모든 빚지는 방법을 덧붙인다.

이 목록들을 잘 살펴보라. 생각했던 것보다 더 길지 않은가? 생각했던 것보다 훨씬 길다는 것은 그만큼 빚의 무게가 당신을 더 힘겹게 한다는 것이다.

그리고 이것 역시 진짜 빚이다

그러나 아직 덜 했다. 빚을 지게 되는 다른 보다 미묘한 방법들이 더 있다.

집세를 늦게 내면 무슨 일이 일어날까?

나는 매달 집세로 750달러를 낸다. 지금을 7월이라 하자. 3년 동안 미뤄 왔던 시력 검사를 마침내 받은 것이 지난 달이었다고 하자. 안과 의사는 정밀 검사를 원했는데, 그것은 합당한 것이었다. 내 눈은 그동안 비교적 건강한 편이었지만, 새로운 처방을 받을 시점이 된 것이다. 검사비로 175달러가 청구되었고, 새로 맞춘 안경 값으로 150달러가 들었다.

그런데 아마도 예전 안경과 동지애를 느꼈는지, 우리집 텔레비전도 똑같은 시간에 고장이 나서는 더 이상 쓸 수 없었다. 그래서 4백 달러를 주고 새 것으로 바꿨다. 게다가 전혀 생각지도 못했던 생명보험료의 납입 만기가 다가온 것을 보고 화들짝 놀랐는데, 불행하게도 2백 달러를 더 쓸 수밖에 없었다. 이것이 내가 7월에 '전혀 예상하지 못했으나, 지출한' 925달러의 내역이다.

당연하지만, 갑자기 돈이 궁해졌다. 그래서 우선 7월치 집세를 8월에 얹어서 내기로 했다. 내가 한 일은 대가를 지불하지 않고 아파트의 이용이라는 서비스를 받은 것이다.

나는 돈을 갚아야 한다. 나는 빚을 졌다.

내가 집세를 낼 수 있었을까? 물론 안과 의사에게는 몇 달 뒤 지불하겠다고 약속하고, 안경은 아메리칸익스프레스 카드로 사고, 텔레비전은 비자 카드로 결제할 수도 있었을 것이다.

하지만 어떤 방식이든, 나는 빚을 진 것이 되고 만다.

보증을 세우지 않고 채무를 진다는 것이 빚의 두 번째 범주이다. 이렇게 하게 되는 가장 평범한 분야들이 다음과 같다.

- 집세
- 텔레비전 시청료
- 가스 · 전기 · 수도 요금
- 연방 · 주 · 지방 소득세
- 재산세
- 별거 수당과 자녀 양육비
- 수업료
- 신용 카드 청구서
- 대체 계좌 계산서
- 연료 청구서

새 종이를 준비하자. 위의 예에서 어떤 분야는지 한 날 또는 그 이상 연체된 횟수를 적어 보라. 그리고 여기에 포함되지 않았지만, 당신이 연체한 분야를 써 보라. 덧붙여서, 연체가 가능한 당신이 할 수 있는 모든 분야까지 적어 보라.

 빚을 질 수 있는 그 많은 방법들이 있다는 사실이 놀랍지 않은가? 사실은 당신이 적어 놓은 것 외에도 무수히 많다.
 담보물 없이 현금을 빌리는 것, 그 자리에서 지불하지 않고 상품을 사거나 서비스를 받는 것, 그리고 각종 공과금을 연체하는 것처럼 빚은 무수한 변형으로 나타난다. 하지만 그것이 바로 진짜 빚이라는 사실을 깨닫는 것은 어렵지 않을 것이다.

 깨닫는다는 것은 훌륭한 출발이다.

제2장 | 빚의 종류

영어에서 '빚'은 명사로서, '빚지다'라는 동사로 쓰이지는 않는다. 그러나 이 책에서는 동사로도 사용되었는데, 그것은 진짜 빚지기와 보증된 대출 등이 어떻게 다른가를 구분하는 데 도움이 된다.

빚지기에는 세 종류가 있다. 강박증적 빚지기, 문제 있는 빚지기, 이유 있는(합리적인) 빚지기가 그것이다.

강박증적 빚지기

강박증에 관한 모든 심리학적 수식어들에 대해서는 신경 쓰지 말자. 보통 강박증이라고 하면 단순하게 계속해서 반복적인 활동을 하는 경우를 말한다. 그러한 활동은 대개 잠재 의식과 같은 일련의 내적 이유에 의해 동기화된다. 책상 위에 펜을 가지런히 정리한다든가, 선반 위의 비품을 질서 있게 정리하는 것과 같은 정도의 강박증은 무해하며, 일반적으로 이 정도는 단순한 습관이나 개인적인 선호 정도로 받아들인다.

그러나 예를 들어 심각한 폭음이나 과식 같은 해로운 강박증의 경우를 보면, 사람들은 그것이 강박증이라는 것을 부정하고자 하며 애써 변명하곤 한다. "이봐, 나는 말이야, 열심히 일했고, 그래서 스트레스를 풀기 위해 한잔 할 필요가 있었어." "단지 한잔 했을 뿐이야. 별일 아니라니까. 더위에 늘어진 정도라고." 하며 파괴적 결과를 최소화하고자 한다. 심지어는 행동의 결과가 행동의 원인이라고 주장하기도 한다. "삶이 압박받고, 힘들고, 고통스럽기 때문에 마셨어." 사실은 자신이 한 일 때문에 삶이 압박받고, 힘들고, 고통스럽게 되었지만.

이혼한 바바라는 아들의 새 교복을 외상으로 사야만 했다고 주장했다. 아들이 교복보다 더 커버려 새 교복을 필요로 했지만, 그녀에게는 새 교복을 살 돈이 없었기 때문이라는 것이다. 하지만 그녀는 돈이 없는 이유는 애써 외면하려 했다. 그녀는 불규칙한 수입으로 두 장의 신용 카드, 백화점 카드의 대금을 결제하고 은행의 개인 대출금을 상환해야 했는데, 그것들은 매달 325달러나 들었다. 다시 말해서, 그것은 바바라가 작년에 졌던 빚을 갚기 위해 드는 돈이다. 단지 한 달을 두고 볼 때, 325달러라면 아들의 새 교복값을 지불하고도 당연히 남는 돈이다. 그러나 그녀는 아들의 교복값을 지불하기보다는 신용 카드 대금을 결제하는 데 돈을 써야 했다.

수중에 돈을 가지고 있으면서도 바바라가 꼭 사야 하는 것을 사지도 못하고 압박감을 느끼게 된 것은 사실 그녀가 이전에 졌던 빚 때문이다. 전에 빚지지 않았더라면 지금의 욕구를 충족시키기에 충분한 돈을 갖고 있는 것이다. 다른 강박증처럼, 강박증적 빚지기는 그녀 자신이 키운 것이다. 더 많이 빚질수록 불가피하게 더 많은 문제를 낳을 것이고, 더 많은 문제를 낳을수록, 새롭게 생겨난 문제점에 대한 해결책을 얻기 위해 더 많이 빚진다.

결국 바바라는 아들을 위해 2백 달러짜리 옷을 신용 카드로 샀다. 이 새로운 빚, 외상 구입한 옷에 대한 결제로 그녀는 매달 23달러가 더 들게 되었다. 그래서 매달 지불해야 할 금액은 325달러에서 348달러로 올라갔다. 그 결과 현재의 불규칙한 월수입 중에서 일상적 비용을 위해 쓸 수 있는 돈은 더 적어졌다. 당연히 바바라의 삶은 더 쪼들리고 힘들게 되었다.

만약 바바라에게 지금은 전혀 고려하고 있지 않은 비용(예를 들어 아파서 의사를 찾아가야 한다든지, 자동차 타이어를 교체한다든지, 가정용 공구가 부러진다든지 등)이 앞으로 요구된다면 어떻게 될 것인가? 그녀는 다시 빚을 지게 될 것이고, 어쩔 수 없이 그렇게 할 수밖에 없었다고 스스로에게 강변할 것이다. 그렇지만 스스로에게 납득시키는 것과는 별개로 빚의 총액은 다시 늘 것이고, 월별 지불액도 역시 증가할 것이고, 다시 한 번 삶은 더욱 힘들어지고, 돈쓰기에 대한 압박감은 더 커질 것이다.

강박증적 빚지기란, 정서적으로는 물론이고 재정적으로도 부정적 결과가 따르는 데도 불구하고 반복적으로 새롭게 빚을 지게 되는 것을 의미한다. 그러면서도 매번 새로운 대출, 연체, 신용 카드의 사용 등을 정당화하는 방법을 찾거나, 아니면 더 이상 참을 수 없게끔 당신을 죄는 압박감으로부터 벗어나기 위해서 새롭게 더 많은 빚을 지게 된다.

그러나 이런 식으로는 해결되지 않는다. 오히려 점점 더 악화될 뿐이다.

문제 있는 빚지기

강박증적 빚지기와 문제 있는 빚지기는 대개 빈도, 규모, 강도에서 차이가 난다. 문제 있는 빚꾸러기는 강박증적 빚꾸러기처럼 자주 빌리지도, 많이 빌리지도, 또는 심하게 재정적 문제와 정서적 고통을 경험하지도 않는다.

아직은 말이다.

어떤 사람들은 이직과 같은 일시적 상황 때문이거나, 천천히 늘어나는 빚의 규모를 깨닫지 못하기 때문에 문제 있는 빚지기를 시작한다. 그래도 상황이 잘 마무리되거나, 빚의 수렁에 너무 깊이 빠져들고 있다는 것을 자각하기만 하면, 더 이상의 빚지기는 피할 수도 있다.

그러나 전부는 아닐지라도 많은 경우에서 문제 있는 빚지기는 단지 강박증적 빚지기의 선행 단계가 된다. 감당하기 어려운 채무 구조란, 아테네가 제우스의 머리에서 태어나듯이 순식간에 활짝 펼쳐져 보이는 것은 아니다. 우리의 빚지기는 천천히, 조금씩 조금씩 쌓여 간다.

나의 경우는 17년 전부터 시작됐다.

합리적인 빚지기

빚과 관련된 아무런 문제가 없다면 신용 카드로 저녁값을 치르는 것은 합리적이다. 고장난 세탁기를 교체하고 12개월 할부로 계산하는 것도 합리적이며, 대출받아 휴가비를 융통하는 것도 마찬가지다.

그런데 자녀의 학비나 대규모 집수리와 같이 제법 큰돈이 필요하지만, 주식시상이 하강 상태라거나 정기예금 만기일이 한두 달

남아서 지금 당장 자산의 현금화가 여의치 않은 상황에 있을 때, 일반적으로 합리적인 빚지기가 발생한다.

인생은 때로 예상하지 못한 변화를 겪기도 한다. 예컨대 실직하고 몇 달 동안 일자리를 찾지 못했다고 하자. 그러면 새 직장을 찾을 때까지 소비생활은 위축되기 마련이다. 처음에는 저축한 것으로 생활비를 쓰겠지만, 그것이 다 떨어지면 얼마가 되건 부모님이나 형제에게 손을 벌리게 될 것이다. 그렇게 해서라도 취직이 되면, 부모님이나 형제에게 빌린 돈을 얼마 동안 조금씩 나누어 갚고, 실직 기간 동안 자기 자신에게 부과했던 내핍을 조금 느슨하게 할 것이며, 이윽고 다시 돈을 저축할 만큼의 여력이 생길 수도 있다.

다른 예도 있는데, 대학 졸업 직후의 수입이 예상한 금액에 모자란다고 하자. 그래서 집세와 대학시절에 융자받은 학자금대출상환금이 월급의 대부분을 차지하게 되었다. 할 수 없이 1년 반 동안 부모님으로부터 매달 조금씩 돈을 빌리게 되었다. 어떡하든 그렇게 버티고 나니 차차 승진해서 봉급도 올랐으며, 이제는 지불해야 할 비용들, 즉 집세와 빚의 상환도 무리가 없으며 자식으로서의 의무도 다하게 되었다.

위의 예와 같은 상황이라면 설사 빚을 졌다고 해도 심각한 것은 아니며, 어쩌면 실제적으로는 빚으로 보지 않을 수도 있고, 일상적 상황에서는 일반적인 청구서와 비용을 충당하는 데 아무런 문제가 없는 경우일 것이다.

자신의 빚지기가 합리적인지 아닌지를 알고 싶다면 아주 쉬운 질문을 하나 던져 보면 된다. 빚이 어떤 수준에서든 문제를 일으키고 있는가?

만약 그렇다면, 그때의 빚지기는 합리적인 빚지기가 아니다.

다음 장의 내용은 당신이 품고 있는 의심을 제거하는 데에, 그리고 당신의 빚지기가 심각한 수준인지 아닌지를 결정하는 데에 도움이 될 것이다.

제3장 | 빚꾸러기에 보내는 경고 신호들

빚의 수렁으로 빠져 들어가는 길에는 수많은 경고 신호들이 존재한다. 그러나 대개는 신용 카드 등의 청구서를 처리할 수 없게 되거나, 성난 빚쟁이들에게 시달리거나, 또는 법적으로 처리하겠다는 위협을 받는 등의 심각한 문제에 직면하기 전에는 그 신호들의 대부분은 무시된 채 지나치게 된다. 빚의 수렁으로 빠져 들고 있다는 아래의 경고 신호들 중 몇 개가 만약 당신의 삶에서 일상화되어 있다면, 당신은 빚 문제가 있는 사람이거나 빚을 지게 될 가능성이 높은 사람이다.

벌써 결제일이야?

지난달 청구서를 청산하기도 전에 이번 달의 청구서가 오기 시작한다. 이 달의 청구서를 치리해야 할 시점인데, 아직 지난달의 것들을 다 처리하지 못하고 있다. 지난달 전화요금 고지서가 아직 그대로 있고, 집세도 다 내지 못했으며 치과 의사에게 가계 수표를 보내지도 못했다. 정말 수표에 서명할 때마다 괴롭고, 생각했던 것보다 청구서가 훨씬 많으며 언제나 연체하는 것 같은 생각이 든다.

> • 납부기한 연체 경고장이 어떻게 생겼는지를 안다.
> • 소득세를 아직 내지 않은 것을 은행이 알고 있다.
> • 아메리칸익스프레스 카드 청구서는 지난달 잔액을 보여주고 있으며 총 지불액이 아직 수령중이라는 것을 보여준다.
> • 철물점에서 잔금이 남아 있다는 편지를 보내, 수표를 즉시 보내줄 것을 요구한다.

이젠 이것들에는 거의 놀라지도 않는다. 이마를 치면서 "오, 하느님, 맙소사, 어떻게 잊어먹었을까?"라고 말하지도 않는다. 그렇지요, 그렇구 말구요. 이러한 종류의 커뮤니케이션에 익숙해져 있으며 보통은 귀찮아하고, 침체되고, 좌절감에 휩싸인다.

즉시 돈을 내지 않으면 서비스를 중단하겠다는 통보를 해 왔기 때문에 전화국에다 실은 이러저러하다, 죄송하다, 너무한 것 아니냐 하는 등의 전화도 해야 한다.

또 금융회사를 포함하여 채권자의 법무팀이나 총무부에서 "언제까지 납부하지 않으면 이러저러한 불리한 일을 당할 것이다"라는 위협을 받은 이후에야 청구서를 납부한다. 그래서 매번 청구서를 볼 때마다 분노한다. "웬 놈의 청구서가 끊이질 않아!" 하거나 "하느님, 저는 왜 청구서에 이렇게 시달려야 합니까?"라고 자주 중얼거린다.

우편물 봉투 뜯는 것이 두렵다

새로운 청구서에 대한 공포감이나 빚쟁이와 생길 수 있는 문제

점을 알고 있기 때문에 편지를 뜯는 것이 꺼려진다. 정말 마음 편히 받는 유일한 편지는 친구나 친척으로부터 온 것뿐이다. 그나마 그들에게 줘야 할 돈이 없을 경우라면 말이다. 빚쟁이들로부터 온 청구서와 편지들은 책상 한 귀퉁이에서 늘 뚱뚱해지기만 하는 파일에 끼워지거나 서랍 속으로 들어간다.

편의점의 매니저인 래리는 청구서를 쇼핑백에 넣어 둔다. 그가 이 프로그램을 시작했을 때는 쇼핑백 두 개가 가득 차 있었다. 실제로 작년에 받은 모든 청구서와 연체 경고장이 가득 쌓여 있었다. 당시 그는 2만 9천 달러의 빚이 있었다.

청구서를 어딘가에 쌓아 두는 것은 모래 속에 자신의 머리를 처박는 타조 증후군의 증상을 보이는 것이다. 내가 청구서를 보지 않는 한, 나에게 온 청구서가 하나도 없다고 스스로에게 말한다. 타조 증후군이 점점 진행되면 모든 커뮤니케이션은 잠재적인 재정 상태를 고려할 때 위협으로 간주된다. 중립적이거나 유익한 커뮤니케이션의 가능성은 결코 일어나지 않는다.

빚지기를 그만둔 6개월 후에도 꽃꽂이 전문가인 모나는 여전히 이러한 공포에 싸여 편지가 오면 늘 전전 긍긍했다. 언젠가 국세청으로부터 온 편지는 일주일 동안 개봉조차 하지 않았다. 걱정이 날마다 늘었다. 마침내 용기를 가지고 편지를 뜯었을 때, 세금 환급금조로 166달러짜리의 수표가 들어있는 것을 보았다. 오랫동안 빚지고 있었던 모나는 국세청으로부터의 편지가 돈을 요구하는 것 외에 다른 것일 수도 있다는 점을 깨닫기가 너무 어려웠다.

은행 결제 계좌의 잔액이 부족하다

가계 수표의 잔액을 유지할 수 없다. 고지서와 월말 잔액을 일치시킬 수 없다. 정말 문제가 많다고 스스로 탄식한다. 심지어는 단순히 말해서 나쁜 뉴스는 애써 피하고 보자는 식으로, 계좌에 실제로 얼마나 있는지 결코 확인하지 않는다. 그러면서도 머릿속에서는 계좌에 1천 달러 정도는 있겠지라고 생각한다. 그렇지만 그러한 추측은 보통 실제 잔액보다 부풀려 상상한 것에 불과하다.

가능한 한 지불을 늦춘다

이것은 일종의 숫자 게임인데, 실제로 갖고 있는 액수보다 더 갖고 있는 체하는 것이다. 내가 선호했던 방법 중의 하나이다.

나는 우선 내 수표책의 잔액을 맞춰 둔다. 그리고 가능한 한 최후의 순간까지 수표에 서명하는 것을 미룬다. 나뿐만 아니라 이 방법을 쓴 다른 사람들도 마찬가지인데, 연체로 인해 빚쟁이로부터 경고 전화가 오거나, 구매를 취소하겠다, 공급을 단절하겠다는 등의 경고장이 올 때까지 가능한 한 돈이 있다는 사실에 매달리는 것이다. 그러면 나는 아직 내 수중에 있는 수표책을 볼 수 있고, 약 2천 달러의 여유가 있다고 생각하는 것이다. "오 마이 갓! 모든 것이 잘 돼 가고 있구먼. 아직 여유는 충분하다!"

하지만 이것은 나를 속이고 남을 속이는 일이다. 의식적으로 그렇게 하지 않았으나, 그래도 결과는 그런 셈이 되었다. 지불을 가능한 한 늦추면서 느끼는 안정감은 거짓된 것이다. 만약 청구서를 미루지 않고 즉시 지불했다면 은행의 내 잔고는 현재의 2천 달러가 아니라 1천 달러로 떨어져 있을 것이다. 그 경우에 나는 1천 달러가 내 계좌의 전부인데 반해 이달에 지급해 달라는 청구서의 총합은 2천 5백 달러이며 그래서 1천 5백 달러가 부족하다는, 불유쾌하지만 어엿한 현실에 직면했을 것이다. 그것이 마땅한 일이다.

숫자 게임에 임하는 경기의 당사자는 잔액의 방어에 결사적이다. 더 이상 미룰 수 없는 경우에 다다를 때까지 가계 수표의 발행에 저항한다. 상상의 잔액으로 위안과 구원감을 얻으려는 것이다.

현금으로는 구입하지 않는다

전에는 구입하는 물건의 대부분을, 예를 들어 지갑이나 워크맨 같은 작은 물품은 현금을 주고 구입했다. 그런데 지금은 대부분을 주로 신용 카드로 계산한다.

자동차 같은 큰 물품을 구입할 때, 전에는 할부금을 적게 내기 위해 먼저 현금으로 상당 액수를 지급했다. 그러나 지금은 그렇게 하지 못한다. 현금 지불액은 점점 더 줄어들고, 할부금의 비중은 점점 커진다. 지불 기간의 선택에서는 월별 지불액을 줄이기 위해 더 길게, 즉 1년 대신 2년을, 2년 대신에 3년을 택한다.

항상 현금을 적게 낼 수 있거나 지불 기간이 긴 품목을 찾는다. 이것을 두고 '난 현명한 쇼핑객이야'라고 자부한다. 그리고 그런 것을 하나 찾으면 아직도 쇼핑이 가능하다는 것에 기뻐한다.

늘 청구되는 것이 있다

어떤 하나의 신용 카드, 또는 여러 카드에 지불해야 하는 총액이 점점 증가하게 되는데, 대차대조표상 수입과 지출의 균형점 즉 0이 되는 경우는 거의 없다. 약간의 조작에 의해서 잠시 동안 청구액이 감소하기도 하지만, 원히기나 필요한 물건이 있어서 그것을 사면 지불액은 다시 증가한다.

신용대출을 받는다

꼭 써야 할 돈 때문에, 또는 외상으로 산 물건이나 서비스 대금의 지불을 더 이상은 미룰 수 없을 때, 신용 카드나 가계 수표 계좌의 신용 대출을 이용한다.

내일까지 몇 달러만 꿔주세요

종종 몇 달러가 부족하다. 그래서 거의 정기적으로 가족, 친구 그리고 동업자들에게 하루나 이틀 동안 적은 액수지만 현금을 빌린다.

신용 카드를 사용할 때면 뿌듯하다

외상 거래와 신용 카드의 사용을 성숙함과 성공에 관련시킨다. 아메리칸익스프레스 카드는 당신을 두고 알아줘야 할 사람이라고 세상에 말해 주는 것 같다. 골드 카드, 플래티넘 카드, 프리미엄 카드, 우수고객 카드 등을 자랑스럽게 생각한다. 그것들은 실패자들에게는 주어지지 않는다. 그렇지 않은가? 카드를 뽑아들 때 뿌듯하고 계산원에게 그것으로 지불하겠다고 말할 때는 기분이 한껏 고양되기까지 한다.

새로운 카드를 신청하시라는 권유 편지를 받으면 매우 기쁘다. 권유 편지에 '당신은 가치 있고, 성공했고, 책임을 질 수 있을 만한 사람이기 때문에 이러한 특권을 향유할 자격이 있습니다'라는 내용이 있기 때문이다. 서명한 후에 신청서를 반송하는 것만이 당신이 할 일이고, '당신의 신용은 인정받았다'라고 신용 카드 회사의 편지들이 알려줄 때마다 자랑스러워 한다.

다양한 종류의 신용 카드—비자 카드, 마스터 카드, 아메리칸익스프레스 카드, 다이너스클럽 카드, 유나이티드에어라인, B. F. 굿리치 등등—와 몇몇 지역 백화점에 백화점 카드라는 외상 계좌를 가지고 있다. 새로운 카드에 늘 관심이 있으며, 이게 필요하지는 않을까 하며 궁금해 한다.

신용 카드는 많으면 많을수록 좋다

하나 이상의 신용 카드를 가지고 있다. 기존 카드의 한도액에 다다르면 다른 신용 카드를 사용한다. 서로 다른 은행 등에서 발행된 신용 카드의 종류별로 결제 금액이 다양하게 벌려져 있다.

나는 마침내 청구서를 처리했다.

집세나 공과금 납부와 같은 일상의 재정적 의무를 다하는 것에 과도하게 성취감을 느낀다. 매달 음식, 주택, 의복 같은 기본 요소에 돈을 지불하는 자신이 무척 대견스럽다. 당연한 것인데도 매우 인상적인 일을 하고 있는 것처럼 느낀다.

돈은 프라이버시에 관련된 문제다

돈을 대화의 주제로 삼기에는 매우 난처한 것이거나 부적당한 것이라고 여긴다. 일상적인 대화 가운데 어쩔 수 없이 돈에 관해 얘기해야 하는 경우에도 달갑지 않게 생각한다. 개인의 재정 상태에 대해 말하는 것은 예의에 어긋나는 행동이라고 생각하며, 사람들이 거기에 대해 이야기하기 시작하면 그 상황을 슬며시 피한다.

심지어 누군가에게 얼마를 빌고 얼마를 내야 하는가를 말해야 된다는 사실은 생각만 해도 심장이 두근거리고, 숨이 차고, 손에서 땀이 난다.

계좌가 취소되었다고?

미지불 또는 반복된 연체 때문에 은행의 신용 카드와 백화점 카드의 사용이 취소되었다. 그래서 좌절하였고 화가 났었다. 그들이 당신을 불공평하게 대한 것이며, 잘못은 그들에게 있다고 주장한다.

휴우, 다행이다. 당분간은…

청구서는 눈에 띄지 않는 곳에 파묻어 두지만, 월급, 중개수수료, 계약금, 심지어 새로 신청한 대출금 등과 같이 받을 돈은 열심히 기다린다. 청구서 지불을 가능한 한 늦추며, 친구와 빚쟁이들에게는 곧 돈을 갚게 될 것이라고 말한다. 예상한 대로 돈이 계좌에 입금되면 그제서야 안도의 한숨을 쉰다.

세세한 것까지는 알고 싶지도 않다

대출에 관한 다양한 약정서, 신용 카드 약관, 외상 계좌에 관련된 용어들은 대체로 잘 모른다. 계산서가 날아왔을 때 다양한 숫자들의 의미, 즉 이 달에 지불해야 할 원금은 얼마이고, 이자, 수수료 등 금융 비용은 얼마인지를 잘 모른다. 예컨대 비자 카드에 금융 비용으로 얼마를 지불해야 하는지를 잘 모른다. 몽고메리오드에서 구입한 재킷 값을 모두 지불하기 위해서는 몇 달이 걸리는지를 잘 모른다. 단리와 복리가 어떻게 다른지를 잘 모른다.

가장 잘 아는 것은 신용 카드의 최고 한도는 얼마인가 하는 점이다.

신용 한도액이 결제 대금이다

어쩔 수 없이 현금이나 가계 수표를 써야 할 경우를 제외하고는 가능한 한 신용 카드로 결제한다. 그래서 차후에 결제해야 할 금액의 총합은 항상 최고 한도액 근처에서 배회하는 꼴이다. 만약 최고 한도액까지 좀 여유가 있다면 새로운 것을 외상으로 사게 되고, 그래서 결제금은 최고 한도액 근처로 다시 치솟아 오른다.

다음달은 다음달이지 뭐

이달에 지불할 필요가 없는 청구서에는 관심이 없다. 이달치 청구서를 지불할 수 있다는 것이 얼마나 좋은 일인가?

그러나 달력이 바뀔 즈음에 이르면, 재산세, 생명보험료, 출장, 가족의 생일 또는 크리스마스 쇼핑 등등과 같은 '이미 알고 있으며 예고된' 어떤 일이 '갑자기' 닥치고, 그것에 대해 많이 생각하지도 않았고 준비도 되어 있지 않다는 것을 '불현듯' 깨달으면서 불쾌해지고, 심리적으로 심한 압박감을 느낀다. 따로 저축한 것도 없으며, 주식이나 채권 등에 투자하지도 않았고, 가진 재산도 전혀 없다. 비상 상황에 대한 아무런 대비책이 없다. 실직이나 화재, 또는 가족의 의료적 비상 상황이 곧바로 충격으로 다가올지도 모른다. 문제는 달마다 받는 모든 돈이 곧바로 나가 버린다는 점이다.

연날리기 수법이라는 비장의 무기가 있다고?

연날리기(kite flying) 수법을 쓰라고 강요되는 상황이 때때로 있다. 연날리기 수법이란 은행의 가계 수표 계좌에 갖고 있는 돈보다 더 많은 액수의 수표를 쓰는 것인데, 여기에는 다양한 기법이 있다.

목요일이나. 쉐일라는 2주마다 급료를 받는데 금요일인 내일 급료를 받는다. 은행의 가계 수표 계좌에는 단지 5달러만 남아 있고, 지갑에는 집에 갈 수 있을 정도의 돈만 있을 뿐이다. 그렇지만 약국에서 처방전을 가져와야 하고, 아침식사를 준비해야 한다. 저녁에 친구집에 식사 초대를 받았는데 식사가 끝날 때는 아마 밤 늦은 시간이 될 것이고 택시를 타고 집으로 가야 할 것이다.

그녀는 슈퍼마켓에 들러서 몇 가지를 사고 물건값보다 많은 20달러의 가계 수표를 써줬는데, 이것은 현금이 필요해서 그렇게 한 것이다. 그래서 그녀는 20달러에서 물건값을 뺀 여분의 현금을 돌려받을 수 있었다. 그녀의 요량은 주말인 금요일 오후에는 급여를 은행에 예금할 수 있을 것이고, 오늘 발행한 수표는 아무리 빨라도 월요일에야 은행에 도착할 것이며, 그때쯤에는 오늘 발행한 수표를 감당할 수 있을 만큼 계좌의 잔고가 충분할 것이라고 생각했다.

레이는 전혀 예상치 못했던 비용이 들어서 두 달 동안 정기 주차비를 지불하지 못했다. 그곳에 주차해야 하지만 밀린 주차비를 해결하지 않는 이상은 불가능한 일이 되었다. 그래서 주차비를 감당할 만한 돈이 남아 있지는 않았는데도 가계 수표를 써줬다. 왜냐하면 수표가 주차관리회사에 도착해서 컴퓨터에 입력되고 예금되었으나 레이 계좌의 잔고 부족 때문에 은행으로부터 되돌아올 때쯤에는 새로운 수표를 써줄 수 있을 만큼의 잔고가 있을 것이라고 생각했기 때문이었다.

루스는 다른 방법을 주로 쓴다. 몇 년 동안 하나의 세탁소를 정해서 이용하고 있다. 형편이 곤란할 때는 세탁 요금에 대한 가계 수표의 지불일을 실제보다 늦춰 적는다. 그녀가 단골 손님이기 때문에 주인은 형편이 좋아질 때까지 연기하는 것을 마다하지 않는다.

때때로 테드는 조심스럽게 반송 봉투에 수표를 잘못 보내는 것같이 뒤섞어 넣는다. 예컨대 전화회사에 보내야 하는 수표는 백화점에 보내고 백화점에 보내야 할 것은 전화회사에 보내는 식으로 섞어 보낸다. 뒤섞인 것을 바로잡기 위해 그녀에게 잘못 보내진 수표가 되돌아오는 데는 대개 2주 정도 걸리는데, 그 동안이면 예금 계좌에 돈을 넣을 수 있는 충분한 시간적 여유가 생기기 때문이었다.

연날리기 수법의 형태가 어떻든, 그 모든 것은 똑같은 일로 귀착된다. 갖고 있지 않은 돈을 갖고 있는 것처럼 사용한다는 것이다.

부도를 낸다

텔레비전 제조업체에서 일하는 히더는 내가 아는 사람들 중에서 가계 수표의 부도에 관한 한 최고의 기록은 아마 모두 갖고 있을 것이다. '흑자 전환 프로그램'을 시작하기 전 그녀는 1년 동안 201장의 수표를 부도냈을 정도다. 부도 수표의 처리는 대체로 잘 되었으나 아직도 처리할 수표는 여전히 남아 있으며, 부도 수표 처리에 대한 과태료로 1천 달러 이상을 은행에 지불했다.

히더의 경우는 분명히 극단적인 사례다. 웬만한 사람이면 1년에 20차례 이상 가계 수표를 부도내지는 않는다. 어쩌면 10번, 아니 대여섯 번 정도도 채 안 될 것이다.

모든 사람들은 부도를 내지요, 그렇지 않나요?

아니다! 빚문제가 없는 대부분의 사람들은 절대로 부도내는 법이 없다.

아는 것이 전혀 없다

다양한 재정적 의무와 책임에 대해 모호한 생각을 가지고 있을 뿐이다. 그것들이 너무나 복잡해서 기억할 수 없다. 그것들과 실제로 이용 가능한 자금들을 연결시키는 데 곤란함을 느낀다.

매달 생활비가 얼마나 드는지, 또는 소득 대비 생활비의 비율을 잘 모른다.

내 주위에는 도와줄 누군가가 늘 있다

재정 상태와 청구서를 보면 초조해지다 못해서 심지어 속이 뒤집혀지기도 하지만, 실제로 심각한 상태에 빠졌다고 느낀 적은 거의 없다. 내 주위에는 기댈 수 있는 사람들, 예컨대 배우자, 부모, 형제, 자매, 좋은 친구, 친지 등 돈을 많이 가지고 있으며 나를 망하도록 내버려두지 않는 사람들이 있다.

나의 좋은 친구의 이름은 보브다. 내가 돈이 떨어져 케미컬 은행으로부터 1만 달러의 대출이 필요했을 때, 그는 나에게 담보물로 쓰라고 증권을 보냈고, 내가 소설을 탈고하는 동안 대출액을 1만 7천5백 달러로 올려야 했을 때에도, 또 다른 증권을 보내줬다. 그 외에도 나중에 5백 달러를 더 보내줬다. 그 덕에 나는 1만 8천 달러를 빚질 수 있었다!

나는 혼자서는 처리할 수 없어

당신은 아래에 열거하는 몇 가지 특별한 이유 때문에 다른 사람들과 다르다고 생각하고 있다. 그래서 당신에게 부과되는 청구서들과 의무들은 혼자서는 처리할 수 없고, 당신을 도와줄 누군가가 필요하다고 믿고 있다.

- 숫자에 서투르다.
- 대학 졸업장이 없다.
- 여자는 돈에 대해 배우지 못했다.
- 심각한 의학적 문제가 있다.
- 이런 일을 하기에는 너무 고급 인력이다.
- 당신의 분야는 많이 받지 못한다.
- 이 일 외에도 할 일이 너무 많다.
- 학교 졸업한 지 몇 년 안 된다.
- 너무 늙었다.
- 이혼을 했고, 남편의 수입 없이는 살아갈 수 없다.
- 이혼을 했고, 위자료와 자녀 양육비를 줘야만 한다.

어떤 이유라도 가능하다. 여기서 중요한 것은 항상 그럴 듯한 '이유를 갖고 있다'는 점이다. 아무리 빚지기를 피해 보려고 애를 써도 빚을 지게 된 것은, 빚진 사람이건 그가 처해 있는 상황이건 그렇게 될 수밖에 없었던 '무엇인가'가 있기 마련 아니겠는가.

지금까지 쭉 나열한 것은 빚지기에서 생기는 심각한 문제점들이 보여주는 가장 통상적인 경고신호들이다. 당신과 이 경고 신호들이 전부, 혹은 대다수 일치했다고 할 수는 없을 것이다. 단지 몇 개만이 맞았을 뿐이다. 빚 문제가 있어서 고민하는 대부분의 사람들도 역시 그렇다. 우리들 각각은 개인적 취향과 생활 양식, 삶의 형태가 매우 독특하고 서로 다르기 때문이다.

그러나 이렇게 열거한 빚의 경고 신호들 중에서 아마도 당신 자신의 경우를 몇 번은 보았을 것이다. 몇 번이나 보았는가?

분명히 말하지만 빚지기를 원하는 사람은 없다. 실제로 빚을 진 사람들의 대부분은 어떻게든 그것을 부정하거나 정당화하려는 반응을 보인다. 그런 반응은 아주 자연스러운 것이다. 빚지기를 바라는 사람이 있을까? 빚은 심히 고통스러운 것이며, 전적으로 불필요한 것이다.

그러나 이 시점에서 당신이 믿든 안 믿든, 당신이 빚을 졌다고 해서 앞으로 희망이 없다는 것은 아니다.

빚이란 단지 하나의 '문제'에 지나지 않는다. 모든 문제에는 해결책이 있다. 그러나 먼저 문제가 있다는 사실을 스스로 깨닫거나 인정해야 한다. 그 전에는 아무도 문제를 제거하거나 해결할 수 없다.

'흑자 전환 프로그램'을 실시한다면 앞으로 영원히 빚 없이 살 수 있다.

당신은 이미 그렇게 하고 있다. 그것은 당신이 이 책을 편 순간부터 시작됐다는 사실을 명심하라.

제4장 | 빚더미에 이르는 길

　어느 누구도 처음부터 빚에 짓눌리지는 않는다. 여기서 조금 저기서 조금, 그렇게 시작해서 어느새 거대한 빚의 피라미드를 만들게 되는데, 자기 자신이 통제할 수 없는 지경에 이를 때까지 심각함을 전혀 알아차리지 못한다. 심지어는 '아직 걱정할 단계는 아니다'라며 부정하기까지 한다. 그렇게 되기까지 몇 년은 족히 걸린다.
　10대 때 아마도 나는 친구들에게 기름값 또는 햄버거와 콜라 값으로 몇 달러를 빌렸을 것이다. 대부분의 사람들도 대개 그렇게 했을 것이지만 지금은 기억하지 못할 것이다. 성인이 되어서야 처음으로 빚진 것을 기억한다. 22살 때 맨해튼에 살고 있었는데, 내가 쓴 잡지 기사에 대한 원고료를 기다리고 있었다. 마침 급히 쓸 돈이 필요했는데 원고료를 마냥 기다릴 수 없어 아버지에게 5백 달러를 빌린 것을 기억한다. 그 후 30살이 될 때까지 사소하게 빚을 지기도 했지만 빚이 전혀 없이 살기도 했다. 보통 신용 카드나 백화점 카드 청구액으로 몇 백 달러에서 약 1천 달러 정도만 지불하면 되었다.

그 당시에 주의할 만한 문제는 전혀 없었다.

30살 때 집을 한 채 사서, 아내와 아이 둘과 함께 뉴욕을 떠나 북쪽의 캣스킬 산 속으로 이사했다. 한 달이 채 못되어 기름 보일러가 고장났고, 폭풍우가 몰아쳤을 때 지붕이 날아가 버렸다. 새 기름 보일러를 들이는 데에 350달러가 들었고, 지붕을 새로 얹는 데에 2천 달러를 지불해야 했다. 집을 샀을 때 계약금과 중도금조로 그때까지 저축해 둔 돈은 이미 모두 써버린 뒤였다. 하지만 기름 보일러를 새로 샀고, 지붕 수리공에게는 선금을 1천 달러로 하는 대신 잔금은 매달 1백 달러씩 10달 동안 지불하기로 계약했다.

그때 이후로 나는 결코 빚에서 벗어난 적이 없다. 빚의 액수가 수입의 변덕스러움과, 살다 보면 자질구레하게 일어나는 일상적 사건에 따라 늘었다 줄었다 할 뿐이었다. 보통 2천 달러와 1만 달러 사이에서 왔다갔다 했다. 돈은 언제나 충분하지 않았다. 집은 수리가 필요하고, 아이들은 커가고, 살다 보니 새로운 보험에 들 일은 항상 생겨나고, 작업실도 개조해야 하고, 출판사의 고료는 언제나 늦고, 맏이는 커간다 싶었더니 어느새 대학에 입학했다. 늘 어떤 일이 있었고 늘 새롭게 빌려야 했다.

나 같은 소설가는 수입이 드문드문 생긴다. 새로운 고료 수입을 받을 때 이전에 받았던 것이 언제쯤인지 생각해 보면 오래전 일이라 가물가물하다. 나 같은 사람에게 최선의 시스템은 다음과 같이 작동하는 경우이다. 인세나 고료로 거액을 받고, 그래서 이전에 졌던 큰 빚을 청산하고, 나머지는 다음 몇 달치의 생활비로 이용한다. 그리고 나서 돈이 떨어지면, 다음 수입 때까지 다시 빌리기 시작한다. 이러한 사이클은 반복된다. 때때로 불편하기는 했어도 약 13년이란 비교적 오랜 기간 동안 그렇게 해 왔다. 그러나 그러한 시스템, 아니 사이클이 붕괴되었을 때 그때 내 빚은 5만 달러이며 보장된 수입이라고는 겨우 350달러에 불과하고, 매달 이러저러한 비용으로 3천 달러가 소요되고 있다는 것을 알았다.

무엇이 잘못됐는지, 어떻게 이러한 결과가 생기게 되었는지를 전혀 알 수가 없었다.

하지만 이때 한 가지, '다시는 돈을 빌리지 않아야겠다'라는 생각은 분명하게 들었다. 물론 내 주위에는 그동안 나에게 돈을 꿔주었던 사람들이 있었기에 돈을 더 빌릴 수도 있었다. 그러나 그때 나는 해야 할 일은 몰랐을지라도 하지 말아야 할 일은 확실하게 알 수 있었다.

어떻게 그렇게 방향을 바꾸게 되었는가 하는 것은 전혀 별개의 문제다.

앞의 이야기는 단지 내 경우일 뿐이다. 지금 이 순간에도 손발을 다 잘라버리듯이 아무것도 할 수 없게 만드는 빚으로부터 고통받는 수백만 명의 사람들 각자는 그들 자신들만의 이야기를 가지고 있다. 그리고 이 프로그램을 이용하여 이제는 빚을 다 갚은, 지금은 행복하고, 풍요롭고, 그리고 영원히 빚 없이 살 수천 명의 사람들도 역시 그렇다.

핵심을 파악하자

새로운 빚을 피하고 현재의 빚을 감소시키는 방법을 다루기 전에, 우선 우리가 어떻게 빚을 지게 되었는가를 정확히 이해해야 한다.

핵심은 간단하다. '빚이 반복되는 것은 돈과 스스로에 대한 왜곡된 태도와 인식으로부터 비롯된다.' 태도와 인식이란 대개 잠재 의식적이어서, 심지어 사람들은 그런 것이 있다는 것조차도 깨닫지 못한다. 그러나 그것들은 우리의 행위와 행동을 독재자와 같은 힘을 가지고 지배한다. 그래서 그것들이 무엇인지를 깨닫는 것이 필수적이다. 만약 전혀 깨닫지 못한다면 겉으로 드러난 결과가 상당히 좋아진다 해도, 그리고 외부에서 아무리 돈이 많이 들어온다 해도 재정 상황을 개선할 수는 없다.

이 장에서는 평범하지만 가장 파괴적인 항목만을 거론할 것이다. 모든 사람들은 다 다르다. 즉 각자의 스타일이 있기 때문에 당신에게 구체적으로 들어맞는 사항은 몇 개뿐일 수도 있다. 그러나 항목들의 조합은, 아니 단 하나의 항목일지라도, 당신의 잠재 의식에 충분히 영향을 미칠 수 있다. 불행하게도 그 힘은 어떡하든 빚지지 않으려고 의식적으로 갖은 노력을 하는 당신을 빚지기의 수렁에 빠뜨리기에 충분할 만큼 강하다.

나는 돈을 모른다
당신은 돈을 이해하지 못한다고 생각할지도 모르지만, 그것은 사실이 아니다. 당신이 이해 못하는 것은 세계 경제이다. 그것은 다른 사람들도 다 그렇다. 당신이 이해 못하는 것은 고급 재정학의 복잡성일 뿐이다. 역시 많은 사람들이 그렇다. 이제 경제 제도들, 무담보 회사채, 면화의 선물 거래 등등에 대해서는 잊어버리자.

돈이란 교환의 매개체에 지나지 않는다. 상징이다. 당신이 고용주에게 노동(시간)을 하면, 그는 돈을 준다. 당신이 상점에 가서 돈(가치)을 주면, 그는 텔레비전(상품)을 준다. 그것이 전부다. 돈에는 미스터리나 마술이 없다. 돈은 단순히 삶을 좀더 쉽게 해주는 기능을 한다. 어떤 물건을 사고 싶을 때 소떼나 소금 마차를 몰고

갈 필요가 없다. 현금이나 수표를 대신 주면 된다.

개인의 돈을 거시 경제학이나 금융 산업과 혼동할 때, 문제가 복잡해지고 상황이 악화되며, 심리적인 위협이나 공포의 원천이 되는 것이다. 그렇게 되면 아마도 돈이란 도대체 무엇인지 쉽게 이해할 수 없을 것이며, 이해하려고 노력해 봤자 희망이 없고, 심지어 나와는 관계 없는 다른 사람들의 영역으로 들어간 것이라고 간주하게 된다.

이것은 진리가 아니다. 초등학교에서 산수를 배운 사람이나 단순히 계산기의 버튼을 누를 수 있을 정도의 사람이라면, 모든 사람들은 누구나 자신의 돈을 이해하는 데 필요한 기술적인 측면은 전부 숙달한 것이다. 이것이 진리다.

상황이 터프하면 쇼핑도 터프해진다

돈을 분위기 전환의 매개체로 사용한다. 실제로 필요해서 구입하는 것이 아니라 정서적인 측면에서 쇼핑하고 소비한다.

토니는 기분이 우울하다. 무기력하고, 힘이 없고, 가치 있는 것은 아무것도 없다. 그런 기분을 떨쳐 버릴 수 없다. "뭔가 귀여운 것을 사 봐. 즐거워질 거야." 친구가 말한다. 그래서 시내의 마샬 필드에 가서 150달러짜리 실크 블라우스를 카드로 사고, 거기에 어울리는 70달러짜리 치마, 그리고 40달러를 들여 화장품을 사고 나니 마음이 좀 나아진 것 같다.

프랭크는 이혼했다. 아이들이 그립다. 원룸형 아파트에 살고 있지만 집은 늘 텅 비어 있고 너무 조용하다. 다시 데이트를 시작했지만 항상 외롭다. 집에 있을 때, 뭔가 할 일을 만들기 위해 컴퓨터를 1,750달러를 주고 샀다. 잠시 동안은 도움이 되었다. 오디오 시스템을 업그레이드하는 데 8백 달러를 썼다. 음악을 좋아하는 편인데 출근 준비를 하는 아침에 특히 열심히 듣는다. 평일은 그럭저럭 견딜 만하지만 주말은 정말 외롭고 힘들다. 환경에 변화를 주고 새로운 얼굴들을 사귀면 해결될 것이라고 스스로에게 말한다. 그래서 여행사에 전화해서 1천1백 달러짜리 카리브행 유람선을 예약했다.

보브는 외로움을 거의 느끼지 않는다. 스포츠에 적극적이며, 사교 모임에 속해 있다. 그러나 그의 삶에 진정한 사랑은 없는 것 같았다. 연인과 깨질 때마다 공허함과 허탈함을 느껴야 했다. 그리고 그는 그때마다 그런 감정을 지우기 위해 새옷, 새 넥타이, 새 신발을 사러 나가거나 가구를 새롭게 바꿨다. 지난달에는 데이트하고 있던 여자와 헤어졌을 때 다가올 겨울 시즌을 대비하여 새 스키, 부츠, 그리고 그 외에 필요한 장비 일체를 구비했다.

조애니는 대학원생이다. 열심히 공부하는 편으로, 논문을 쓰거나 시험 준비를 특히 철저히 한다. 그것은 그녀를 긴장시키고 녹초로 만들기 일쑤다. 그래서 그녀는 논문을 끝내거나 시험을 마치면 스스로에게 보상하는 것으로 동기 부여를 한다. 석 달 전에는 침실의 새 커튼, 두 달 전에는 무릎 높이의 이태리 부츠, 지난달에는 VCR을 보상 품목으로 선택했다.

프랜은 직업, 애인, 어머니의 나쁜 건강 등

이 걱정되어 종종 힘들어하고 불안해 한다. 사무실이 있는 빌딩 주위의 점심시간에 들리는 잡음과 거리의 소음도 그녀를 불안하게 한다. 가게에 들어가 무엇인가를, 펜이나 CD부터 보석이나 주방기구에 이르기까지 무엇이든지 구입함으로써 이러한 감정들을 해소시킨다. 그리고 그런 일은 일주일에 몇 번씩이나 있다.

에드는 종종 따분해 한다. 직업과 삶은 아주 정형화되어 있다. 그를 흥분시킬 만한 것이 거의 없다. 그도 자주 쇼핑을 하는데 한번 샀다 하면 아주 많이 산다. 한 가지씩 살 때마다 한 가지씩의 스릴을 느끼고, 그것들을 집에 가져가서 상자에서 꺼낼 때마다 또 다른 스릴을 느낀다. 단조로움을 깨뜨리고 활기차게 하는 데에는 쇼핑이 최고다!

만약 당신이 돈을 이런 식으로 쓴다면, 다른 사람들이 불편한 감정에서 벗어나기 위해 알콜과 약물을 사용하는 것과 똑같은 방식으로 기분 전환을 위해 돈을 사용하는 것이다.

사람들 대부분이 이러한 감정을 느끼고 있지만, 그것들을 좋아하는 사람은 아무도 없다. 그래서 어떤 사람들은 그런 감정을 애써 억누르기도 하고, 어떤 사람들은 '승화'시키려고 노력한다. 불쾌한 감정을 변화시키는 방법은 무수히 많다. 체육관에서 운동을 하거나, 친구에게 춤추러 가자고 전화하거나, 모형배를 조립하거나 또는 영화를 보러 가는 것 등등이나. 그러나 당신이 좌절감에서 벗어나기 위해, 외로울 때 자신을 위로할 사랑의 대체물이나 보상으로써, 또는 지겨움을 치료하기 위해서 등등의 이유로 지속적으로 물건을 구입하거나 뭔가를 소비한다면, 당신은 천천히 빚을 향해 가고 있다고 보면 된다.

나는 자격이 있다

몇몇의 이유로, 아니 어떤 이유에서든지, 삶은 당신에게 빚지고 있다. 유명 디자이너의 드레스보다 당신이 훨씬 더 가치가 있다. 당신은 하와이에서 휴가를 보낼 자격을 당연히 가지고 있다.

당신이 더 값지고, 자격이 있는 이유를 살펴보자.

- 회사나 가게에서 꽁지가 빠질 정도로 열심히 일한다.
- 두 명의 어린아이들과 하루 종일 집에서 같이 보낸다.
- 불우한 어린 시절을 보냈다.
- 인턴 시절에 하루에 18시간씩이나 일했으나 실제로는 아무것도 받은 게 없다.
- 결혼생활을 지속하고 있다.
- 다른 사람들에게 선물을 사줬다.
- 이혼했다.
- 아팠다.
- 죽을 고비를 넘겼다.
- 해고됐다.
- 승진했다.
- 부모님과 보낸 주말이 끔찍했다.
- 약혼자가 나를 잘 이해하지 못한다.
- 딸아이는 결국에는 치아 교정을 할 필요가 없었다.
- 차가 완전히 박살났다.

- 정부는 자기 몫을 가지고 있고, 당신은 당신 몫을 원한다.
- 당신의 사진이 신문에 났다.
- 상당히 고생했다.
- 다른 사람들도 다 그렇게 한다.
- 주말에도 일해야 했다.
- 애인이 다른 사람과 침대에 있는 것을 발견했다.
- 개가 새끼를 낳았다.
- 삶은 고된 것이다.
- 대학 우등 졸업생 모임의 회원으로 뽑혔다.
- 우리 모두는 어차피 죽을 것이다.
- 너무너무 날씨가 좋다.
- 당신은 정말 좋은 사람이다.

이유는 끝이 없다. 당신이 그럴 자격이 있다고 느끼기 때문에 돈을 쓸 때에는, 이 세상의 어떤 이유를 들어서라도 그렇게 할 것이다.

나는 자격이 없다

실상을 냉정히 들여다 보면, 당신은 그렇게 많이 가치 있는 사람은 아니며, 전에도 결코 그렇지 않았다. 당신의 삶에서 보여줄 게 거의 또는 전혀 없다. 똑똑하지도 않다. 좋은 인격을 가지고 있지도 않다. 가족들이 당신 때문에 좌절감을 느끼거나 안쓰러움을 느낀다. 의욕도 없다. 참을성도 없다. 뛰어나지도 않다. 내적으로 무언가가 빠져 있다. 앞날이 창창한 체했을 뿐이다.

이 프로그램을 시작했을 때, 35살의 페기는 큰 빚을 지고 있는 것은 아니었다. 2만 달러가 못되는 정도였다. 그러나 그녀는 성인이 된 이후 지금까지 거의 내내 빚지고 있다. 그녀는 조그마한 원룸형 아파트에 살고 있었는데, 값어치 있는 물건은 거의 없다고 봐도 좋았다. 옷조차 대개가 처음부터 중고품을 구입한 것이었다.

그러나 그녀는 영문학 석사 학위를 갖고 있으며, 박사 과정에 있던 20대 초반에는 대학에서 강사생활도 했다. 그녀는 영리한 여성이었는데도 스스로에 대한 확신이 부족했고, 자신을 가치 있는 존재로 생각하지도 않았다. 박사 과정을 그만둔 뒤에는, 자신에게 어울린다고 생각했던 주급 150달러짜리의 나이트클럽에서 코트를 보관해 주는 일처럼, 아무 일이나 전전하면서 살았다. 아무 가치 없는 존재라고 시위하듯, 그녀 자신을 황폐화시켰다. 그녀는 최소한의 생존 정도만 영위할 자격이 있는 존재로 스스로를 규정했다.

그녀는 부정적인 잠재 의식을 가지고 있다는 사실을 인정하고 받아들이는 것이 어려웠다. 심지어는 이 프로그램을 시작하여 다시 지위가 상승되고 수입이 세 배나 증가한 뒤에도 돈을 택시, 영화, 외식 등에 쓰면서 1년 가까이나 자신을 몰락한 상황에 그대로 내버려 두었다.

스스로를 아무 가치 없는 존재로 여기는 잠재 의식적 믿음은 자기 파괴 행위를 야기한다. 그렇게 되면 하는 일마다 모두 망치게 되고 모든 것을 잃어버린다. 월급이 오를 때쯤 또는 승진이 코앞에 있는 시점인데도, 본인만 그것을 모르고 직장을 그만두기도 한다. 봉급을 아주 적게 주는 곳에서는 오히려 마음 편하게 일한다. 스스로 규정한 신념과 비교하여 더 많이 벌게 된다면, 돈이 다 떨어질 때까지 억지로 그것을 써버리고 또다시 딸랑거리는 동전 몇 개와 샌드위치 외에는 아무것도 남겨 두지 않는다.

나는 정상에 서 있다

당당함을 과시하기 위해, 그리고 품위 유지를 위해 소비하는 것은 적자의 풀로 하이다이빙 하는 것과 같다. 최고로 훌륭하고 좋은 것을 바라며 사는 것은 결코 잘못된 것이 아니다. 그러나 그것은 현시점에서 사용 가능한 자금과 잘 맞을 경우에만 그렇다. 사브 9000 터보는 대단한 차다. 2만 7천5백 달러나 한다. 당신이 새 차가 필요하고, 사브를 좋아하고, 그만한 돈을 가지고 있고, 아무런 빚도 없다면, 사브를 사서 즐겨라.

그러나 당신이 빚을 지고 있고 매달 돈과 씨름하고 있다면 7천5백 달러짜리 플리머스 릴라이언트도 사브와 마찬가지로 당신이 가고자 하는 곳까지 당신을 데려다 주기에 충분하다. 그렇게 해서 2만 달러를 덜 쓰는 것이, 좀더 빨리 빚을 갚고, 좀더 빨리 빚 없이 살고, 좀더 빨리 사브를 살 수 있게끔 하는 데 도움이 될 것이다.

프리랜서 컨설턴트인 해리엇은 6년 전, 연수입이 2만 5천 달러에서 10만 달러 이상으로 비약적인 상승을 하게 되었다. 그러나 오늘 그녀의 재정 상태에 대한 압박은 그때보다 심하고 전체 빚의 규모도 수입의 상승 만큼이나 많아졌다.

그녀는 종종 귀찮은 빚쟁이들 때문에 마음이 혼란스러워져서 거의 일을 못하게 된다. 침울하다. 고객들이 돈을 늦게 지불할 때면 종종 좌절감과 분노를 느낀다. 재정 상태가 매우 악화되었던 작년에는 재산세 1천7백 달러를 내지 못해서 법정에 출두하라는 소환장을 받기도 했다. 그녀가 갖고 있던 모든 자산이 이미 담보물로 저당 잡혀 있었기 때문에, 이론적으로는 주 정부는 그녀의 집을 차압해서 경매에 붙일 수도 있었다. 금융기관의 모든 신용 한도액은 최대치까지 올라가 있어서 더 이상 돈을 빌려 주려 하는 곳도 없다.

그녀는 상황이 이런데도, 책상 위에 소득세 청구서가 놓여 있는데도, 그것을 무시하고 유럽 여행에 3천 달러를 지불했다. 그리고 6개월 전에는 2만 2천 달러짜리 자동차를 샀다. 때때로 돈이 많이 들어가는 호사스런 파티도 연다. 최근에 만났을 때는, 뉴욕에 올 때면 늘 헴슬리팰리스 호텔에 묵는다고 나에게 자랑스레 말했다.

"왜 내가 하룻밤에 1백 달러짜리 방에 있어야 하죠? 나는 하룻밤에 2백 달러짜리 방이 좋아요."

전성기의 무하마드 알리처럼, 최고급 식당에서 최고급 음식을 먹고, 실크 블라우스와 수입 구두를 사고, 최신 유행의 헬스클럽에 가입하고, 최신 전자제품을 구비하며, 유명 휴양지로 휴가를 떠난다. 당신이 최고라서?

돈은 부패한 것이다

돈이란 본래 무언가 사악한 것이다. 그렇지 않은가? 돈을 가진 모든 사람은 부패했다. 그들은 탐욕스럽고, 무원칙하고, 감정도 없다. 돈을 많이 번 사람이 윤리적이거나 점잖은 인간이 되기는 거의 불가능하다. 빈곤선에 놓여 있는 사람이 훨씬 더 깨끗하고, 순수하고, 덕이 있고, 고상하다.

만약 당신의 잠재 의식이 이러하다면, 당신은 기회를 가질 수 없다.

"탐욕스럽고, 무원칙하고, 감정도 없는 인간과 윤리적이고, 점잖은 인간 중에서 당신이 남들에게 보여지고 싶은 인간형은 무엇인가요?"

세상의 어느 누가 부패하고, 탐욕스럽고, 무원칙하고, 감정이 없는 사람으로 비춰지길 원하겠는가?

당신이 만약 '돈은 모든 악의 원천이다'라는 생각을 가지고 있다면, 빚을 지고 있는 상태로, 당신의 생각을 유지하며, 깨끗하고 고상하고 순수하게 살아가면 된다.

실질적인 의미에서 돈이 모든 악의 근원이라고 말한 사람은 없다. 성경 디모데서의 구절에 "돈을 '사랑'하는 것이 모든 악의 근원이다"라고 쓰여 있기는 하다. 그렇지만 거기에 쓰여진 '사랑'이란 단어는 욕망 또는 탐욕의 의미를 가지고 있다.

'돈은 썩었다'라는 생각에는 흥미로운 변형이 하나 있다. 그것은 세상에 있는 돈은 모두에게 골고루 돌아갈 만큼 충분하지 않다는 믿음이다. 즉 당신이 얼마만큼의 돈을 가지든 간에, 그것은 다른 사람의 희생에 대한 대가로 가지게 되었다는 의미이다. 누군가가 박탈당해야만 당신이 풍족해질 수 있다는 논리다.

> 밖에 나가 주위를 둘러보라.
> 밤하늘을 쳐다보라.
> 부유하고 풍족한 우주는 닳아 없어지지 않는다.

돈 그 자체는 실제적인 것이 아니다. 허구이다. 돈은 먹을 수 없다. 돈으로 집을 지을 수 없다. 돈을 태워 몸을 오랫동안 따뜻하게 할 수도 없다. 모든 부는 인간 정신의 산물이다. 금은 실체지만, 그것이 가치 있게 되는 것은 단지 우리가 그렇다고 '동의'하기 때문이다. 맥도널드의 창업자를 백만장자로 만들어준 것은 햄버거와 감자가 아니라 패스트푸드라는 아이디어였다.

돈 그 자체는 가치 중립적인 것이며 좋지도 나쁘지도 않다. 돈을 찬양할 수도 저주할 수도 있다. 무엇을 할 것인가는 당신에게 달려 있다. 돈을 버는 것에 얽매일 수 있다. 마찬가지로 돈을 회피하는 것에 얽매일 수도 있다.

내 사랑을 잔돈푼으로 증명할 수는 없다

당신은 물건을 사주거나 돈을 주지 않아도 감사와 사랑을 보낼 수 있다는 것을 믿지 않는다. 그래서 당신은 돈을 쓰는 것으로써 당신의 사랑을 증명해야 한다고 생각한다.

이러한 태도는 어떠한 상황에서도 나타날 수 있다.

- 딸이 대학에 가게 됐다. 딸을 사랑하고 그녀에게 최고로 해주고 싶다. 주립대학은 사립대학에 비해 1/3의 비용밖에 들지 않지만, 모든 것을 저당잡힐지라도 그녀에 대한 당신의 사랑은 예일 대학이나 M. I. T.를 의미한다.
- 사무실에서 열심히 초과 근무를 하고 있고, 그래서 주말이면 아내와 함께 외출할 기운조차 없다. 마침내 휴가철이 왔을 때, 그동안의 불성실에 대한 보상으로 아내를 파리로 데려간다.
- 크리스마스 시즌이다. 모든 사람이 흥분하고 있다. 자식들, 배우자, 부모, 형제, 자매, 좋은 친구들 모두를 사랑한다. 선물을 받고서 기뻐할 모습이 눈에 선하다. 그들을 얼마나 사랑하는

지를 보여주고 싶고, 그래서 호화롭고 값비싼 선물을 사준다.
- 선물이 없으면 어느 누구도 방문하지 않는다.
- 술값은 언제나 내가 치른다.
- 당신이 원하는 만큼, 혹은 그래야 한다고 생각하는 만큼 많은 시간을 아이들과 보낼 수 없다. 그래서 아이들에게 값비싼 물건을 사주고 용돈을 듬뿍 준다.

이것이든 저것이든 당신은 사랑과 돈이 같다고 믿고 있다.

고도를 기다리며…

당신은 대전환을 기다리고, 기원하며, 계획하고 있다. 대전환은 당신의 문제를 일거에 해결할 것이며 모든 일을 잘 되게 할 것이다. 그래서 대전환이 찾아오는 대로 일시에, 아니면 적어도 한 달 이내에 모든 빚을 갚고 모든 일을 충분히 해결하게 될 것이다.

- 곧바로 승진할 예정이다.
- 한번에 대규모의 세일즈를 할 것이다.
- 할머니로부터 선물을 받을 예정이다.
- 연말 보너스를 두둑히 받게 될 것이다.
- 시장에서 한몫 크게 잡을 예정이다.
- 우표수집물을 비싸게 팔 것이다.
- 졸업하고 좋은 직장에 취입할 예정이다.
- 영화 판권을 팔 것이다.
- 보험금 소송에서 이길 예정이다.
- 매장량이 매우 많은 유전을 발견할 예정이다.

대전환은 좀처럼 찾아오지 않는 법이다. 설령 앞에서 열거한 것과 같은 대전환이 찾아온다 해도 당신이 원하는 그 시점에 맞추어 오리라고는 보장할 수 없다. 어쩌면 시간만 조금 더 연장시켜줄 뿐일지도 모른다. 소리없이 찾아온 행운은 마찬가지로 소리없이 사라질 뿐이다. 이전의 삶을 변화시킬 가능성은 거의 없다.

나의 경우에는 1년에 약 3만 달러로 가족과 생활했다. 1970년대 중반에 내 소설 중의 하나가 영화화되었고, 몇몇 독서 클럽에서 추천 도서로 선정되었으며 판매도 아주 잘 되었다. 그 해 여름 출판사로부터 인세로 5만 달러를 받았는데, 그 덕에 대부분의 빚을 갚고도 약간의 저축을 했으며, 집을 조금 개조할 수 있었다. 문제는 그로부터 1년 뒤, 생활 규모가 이전보다 더 커졌으며, 다시 빚지고 갚고 또 빚지고 갚는 사이클로 되돌아와 버렸다는 것이다.

대전환의 환상은 현대판 해결책이다. 고대 그리스의 비극을 보면, 종종 모든 것이 절망적인 것으로 보이고, 해결할 수 없는 상황에 대한 묘사로 플롯이 구성되어 있다. 그때 번개가 치고, 크레인 같은 장치가 신들 중의 한 명의 역할을 하는 배우를 무대로 내려놓는다. 갑작스레 개입한 '신'이 모든 것을 바르게 해놓는다. 우리도 이런 식의 대전환을 기다리고 있다.

대전환은 극적인 장치일 뿐 삶에서는 일어나지 않는다. 사실 드라마에서조차도 늘 그런 것은 아니다. 사무엘 베케트의 『고도를 기다리며』에 등장하는 인물들은 그들의 삶에 커다란 영향을 줄 고도라는 인물의 도착에 초점이 맞춰져 있다.

고도는 절대로 등장하지 않는다.

그러나 당신은 그를 계속 기다리고 있다.

금고는 절대로 열 수 없다

당신은 돈을 쓰는 것을 거부한다. 거의 강제로 꼭 필요할 때만 간신히 돈을 쓴다.

그렇게 했는데도 어떻게 빚을 지게 되었을까? 빚꾸러기가 되기 전에는 돈을 펑펑 쓰는 사람이었다, 그렇지 않은가? 체면, 잘난 체하고 싶은 감정, 또는 다른 종류의 과장에 의해 마구 썼다, 그렇지 않은가? 그렇지 않다면, 최후의 만찬을 먹듯이 돈에 목을 매고, 무엇인가를 구입할 때면 강도가 당신 머리에 총을 겨누고 있는 상황처럼 마지못해서 돈을 내는 당신이, 도대체 어떻게 빚을 질 수 있겠는가?

진정하자. 그리고 입을 꽉 다물고 주먹을 움켜 쥐고 있는 앞 모습 대신 뒷면을 살펴보자.

최후의 만찬이란 무슨 뜻일까? 그것을 다 먹고 나면 더 이상의 음식은 없다는 것이다. 그리고 필시 굶어 죽을 것이다. 하지만 당신이 갖고 있는 음식을 쥔 채로 먹지 않고 계속 버틴다면, 당신에게는 음식이 여전히 남아 있는 상황이 될 것이다.

핵심은 '당신은 여유가 없다'는 것이다. 이것은 최전방 참호에서 적군에게 포위되었을 경우에 나타나는 정신 상태이다. 당신은 지금 어떤 것을 갖고 있지만 그것을 움켜 쥐고 살아남아야 한다고 외치고 있나. "너 이상 들어올 세 없이 다 떨어지고 나면, 그때에는 어떤 일이 일어날 것인가? 어디서 살며, 무엇을 먹을 것인가?"

당신은 이제 의욕이 없는 소비자의 신세가 되었다는 것이다. 얼마를 쓰든 모든 지출은 지나치게 많은 것처럼 느껴진다. 집세, 치료비 등 꼭 써야만 되는 경우에 돈을 쓴 것인데도, 당신은 침울해지고 속이 뒤집혀진다. 절대적 생존에 필요한 것에만 겨우 소비한다. 기쁨을 주거나 삶의 질을 향상시키는 그 어떤 것에 대한 돈쓰기는 오래전에 그만두었다. 예컨대 싱싱한 꽃을 사거나, 체육관에 등록하거나, 영화를 보러 가거나, 새로운 유행의 브랜드 제품의 옷을 사거나 하지는 않는다. 이런 것들은 모두 쓸데없는 사치라고 보며, 그런 것들에 대해 생각할 여유도 없다.

이렇게 되면 불가피하게 황폐감과 박탈감이 야기된다. 그리고 불가피한 것과 유사하게, 그러한 감정은 저소득과 빚을 낳는다. 좋은 게 좋은 것을 낳듯이, 당신은 최악을 기대함으로써 대안을 제거해 버린 것이다. 당신의 생각에 여유가 없기 때문에 문제를 해결하기 위해서는 돈을 빌려야만 한다. 이것이 당신을 빚에 깊숙히 빠져들게 한 이유다. 또한 지금은 이전보다도 훨씬 적게 가졌다는 것을 의미한다. 당신의 삶은 계속해서 후퇴하게 되고, 상황은 더욱 나빠진다. 그러면 선택의 폭이 점점 더 좁아진다. 기회의 문은 닫히고 소득은 최저 생존 수준이나 그 이하로 떨어진다.

적군에게 포위되었을 경우에나 나타나는 정신 상태를 바탕으로 하는 아무 의욕이 없는 소비는, 당신의 삶에서 행복과 기쁨을 한 조각 한 조각 벗겨가 버린다. 행복과 기쁨이 없으면 당신은 점점 더 좌절하게 되고, 공포를 느끼게 되고, 결국에는 당신에게 남겨진 돈에 보다 더 매달리게 되는 것이다.

이것은 차츰차츰 당신의 삶에 새로운 돈이 흘러 들어오는 것까지도 막는다. 돈은 정태적인 것이 아니다. 그것은 흐를 수 있는 열린 채널을 필요로 한다. 그러니 당신의 생각이 점점 복잡해질수록, 당신이 갖고 있는 모든 에너지와 집중력을 현재 손에 움켜 쥐고 있는 것을 놓치지 않으려는 것에다 쓰면 쓸수록, 당신 스스로가 당신에게 더 많은 것이 들어오는 것을 막는다는 것을 명심하라.

여자는 돈을 다룰 수 없다

많은 미국인들은 여자들은 돈을 다룰 줄 모른다고 한다. 그 사람들은 고기로 음식을 만드는 사람은 2+2를 몰라도 된다라고 생각하는 사람들이다. 그 사람들은 여자들이 고기를 사러 밖으로 나오는 일도 없다고 생각한다.

사실 불필요한 일이지만, 예 들기를 좋아하는 사람들을 위해서 한두 가지 예를 들어 보자. 내 대리인은 여자인데, 내가 알고 있는 아주 우수한 회계사 중의 한 명이다. 그리고 월스트리트의 투자 관리자들 중에는 여자들이 매우 많다.

그러나 다르게 말하는 사람도 있다.

"그렇긴 해도 나는 돈에 대해 배우지 못했다. 그래서…."

이렇게 말하는 사람들의 결론은 이렇다.

"나는 돈을 다룰 수 없다."

그러면 당연한 결과가 따른다.

당신은 빚을 지게 된다.

미국 사람 대부분은 돈에 대해, 특히 자신의 개인적 돈에 대해 배우지 않았다. 이것은 당신 스스로도 쉽게 입증할 수 있다. 당신이 알고 있는 사람들 중 빚 문제가 전혀 없는 사람들, 특히 여성을 조사해 보라. 그들에게 학교에서 또는 부모로부터 돈에 대해 배웠는지 물어 보라. 그렇다고 대답하는 사람이 있다고 해도, 아마 한두 명 이상을 찾기는 힘들 것이다.

다시 말하지만, 돈에는 미스터리나 마술이 없다. 초등학교에서 산수를 배운 사람이나 계산기를 사용할 수 있는 사람은 누구나 자신의 개인 자산을 관리할 수 있다.

여자이기 때문에 돈을 다룰 수 없고, 그래서 이러한 빚 문제가 생겼다라고 생각하거나 믿고 있다면, 바로 그러한 생각이나 믿음이 빚 문제의 원천이라는 것을 생각하라.

나는 특별 케이스다

이 책의 내용이 다른 사람들에게는 모두 잘 맞고 좋겠지만, 당신은 특별한 케이스이며 그래서 다르다고 생각한다. 만일 그렇다고 생각한다면 독특한 상황이나 일련의 환경 때문에, 다른 사람은 몰라도 '당신'은 빚을 피하거나 갚는 것이 불가능하다.

당신은 이래서 다른 사람이다.

- 나는 배우다.
- 나는 중소기업 사장이다.
- 나는 컨설턴트다.
- 나는 스키 강사다.
- 나는 비서다.
- 나는 만능이다.
- 나는 성직자다.
- 나는 대학원생이다.
- 나는 작가다.
- 나는 비숙련 노동자다.

- 나는 대학 교수다.
- 나는 수련 의사다.
- 나는 경찰관이다.
- 나는 사진 작가다.
- 나는 도서관의 사서다.
- 나는 아이가 다섯이나 있다.
- 나는 실업자다.
- 나는 굴뚝 청소부다.
- 나는 웨이터다.
- 나는 예술가다.
- 나는 푸줏간을 운영한다.
- 나는 제빵사다.
- 나는 양초를 만들어 판다.

또는 이런 점에서도 다른 사람과 다르다.

- 나는 늙었다.
- 나는 어리다.
- 나는 흑인이다.
- 나는 히스패닉이다.
- 나는 여성이다.
- 나는 천재다.
- 나는 많이 못 배웠다.
- 나는 장애인이다.
- 나는 심장이 약하다.

- 나는 항상 불만이 있다.
- 나는 전과가 있다.
- 나는 자수 성가했다.
- 나는 세상 경험이 없다.
- 나는 전문가다.

또는 이렇게 생각한다.

- 나는 아름답다.
- 나는 가정적이다.
- 나는 키가 크다.
- 나는 키가 작다.
- 나는 뚱뚱하다.
- 나는 날씬하다.
- 나는 사랑받고 있다.
- 나는 사랑받지 못하고 산다.
- 나는 머리숱이 많다.
- 나는 대머리다.
- 내 성격은 괴팍하다.

자, 당신이 다르다는 것은 틀림없는 것처럼 보인다.

누구든지 왜 자신이 다른 사람과 다른지, 왜 빚을 피할 수 없고, 왜 빚을 갚지 못하는지에 대하여 한 가지 이상의 이유를 댈 수 있다. 핵심은 당신이 '이유'를 갖고 있다는 것이다. 그러나 아무리 당신의 상황이 남다르다고 주장해도, 빚에 아무런 문제가 없는 사람도 당신과 마찬가지로 그 상황을 공유하고 있다.

도움을 요청하는 사람을 모른 체할 수는 없다

아들이 처음으로 집을 샀다. 형제가 곤경에 처했다. 친한 친구가 실직중이다. 나이든 부모님이 연금이라는 한정된 수입에 의존해서 사신다. 그들은 당신의 도움이 필요하다. 당신이 그들을 돕는 것은 도덕적으로 바람직한 일일 뿐만 아니라, 원하는 일이기도 하다.

그런데 당신은 그들을 도울 여유가 없다. 하지만 원하기 때문에, 또는 도와야 한다고 생각하기 때문에, 또는 돕지 않으면 그들이 고통받기 때문에, 또는 그들 스스로는 문제를 해결할 수 없다고 생각하기 때문에, 당신은 그들에게 돈을 준다. 심지어 대출을 받아서라도 그렇게 한다.

그런 행동은 친절하고 관대한 일이며 최소한 비난받을 일은 아닐 것이다. 그렇지만 당신도 돈이 빠듯해서 여유가 없거나 이미 스스로 지나친 빚을 지고 있을 때라면 그것은 관대함이 아니라 자기 파괴적인 행위일 뿐이다. 당신 자신을 사랑하지 않는다면 다른 사람도 사랑할 수 없다는 것은 진리다. 자녀를 비롯해서 누군가에게 재정적인 책임을 져야 한다면, 그들을 위해서 할 수 있는 가장 중요한 일은 당신 스스로 재정적 건전성을 유지하는 것이다.

당신이 빚을 질 상황이라면, 누구에게라도 재정적 지원은 단지 한두 번 정도만이 가능할 것이다. 그러나 그것은 곧 당신 자신의 상황을 더욱 악화시킬 것이며, 다음이나 혹은 그 다음에, 누군가가 진정으로 당신을 필요로 할 때는 도와줄 수 없을 수도 있다.

동전을 구걸하는 원숭이 신세라도 삶은 삶이다

당신은 지속적으로 정규직을 갖지 못하거나 저소득 상태에 머무르고 있다. 지금 하고 있는 일보다 어렵고, 그래서 일자리 수요가 있는 일을 할 수 있는 능력이 없다고 스스로 말한다. 또는 지금 받고 있는 것보다 더 많이 받을 만큼 가치 있는 일은 못한다고 말한다.

"모든 것은 운명일 뿐…."

그러면 주석 컵을 달고 동전을 구걸하는 묶여 있는 원숭이같이, 당신은 지금의 곤궁한 상태로 영원히 그렇게 머물 것이다. "그런 게 삶이지"라고 말하며, 그것을 믿고, 그래서 그런 상황을 스스로 만들어 간다.

나는 아직도 아이이고 싶다

당신이 어린이였을 때는 근사했다. 아무런 노력 없이 마치 마술처럼 모든 것이 제공되었다. 당신은 여전히 그렇게 살고 싶다. 누군가가 돌보아 주기를 바란다. 부모님이 재정적으로 구원해 주기를 바라고, 누나나 여동생이 집세를 내 주고, 정부가 의료비를 대 주고, 남편이 차를 사 주고, 아내가 돈을 관리해 주기를 바란다. 당신을 위해 그 무엇인가를 해 줄 사람을 바란다.

내 잠재 의식 속에는 괴물이 있다

이들은 꿈 속에서도 따라다닌다. 악귀다. 그들을 부르지도 않았고, 내 의식 속에 들어오라고 하지도 않았는데 거기에 있으며, 꿈 속에 나타나며, 삶의 가장자리를 배회하고, 그래서 돈과 멀어지게 한다. 너무 무섭고 두렵다.

성공이라는 괴물

놀랍게도 성공이 가져올 늘어나는 책임을 감당할 자신이 없다고 두려워하는 것이 보통이다. 압박감 속에 망하고 만다. 잘 아시다시피 어떤 곳에서는 당신은 주위를 속인다. 지나치게 높이 올라가면, 정밀한 감시의 눈과 마주칠 것이다. 모든 것이 노출된다. 그래서 지금 있는 곳이 더 안전하다. 남의 눈에 띄는 것도, 주목받는 것도 원치 않는다. 명성이나 부를 감당할 자신이 없다는 것을 알고 있다. 성공했다는 것 때문에 미칠 지경이 되고 결국은 상처받게 될 것이다.

성공한다면 친구를, 심지어는 사랑하는 사람마저도 잃을 것이다. 그들은 시기할 것이고, 원망할 것이고, 의심하고 두려워할 것이다. 더 이상 당신 주위에 있기를 원하지 않을 것이다. 성공은 당신에게 요구만 할 것이고, 당신은 그것을 충족시킬 에너지도 능력도 없다. 생활 양식을 바꿔야 하지만 어떻게 해야 할지 모른다. 성공은 당신이 부모님을 넘어섰다는 것을 의미할 것이고, 부모님을 넘어섰다는 것은 그들을 버리고 배신하는 것이며, 사랑하지도 않고 감사할 줄도 모르는 자식이라는 것을 의미한다고 생각한다. 그래서 성공했다는 것은 삶의 질을 떨어뜨리는 것이며, 삶의 의미를 없애는 것이며, 무기력하게 만드는 것이며, 무능력하게 하는 것이며, 불행을 의미하는 것으로 생각한다.

실패라는 괴물

실패한다는 것은 있을 수 없다. 그러므로 실패할 가능성이 있는 곳에는 자신을 절대로 그냥 두지 않는다. 실패를 단순히 하나의 사건으로 보지 않고 확대 해석해서, 삶의 전 과정을 관통하는 하나의 유형으로 본다.

"나는 결코 이길 수 없다."

"나는 원하는 것을 결코 얻을 수 없다."

"나는 일을 늘 뒤죽박죽으로 만든다."

"나는 제대로 되는 게 없다."

실패를 저주로 본다.

전부 아니면 전무라는 식이다. 완벽주의자이다. 완벽하지 않다면, 아무 가치가 없다. 완벽하게 일을 끝내지 못하면 차라리 집어치우는 것이 더 낫다. 사장이 될 수 없다면 회계 책임자가 될 이유가 없다. 결과가 그렇다면, 당신이 할 수 있는 일을 완전하게 확신하지 못한다면, 할 이유가 없다.

당신은 실패한 일이나 바람직하지 않은 일을 확대함으로써 파국을 일으킬 수 있다. 당신이 용기를 가지고 새롭게 일을 시도하려는데 당신의 상사가 그것을 거부하면, 단순히 펼쳐보지 못한 하나의 시도로 간주하지 않고 당신의 삶에 대한 총체적인 거부와 판단으로 본다.

독립이라는 괴물

자율적이거나 자립하고 싶지 않다. 만약 정말 큰일이 생겼는데 그것을 통제하고 조절할 수 없다면 어떻게 할 것인가? 아마도 굴복할 것이다. 그러면 누군가가 당신을 도와주려 할지도 모른다. 하지만 다른 사람이 어떻게 하든, 제대로 할 수 없다는 것을 당신 자신은 알고 있다. 독립이라는 것에서 더 끔찍한 일은, 당신 자신조차도 감당하기 어려운데 당신에게 의지하는 사람까지 돌봐야 할지도 모른다는 것이다. 그렇다면 어떻게 할 것인가?

이 장에서 투영된 스스로의 모습을 보았는가? 그런 것은 놀라운 일이 아니다. 나도 나 자신을 여기에서 수없이 발견했다. 지난 몇 년간 나와 이야기했던 빚을 지고 있는 수백 명의 사람들과, 지난 10년간 이 프로그램으로 자신들의 삶을 자유롭게 했던 수천 명 이상의 사람들도 모두 그랬다. 그리고 지금 이 순간 곳곳에서 빚과 싸우고 있는 수백만 명 이상의 사람들 역시 여기에서 그들 자신들을 보았을 것이라고 나는 단언할 수 있다. 내기를 해도 좋다. 혹시 아니라는 사람이 있다면, 나는 정말 깜짝 놀랄 테지만, 믿을 수는 없다.

잠재 의식 속에서 실제로 진행되고 있는 것을 처음 보았다면 충격적일 것이다. 좌절해 버리고, 기분은 침울해지고, 또는 희망이 없다고 스스로 말할지도 모른다. 하지만 절대로 그럴 일이 아니다. 여기서 당신 자신을 볼 수 있었다면 가장 좋은 일이다. 어떻게 빚지게 되었는가를 인식하는 것은 비약적인 도약을 하는 것이고, 그러한 인식 없이는 변화가 있을 수 없다.

이러한 태도와 인식들이 당신을 얼마나 오랫동안 또는 얼마나 강력하게 흔들어 왔는가 하는 점은 중요하지 않다. 다만 이 프로그램을 실시한다면 당신은 변화할 수 있다는 점을 명심하라. 그리고 그러한 변화는 하룻밤 사이에 일어날 수 없다. 하나의 과정이다. 어떤 사람들은 다른 사람들보다 더 오랜 기간을 필요로 한다. 그러나 변화는 일어날 수 있고, 일어날 것이다.

그렇다면 그 동안 무슨 일이 일어나는가? 다시 더 많은 빚을 져야 하고, 당신 자신과 돈을 다른 눈으로 보기 시작할 때까지 계속 식은 땀을 흘려야 하는가? 아니다.

다음 장부터는 '지금 당장 빚지기를 멈출 수 있다'의 개념들, 실질적인 테크닉들, 그리고 전략을 어떻게 사용할 것인가를 다룰 것이다. 그래서 지금까지의 상황을 역전시키고, 빚으로부터 벗어나는 것을 곧바로 시작할 것이다. 왜곡된 믿음이 계속 유지되어 왔다고 해도, 오랫동안 빚을 져왔다고 해도, 그리고 빚의 규모가 아무리 크다고 해도, 이 프로그램을 수행할 수 있다.

해야 할 일들에 대해서는 다음 장에서 논의한다.

Get Out of Debt

제2부

악 순 환 되 는 빚 지 기 의 확 실 한 탈 출

제5장 | 변화를 위한 개념들

　대개의 경우, 빚을 지게 되는 것은 1부에서 본 것 같은 파괴적인 행동 유형을 야기하는 왜곡된 태도 때문이다. 그것들을 있는 그대로 보는 단순 명료한 인식이 당신 자신을 자유롭게 만드는 데 큰 역할을 한다. 왜곡된 태도들은 어두운 밤에 보이는 두려운 그림자라기보다는 그저 실체가 없는 것들이다. 당신이 그것들을 향하여 의식적으로 인식의 빛을 비춘다면 무력화되는 것들이다. 해야 할 나머지 일은 왜곡된 태도 대신에 건강하고 현실적인 시각들로 대체시키는 것이다.

　당신을 빚으로부터 자유롭게 하는 데 쓰일 실제적인 테크닉과 전략은 6장부터 시작될 것이다. 우리는 먼저 프로그램 중에서 손에 꼭 쥐어지는 것 같지는 않지만 상당히 중요한 부분들을 논의할 필요가 있다. 적어도 효과적인 행동을 취하기 전에 다음 개념들에 친숙해질 필요가 있다. 그러나 이 개념들이 처음에 얼마나 당신에게 충격적이냐와는 상관없이 낙관적인 태도는 의미가 없다. 만약 그 개념들에 대해서 의심과 저항감을 느낀다면, 그것은 단지 예전의 사고 방식이 얼마나 강력하게 자리잡고 있는가를 보여주는 하나의 척도로 간주하면 된다. 그 개념들은 모두 현실에 단단하게 기초하고 있다. 주의 깊게 읽고, 생각하고, 마음 속에 확고하게 자리잡게 하라. 날마다 그렇게 하라. 그것들을 지침으로 사용하고, 의사 결정을 하고, 당신의 감정에 정보를 제공하고, 영향을 미치게 하라.

지금 이 순간 당신은 다 가지고 있다
지금, 바로 이 순간,

첫째, 당신의 머리 위에는 지붕이 있다.
둘째, 당신은 옷을 입고 있다.
셋째, 당신은 먹을 음식이 있다.

보라! 당신은 다 가지고 있다. 살아가는 데 필요한 모든 것을 가지고 있으니, 더 이상 필요로 하는 것은 없지 않은가?

너무 생략했다고? 아니다.
그렇다면 약간 단순화시켰다는 말인가? 바로 그렇다.

알렉스는 광고업계에서 일하고 있다. 이 프로그램을 시작했을 때, 4만 달러를 빚지고 있었으며 재정적으로는 무능력 상태에 있었다. 그의 감정은 몹시 혼란한 상태에 있었고, 빚 때문에 결혼생활에도 심각한 문제가 있었다. 그러나 2년 6개월이 지난 지금, 그는 매월 갚아야 하는 부채들을 어려움 없이 해결하고 있고, 그의 생활 속에는 휴가, 영화 관람, 외식 같은 여유 있는 여가생활이 포함되어 있다. 그는 침착한 성격을 되찾았으며, 결혼생활은 다시 튼튼하게 되었고, 지금까지 1만 9천 달러의 빚을 갚았다. 그는 이렇게 말한다.

"이 프로그램은 복잡한 사람을 위한 단순한 프로그램입니다."

지금 이 순간, 오늘, 당신은 완벽하게 갖추고 있다. 당신은 필요한 모든 것을 가지고 있다. 이것이 주춧돌이고 대들보이다. 잠시 다음과 같이 따라해 보자.

눈을 감아라. 잠시 깊이 숨을 쉬어라. 몸을 편안히 하고 정신을 맑게 하라. 당신이 속해 있는 오늘을 생각의 출발점으로 하라. 어제도 아니고, 내일도 아니다. 바로 오늘 말이다. 당신 머리 위의 지붕을 그려 보라. 당신의 머리와 하늘이 맞닿아 있지는 않다. 입고 있는 옷을 보라. 옷장 속에 있는 옷과 사무실 옷걸이에 있는 옷을 보라. 당신이 옷을 입고 있는 오늘을, 지금 이 순간을 생각하라. 이제 아까 먹었던 아침과 점심식사를 그려 보고 저녁식사에 대해 생각하라. 쭉 연결시켜 생각해 보라. 당신은 오늘 필요한 식사를 했고, 할 것이다.

그것들을 생각하고, 이것이 전적으로 사실이라는 것을 인식하라. 지금 이 순간, 바로 오늘, 당신은 살 곳, 입을 옷, 먹을 음식을 갖고 있다.

어제는 갔다. 내일은 아직 여기에 오지 않았다. 현실적인 것은 언제나 오늘이다. 그리고 지금 이 순간, 바로 오늘, 당신은 더할 나위 없이 좋다. 당신은 필요한 모든 것을 가지고 있다.

이 과정을 매일 아침 경험하는 것이 좋다. 깨어나자마자 바로,

침대에서 일어나기 전에, 1~2분 동안 앉아서, 눈을 감고, 이러한 것들을 보라. 당신이 더할 나위 없이 좋고, 필요한 모든 것을 갖고 있음을 인식하는 것은, 하루를 시작하는 아주 좋은 방법이다.

틈틈이, 특히 고지서와 빚에 대해 걱정이 되거나 우울해지면, 몇 분 동안 다시 생각하라. 불안한 감정들은 당신이 미래를 계획하기 때문에 생기는 것이다. 당신이 생각하고 있는 것은 다음주, 다음 달, 다음해에 일어날 것인데, 거기에 미리 반응하고 있는 것이다.

무엇이 일어날지 모른다. 그것을 아는 사람은 없고, 알 수 있는 것도 아니다. 그래서 사실, 당신이 대응하고 있는 모든 것은 당신의 상상일 뿐, 현실적인 것은 아무것도 없다. 이런 감정이 생기면 천천히 행동하라. 멈춰라. 조용한 곳으로 가서 쉬어라. 눈을 감고 현실을 인식하는 훈련을 실시하라.

오늘에 초점을 맞춰라. 지금 이 순간에! 오늘이 당신이 살고 있는 곳이다. 그리고 지금 이 순간, 당신은 더할 나위 없이 좋다.

당신은 은행의 잔고나 빚의 합계가 아니다

당신은 인간이다. 인간은 물질적, 지적, 감정적 그리고 정신적 요소 등의 조합체이다. 당신은 부모요, 자식이요, 연인이며, 친구다. 많은 사람들과 다양한 감정적 유대로 묶여 있다. 뭔가 재미있는 것과 마주치면 웃는다. 감정이 움직였을 때는 울기도 한다. 아름다움에 자극받는다. 사랑하고 사랑받는다.

창조하고, 행동하고, 생각하고, 느낀다. 당신의 값어치와 가치는 이 세상에 살고 있는 모든 사람들과 정확히 똑같다. 숫자는 인간이 만든 발명품일 따름이다. 당신의 감정, 정신, 영혼만이 실체이다.

프리다는 누구인가?

"6천7백 달러의 현금을 가지고 있으며, 신용 한도액은 9천6백 달러다."

불합리한 답일 뿐이다.

당신은 은행의 잔고가 아니며, 빚의 합계도 아니다.

빚쟁이들을 위해 사는 것이 아니다

법은 마스터 카드가 사람을 소유하는 것을 금지하고 있다. 시티 뱅크도 마찬가지다. 이 세상의 어떤 기관도 법적으로 어느 누구를 소유할 수 없다. 국세청도 그렇다.

당신의 형제 또는 가장 좋은 친구도 당신을 소유할 수는 없다. 법은 사람이 다른 사람을 소유하는 것을 허락하지 않는다.

그러나 빚을 지고 있는 사람들 중 일부는 그들의 빚쟁이를 위해 살고, 또 다른 사람들은 전적으로 빚쟁이에 의해 소유되고 있는 것처럼 산다. 기본적 욕구조차 채우기 힘든 자신의 수입 전부를 빚쟁이들에게 넘겨 버린다. 빚쟁이들은 그들의 감정 한가운데로 들어와서, 가장 크고 다른 모든 것들을 왜소하게 만드는 위압적인 존재가 되고, 기쁨, 희망, 즐거움, 행복 등을 짓밟는 존재가 된다.

당신의 빚이 강박 관념의 대상이 될 수 있다. 그렇게 되면, 빚은 당신의 삶에서 독이 되고, 생활에서 활기를 빼앗아 버리고, 잠에서까지 나타나 당신을 괴롭히는 것이다. 빚쟁이의 목소리가 귓가에 쟁쟁하고, 그들의 요구는 냉혹하고 잔혹하다. 그들은 당신의 자존심을 짓밟고, 그래서 일상생활 속에서 자신의 가치조차도 갉아 없애 버린다. 그러나 명심하라.

빚쟁이들은 당신을 소유할 수 없다.

당신은 그들에게 돈을 빌린 것이지, 당신의 삶을 빌린 것이 아니다.

당신은 가장 먼저 당신 스스로를 책임지는 것이다. 우선적으로 어떤 물건이나 다른 사람을 책임지는 것은 아니다. 당신은 근본적으로 소중한 존재이며, 이 세상에 살고 있는 다른 사람들처럼 행복해질 권리를 가지고 있다.

'당신이 피츠버그퍼스트내셔널 은행에 3천1백 달러 50센트를 갚아야 하기 때문에 당신의 영혼이 다른 사람과 달리 2급에 위치해 있으며, 당신의 권리는 박탈되어야 한다'라고는 이 세상의 어느 누구는 물론이요, 신도 정해 놓은 바 없다.

역설적이지만 당신이 자기 자신을 위한 삶을 더 열심히 살수록, 그리고 단순히 법적 권리가 아닌 타고난 권리인 삶, 자유, 행복 추구 등에 대한 권리를 더 많이 주장하면 할수록, 삶에 대한 새로운 견해와 접근법의 결과로 그때부터 더 빨리 당신에게 돈이 흘러 들어오기 시작할 것이고, 더욱더 효과적으로 당신의 돈을 관리할 수 있을 것이며, 그래서 더욱 빨리 빚을 갚게 될 것이다.

빚쟁이를 위해 사는 것이 아니다. 당신의 삶은 바로 당신의 삶이지, 결코 빚쟁이의 것이 아니라는 점을 명심하라.

삶에는 리허설이 없다

당신은 바로 이 순간에도 먹고, 숨쉬고, 이야기하고, 사랑하며 살고 있다. 이것이 바로 당신의 삶이다. 삶은 예행 연습이 아니다. 삶은 당신이 빚쟁이들에게 돈을 다 갚은 후에 시작하는 것이 아니다. 지금 이 순간을 사는 것이 바로 당신의 삶이다.

아마도 당신은 빚 때문에 축 처져서 당신의 삶을 유예하고 있을 것이다. 삶을 풍요롭게 확대시키며 살 만한 가치가 있는 것으로 만드는 많은 것들에 몰입하지 못하고 있을 것이다. 더 이상 활기찬 생활을 영위하지 못하고, 육체적 활동 수준도 감소한다. 독서할 만한 시간도 거의 없다. 산책도 거의 하지 않는다. 잠자리에서도 편안해지지 않고, 음악조차도 거의 듣지 않는다. 완전한 휴식과 간단한 레크리에이션도 아주 먼 옛날의 일이 되어 버렸다.

반대로 극단적으로 일중독에 빠지고, 일하는 것 외의 많은 다른 것들에 대해서는 시간도 에너지도 없으며, 모든 생각과 행동의 중심은 어떻게 빚쟁이를 막을 것이며, 한 주 또는 한 달 후에 터질 수 있는 파국을 모면할 수 있을 것인가 하는 투쟁에 초점이 맞춰져 있다. 아니면 정반대로, 어떻게 해서든지 무기력함, 우물쭈물거림, 좌절감 같은 감정을 극복하기 위해서 엄청난 노력을 기울이고 있을 것이다.

어떤 방식이든 결과는 마찬가지다. 모든 빚을 갚는 미래의 그날까지, 진짜 생활, 삶에 대한 즐거운 참여를 연기시켜 버린 것이다. 그러나 삶은 빚을 다 청산했을 때 새로 시작할 수 있는 것이 아니다. 그때부터 스위치를 연결해서 불을 켤 수 있는 사람은 아무도 없다. 삶은 리허설이 아니다. 바로 지금의 삶이 당신의 삶이다. 당신이 빚지고 있다는 사실이 당신이 오늘 고통받아야 한다는 의무를 지우는 것은 아니다.

감정은 실체가 아니다

당신의 감정은 단순히 감정일 뿐이다. 그것은 실체가 아니다. 감정이란 실제의 사물이 존재하는 방식을 나타내는 증거가 아니다. 사실 그것들은 당신 자신의 생각과 인식의 반영에 지나지 않는다. 즉 현재 직면하고 있는 문제가 과도하고 이제는 희망이 없는 것처럼 느껴질지라도, 그것이 문제 그 자체가 과도하고 희망이 없다는 것을 의미하는 것은 아니다.

이것은 중요한 차이점이다. 크고 사나운 개가 열린 문을 통해 뛰쳐 나와서 당신에게 달려들 때 두려움을 느낀다든가, 사랑하는 사람의 죽음 때문에 슬픔을 느끼는 것은 당연한 일이다. 그러나 대부분의 공포와 의기 소침은 사실 당신의 의식, 즉 당신이 생각하는 바에서 나온다. 고대에 선원들은 그들의 배가 바다에서 멀어질 때면 두려움을 느꼈는데, 지구의 가장자리로 떨어질까 봐 무서워했기 때문이다. 그들의 두려움은 그 정도와 무관하게, 전적으로 일어날지도 모른다는 생각에 의해 야기된 것이었고, 지구의 가장자리로 떨어지는 일은 결코 일어나지 않았다. 그들의 감정은 단순히 감정 바로 그것이었다. 감정은 실제의 사실을 반영하지는 않는다.

수많은 다른 사람들처럼, 나도 내 빚에 압도당했다. 매일 아침 깨어날 때면 마치 나의 위 속에는 유릿가루가 들어 있는 것 같았다. 깨어났을 때 가장 먼저 떠오르는 생각은 이런 것이었다.

"주여, 오늘 또 다른 청구서가 올 텐데 저는 도저히 지불할 능력이 없습니다."

너무도 심각하고, 희망이 없는 것으로 느껴졌다. 지속적인 압박감에 짓눌려 살았고, 확신할 수 있는 것은 '삶의 출구는 전혀 없다'는 것뿐이었다.

그러나 그것들은 감정이었다. 그것들이 반영하는 것은 오직 나의 생각과 인식일 뿐이었다. 실체를 반영한 것은 아니었다.

부정적 감정이 당신을 휘감을 때, 그것들을 억누르거나 강력한 의지의 힘으로 깨뜨리려고 하지 마라. 효과적이지 않다. 대신 그것이 있다는 것을 인정하고 1~2분 동안 가만히 느껴 보라. 당신이 두려워하는 것처럼 그렇게까지는 나쁘지 않을 것이고, 또한 모든 세상사가 다 그렇다는 것을 생각하게 될 것이며, 단지 감정에 지나지 않다는 것을 깨닫게 될 것이다. 그런 후 그 부정적인 감정들을 향하여 마치 누군가에게 말하듯이 소리내어 얘기하라.

"지금까지 나와 함께 해 주셔서 감사합니다. 그러나 당신들 모두는 나의 감정일 뿐입니다. 당신들이 '나는 아마 지구의 가장자리로 떨어질 게야'라고 나에게 말했다면, 당신들은 이미 더 이상 현실을 반영하지 않습니다."

하루에도 몇 번씩 당신의 '감정은 사실이 아니다'라는 것을 되새김하라.

빚은 일시적인 상황에 지나지 않는다

당신의 키는 일생 동안 변하지 않는 하나의 조건이다. 눈동자의 색깔도 마찬가지다. 그러나 빚은 그렇지 않다. 빚은 상황이다. 상황은 일시적인 것이다. 감기도 상황이다. 늘 감기에 걸리는 것도 아니고, 영원히 걸리는 것도 아니다. 빚 역시 감기 이상도 이하도 아니다.

당신은 더 이상 1달러도 빚을 지지 않을 것이다. 빚을 진 모두의 각각에게 안전히 빚을 다 갚을 예정이며, 박탈감 없이 편안히 살 것이다. 남은 생애를 영원히 풍요롭고 부유하게 빚 없이 살 예정이다.

올해 60세인 비비안은 패션 산업 분

야에서 오랫동안 활기차게 활약한 유명한 여성이다. 그녀는 내가 개인적으로 만났던 사람들 중에서 빚을 진 사람의 수와 갚아야 할 총액이 아마 가장 많았던 사람일 것이다. 빚의 총 규모는 24만 달러나 되었다. 내가 그녀를 만났을 때, 그녀는 완전히 히스테리 상태에 있었다. 그녀의 아파트는 국세청에 압류당할 지경에 이르러 있었는데, 최소한의 생존을 위한 관리비마저도 연체되어 있었다. 책상 서랍에는 청구서와 체납 통지서가 가득 채워져 있었고, 빚쟁이들 중 몇 명은 소송하겠다고 협박하는 중이었다. 그녀는 근심으로 말라들어가 체중은 현격히 줄어들었고, 눈 아래에는 깊은 주름이 생겼으며, 음식조차 거의 먹을 수가 없었다. 빚쟁이들의 등쌀에 못 견뎌서 가족들의 유산을 팔기 시작하고 있었다. 처음 만난 날 우리는 2시간 이상을 걸었다. 그녀는 몇 차례나 무너져서 울었다. 그녀는 '희망은 없다'라고 했다. 그것은 그녀의 감정이 그녀에게 그렇게 말한 것이었다.

비비안은 이달 초에 나에게 전화를 했다. 이제 막 스페인에서 돌아왔다는 것이다. (휴가비는 현금으로 지불했다고 말했다.) 우리가 처음 만나 같이 걸었던 때로부터 거의 4년이 지났다. 그녀는 현재도 빚이 있지만, 지금까지 16만 달러를 갚았고, 8만 달러만 더 갚으면 된다. 아직도 그녀는 자신의 아파트를 소유하고 있다. 그녀는 규칙적으로 빚쟁이들에게 매달 일정 액수를 갚고 있는데, 그들은 지난 2년 동안 한번도 그녀를 괴롭히지 않았다. 그녀는 전보다 더 나쁜 것이 아니라, 더 잘살고 있다. 그녀는 남아 있는 빚에 대해 전혀 걱정하지 않는다. 마지막 빚까지 곧 해결될 것임을 그녀는 알고 있다.

사회사업가인 낸시는 8천 달러가 부족했었다. 그러나 그녀는 지난 2년 간 빚 없이 지냈다.

3년 전, 캐비닛 제작자인 프랭크는 가게세를 낼 수 없어서 가게문을 닫으려고 했다. 이미 3만 1천 달러를 빚지고 있었는데도, 빚은 매달 늘고 있었다. 좌절한 그는 일하는 데 필요한 도구들을 팔기 시작했다. 그러나 이 프로그램을 따라하면서, 6개월도 안 되어 재무 상태를 안정시켰으며, 실질 소득은 향상되었고, 지금까지 부채를 9천 달러나 줄였다.

빚은 일시적 상황에 지나지 않는다

당신을 위한 기병대가 도착했다

고도는 나타나지 않지만 기병대는 나타날 것이다. 사실 기병대는 이미 여기에 와 있다. 기병대는 바로 당신 자신인데, 당신만이 그걸 모를 뿐이다.

비비안은 당신의 빚을 갚아 주지 않는다. 나도 아니다. 낸시, 프랭크, 또는 다른 어느 누구도 아니다. 빚은 당신 스스로 갚아야 한다. 그리고 필요로 하는 모든 도구는 지금 이 순간 당신의 손안에 쥐어져 있다.

이 책의 개념, 테크닉, 전략들은 당신보다 앞서 그 길을 걸어간 수천 명의 복합적인 경험에서 형성되었다. 그리고 생각할 수 있는 모든 생활과 출신 배경이 다른 남자와 여자들에 의해 심증되고, 세련되고, 입증되었다. 나는 이 프로그램을 헌신적으로 수행했는데도 실패한 사람을 단 한 명도 본 적이 없다.

당신이 기병대다. 그리고 기병대는 이미 도착했다.

당신은 생각보다 더 많이 가지고 있다

당신이 원하는 것은 하나도 없다는 사실이 당신은 아무것도 가진 것이 없다는 것을 의미하지는 않는다. 강박 관념을 가질 정도로 모든 초점이 빚에 맞춰지면, 마치 눈앞에 꺼풀이 씐 것처럼 당신이 가진 것과 당신의 삶에서 좋은 것들 모두가 점차 희미해지고, 결국에는 사라져 버리게 된다. 빚 외에 더 이상 다른 어떤 것도 볼 수 없고, 빚은 거대한 괴물처럼 된다.

내가 빚에 짓눌려 있던 마지막 두 해 동안에 일어난 일들은, 내 삶이 거의 다 박탈감과 압박감으로 구성되어 있는 것처럼 보일 때까지 서서히 진행되었다.

나는 내 친구와 산책하던 어느 날 오후를 아직도 생생하게 기억하고 있다. 그녀가 잠시 멈춰 서서 물었다.

"너는 방금 네가 한 일을 알고 있는 거야?"

내가 되물었다.

"아니, 내가 어쨌는데?"

"내가 '태양이 구름을 물들이는 것 좀 봐라. 아름답지 않니?'라고 묻자, 너는 흘긋 쳐다보고는 '그래'라고 말했어. 그러고는, 다시 아래를 내려다보면서 '도대체 뭘 어떻게 해야 할지 모르겠어. 이빨 씌운 것이 빠졌지만, 치과에 갈 돈도 없어. 다음주까지는 집세도 내야 되는데…'라고 말했어. 지난 몇 달 동안 내가 너를 볼 때면 언제나 너는 돈과 영수증 같은 것만 말하곤 했어."

그녀가 옳았다.

그때도 내 삶에는 긍정적이고 좋은 것들이 많이 있었지만, 나는 그런 것들이 있는지조차 몰랐다. 예컨대, 나는 예상치 못해서 더욱 고통스러웠던 이혼으로부터 거의 회복되어 있었다. 내가 사랑하고 나를 사랑하는 두 명의 건강하고 좋은 아들이 있었다. 내가 살고 있던 그리니치 마을은 살기에 쾌적한 곳이었다. 좋은 친구들이 있었다. 오랫동안 그랬던 것보다 훨씬 좋은 건강 상태를 유지하고 있었다. 숙련된 기술, 예술, 전문적 직업으로 활동할 수 있는 잘 개발된 재능이 있었다. 지난 세월 동안 대중적인 성공과 비평에서 상당한 성공을 거두었고, 전문가들의 나에 대한 평판은 확고한 것이었다. 그리고 매력적이고 정서적으로 풍요로운 여성과 좋은 관계를 유지하고 있었다. 등등…….

늘어나는 요리 솜씨, 텔레비전과 VCR, 시골에 여름 별장을 갖고 있는 친구로부터 주말에 같이 시간을 보내자는 초대와 같은, 작지만 무의미하지 않은 세세한 부분들까지 내려가면 좀더 많은 예를 들 수 있겠다. 그러나 나는 그때 그것들 중 어떤 것도 볼 수 없었다. 내 눈에는 오직 빚만 보였다.

당신이 아무리 압박감이나 황폐함을 느낄지라도 스스로 생각하는 것보다 훨씬 더 많은 것을 갖고 있다는 것을 깨달아야 한다. 14상에서 이깃을 어떻게 달성할 것인가에 대한 예제가 제공될 것이지만, 그것은 나중의 얘기이고 지금은 시작 단계라는 것을 우선 명심하라.

고개를 들어 1~2분 동안 당신이 있는 방을 천천히 둘러보라(집이 아니라면 마음 속으로 하라). 좋아하고 아끼는 사람이나 사물들에서 잠시 멈춰라. 좋아하고 아끼는 순서대로 각자를 생각하고, 그것에 대한 기쁨을 느껴라. 생각보다 많이 갖고 있다는 것을 발견할 것이다.

아마겟돈은 아니다

미사일은 발사되지 않을 것이다. 거리에 진짜 피가 흐르는 것도 아니다. 새벽에 총을 맞는 일도 없을 것이고, 감옥에 갇힌 것도 아니다. 돈을 갚아야 한다는 것! 그것이 전부이다.

빚은 누군가에게 얼마만큼의 돈을 지불할 것이 있다는 것 이상을 의미하지는 않는다. 어느 누구도 당신에게 유죄 판결을 내리지는 않는다. 바보라는 모자를 쓴 채 거리로 끌려 나오고, 쓰레기 더미에 내던져지는 일은 없다. 이 마을 저 마을로 기진 맥진한 채로, 친구도 없이, 벌거벗은 채로, 배고프게 돌아다니지도 않을 것이다.

내가 대충 알고 있던 프리랜서 편집자인 캐서린이 어느 날 오후 울면서 거의 두서없는 상태로 나에게 전화했다. 그녀는 절실히 나를 만나고자 했다. 그녀는 자포 자기 상태였다. 우리는 20분 뒤 공원에서 만났다. 그녀는 정신이 혼란스러운 듯했고 수척해 보였다. 그녀는 7층 아파트에서 뛰어내릴 것을 생각하며 한 시간 동안이나 서 있다가 나에게 전화했다는 것이었고, 마침내 말을 하기 시작했다.

그녀가 나에게 전화한 것은, 나도 전에는 심각한 빚 문제가 있었지만 그 모든 것을 다시 돌려놓았다고 한 내 친구의 말을 기억하고 있었기 때문이었다.

캐서린은 신용 카드 회사, 백화점, 친구, 국세청, 주 세무국, 그리고 땅 주인 등에게 3만 6천 달러를 빚지고 있었다. 딸의 대학등록금도 납입 마감일이 다가오고 있었다. 조금 전에는 퇴거 통보를 받았다고 했다. 압박감이 오랜 기간 동안 쌓이고 있었다. 더 이상 남은 재산은 없었고, 아무도 더 이상 신용 한도액을 늘려 주지 않앉다. 퇴거 통보는 최후의 일격이었다.

그녀에게 아마겟돈이 닥친 것이다. 누군가에게 진 빚 때문에 거의 자살할 지경에 이르렀다. 그것은 빚의 압박감이 그녀의 시각을 얼마나 나쁘게 왜곡했는가를 보여주는 것이었다.

6개월이 지났다. 모든 사람들이 그런 것처럼, 캐서린은 자신만의 방식으로 이 프로그램의 개념들과 다음 장에서부터 시작될 실제적인 테크닉들을 결합했다. 그날부터 그녀는 단 1달러도 더 빚지지 않았다. 딸은 여전히 학교에 다닌다. 매달 집세를 내고 있고, 그녀는 현재 모든 청구서들을 잘 처리하고 있고, 땅 주인에 대한 연체를 1천8백 달러까지 줄였다. 대부분의 빚쟁이들과 합의에 도달했고, 다른 사람들과는 아직 협상중에 있다.

쉬운 일일까? 그렇지 않다. 그러나 지금 그녀의 고통은 대부분 사라졌고, 이전에 그렇게 두려워했던 많은 것들이 점차 감소되고 있다. 이전에 거의 자살할 뻔했다는 것에 놀라워하고 있다. 수입이 늘고 있으며, 새 옷도 사고, 체육관에도 등록했다. 최근에는 산에서 주말을 지냈다. 간단히 설명해서 더 이상 빚지지 않고, 즉 빚 갚는 과정을 시작한 후에 다시 삶을 즐기기 시작했다는 것이다. 캐서린에게는 아마겟돈이 온 것이 아니었다.

당신에게도 아마겟돈이 닥친 것은 아니다. 결코 아니다. 돈을 갚아야 하는 것! 그것이 전부다. 그리고 그것은 일시적인 일이다.

내일은 아직 오지 않았다

어제는 갔다. 내일은 아직 오지 않았다. 당신이 지난주, 지난 달, 지난 해에 무엇을 했는가의 차이는 없다. 그것이 역사다. 다음주, 다음달, 다음해에 어떤 일이 일어날 것인가는 고려하지 마라. 아무도 그것을 모른다.

실제적인 것은 전부 오늘이다. 당신의 초점, 생각, 감정을 오늘에 맞춰라. 지금 이 시점에 맞춰라. 그리고 지금 이 순간, 오늘, 당신은 더할 나위 없이 모든 것이 다 좋다.

제6장 | 빚 갚기 프로그램 수행의 기초 작업

　이 장에서 시작되는 '흑자 전환 프로그램'의 실제적인 테크닉과 전략은 그것만으로도 힘을 발휘한다. 그러나 문제의 맥락을 잊어버리고 테크닉과 전략만을 사용하려고 한다면, 반쪽짜리 팀으로 경기를 하려고 하는 것처럼, 당신 스스로를 제약할 것이다. 다시 말하는데, 앞의 장들은 중요한 기초 작업을 의미한다. 거기에 익숙해질 필요가 있다. 만약 앞의 장들을 읽지 않았다면, 돌아가서 지금 읽어라. 읽었다면 그것을 긴추려 보고, 마음 속에서 새롭게 자리매김하라.

　이 책의 몇몇 테크닉들은 처음에는 거의 불가능한 것처럼 보일 것이다. 나도 그랬고, 많은 다른 사람들에게도 그랬다. 그러나 그렇지 않다. 성공할 수 있는 방법은 항상 있는 법이다. 처음에는 생소한 기술이 어렵고 심시어는 고통스러울 것인데, 어느 정도의 불편을 감수하지 않고 초기 단계를 통과하는 사람은 거의 없다. 아마당신도 의심의 순간을 경험할 것이다. 그러나 체육관에서 처음 운동을 하고 난 뒤, 쓰리고 아픔이 따르고 난 뒤, 날마다 점점 강해지고 유연해지고, 결국에는 처음의 어려움을 거의 기억할 수 없는 것처럼, 모든 것은 지나갈 것이다.

또 이것을 명심하라. 당신이 느끼는 불편은 점점 더 심각한 빚에 빠져드는 모든 사람들에게 조만간 닥치게 될 걱정, 고통, 좌절의 수준과는 아주 다르다는 점을.

마지막으로 이 프로그램을 수행함으로서 당신이 받게 될 보상은 당신이 지금 이 순간 상상할 수 있는 것 이상으로 막대하다. 나뿐만 아니라 다른 모든 사람들도 마찬가지지만, 당신도 '삶의 질이 뚜렷하게 나아지고 있구나' 하는 것을 알게 될 것이다.

빚이 있다는 것을 인정하라

당신이 빚 문제를 갖고 있다는 것을 인정하는 것이 절대적으로 필요하다.

이 점을 인정하지 않는 것은 미봉책을 적용할 뿐이라는 점을 명심하라. 진정한 변화는 없을 것이다. 당신 자신을 문제 있는 빚꾸러기, 강제적 빚꾸러기 또는 다른 무엇이든, 어떻게 부르든지 상관없다. 빚꾸러기라고 하기 싫다면, 부르기 좋게 '잘 나가는 찰리', '자유분방한 소비자', '마을에서 최고로 좋은 사람 중의 한 명', '꿀보다 달콤한 샐리' 등으로 불러도 좋다. 그렇게 부를 때 더 행복하다면 아무렇게나 불러라.

그러나 혼자만의 조용한, 사적인 장소에서는 항복하라.

빚 문제가 있고, 그것이 당신의 삶에 많은 고통과 문제를 일으키고 있다는 것을 인정하라. 지금 하라. 좋다. 숨을 깊이 들이쉬고 편안히 하라. 이제 다시 해보라. '나는 빚 문제가 있다'라는 진실을 스스로 느껴 보라. 그게 당신의 삶에서 많은 고통과 문제를 낳았다.

많은 사람들이 스스로 이것을 인정할 때, 안도감을 경험한다. 나도 그러한 사람들 중의 한 명이었다. 나는 즉각적으로 이렇게 반응했다.

"신이여, 감사합니다. 이제 저는 문제가 무엇인지를 알았습니다." 그것은 내가 해결할 수 있다는 것을 의미한다. 다른 사람들은 매우 다르게 반응한다. 그들은 공황 상태에 빠지고, 문을 걸어 잠그거나 또는 그러한 제안을 한 사람은 누구든지 노려보고 때리려고 한다.

아동 도서의 작가 겸 삽화가인 노린은 이 프로그램을 실시하고 있는 사람들의 한 모임에 참석했다. 그녀는 한 시간 반 동안이나 신경질적으로 안절부절하지 못했다. 마침내 그녀는 문을 향해 돌아선 뒤 외쳤다.

"나는 이 문제를 다룰 수 없어요. 나는 정말 할 수 없어요. 심장이 쿵쾅거린다구요. 숨이 차고 기절할 것 같아요."

그녀는 어둠 속으로 뛰쳐 나갔다.

그렇게 뛰쳐 나간 뒤, 1년 뒤에 그녀는 돌아왔다. 아직까지 상당한 두려움을 가지고 있지만, 이번에는 회복하기 시작했다. 5개월 전의 일이었다. 그녀의 빚지기는 즉시 멈춰졌다. 수입도 조금씩 오르기 시작했다. 처음 시작했을 때에 비해 지난달에는 수입이 3백 달러나 늘었다. 그녀의 얼굴에서 긴장이 서서히 떠나고 있었다.

용접공인 대니는 모임에 4~5번 나왔다. 매번 입을 다물고 침묵을 지켰고, 얼굴은 벌겋게 상기되어 있었다. 마침내 분노를 터뜨리고는 뛰쳐 나갔다. 나는 때때로 길에서 그를 만난다. 하지만 돈에 관해서는 한마디도 이야기하지 않는다. 그가 결코 실패하지 않을 것이라고도 이야기하지 않는다.

내가 그를 마지막으로 만났을 때, 그가 나에게 말했다.

"프로그램이 옳다는 것을 나도 알고 있어요. 그러나 그게 나를 미치게 해요. 뭐라도 부숴 버리고 싶어요. 견딜 수가 없어요. 아마도 상황이 더 나빠져 정말로 더 이상 견딜 수 없을 때, 그때는 할 수 있을 거예요."

몇몇 사람들이 택하는 방식이다. 그들은 막다른 골목까지 밀어부쳐져야 현재 진행되고 있는 것을 인정한다. 조금이라도 다른 선택이 남겨져 있어서는 프로그램에의 참여가 안 되는 사람들이 있다. 공황과 분노는 자연스러운 반응이다. 우리들 대부분은 항복하라는 말에 아주 질색한다. 우리가 배웠던 모든 것을 어기는 것으로 생각하는 것이다.

항복 대신에 사용되는 멋진 대사들을 보라!

"죽는다고 절대로 말하지 마라."

"빌어먹을 어뢰들, 최고 속도로 전진하라."

"아직 싸움은 시작되지도 않았다."

항복에 대한 저항은 공포에서 기인하는데, 그 공포는 대개 오해 때문에 생겨난다. 대부분의 사람들처럼 당신도 '항복이란 자유를 잃고, 패배하고, 약해지는 것'으로 해석할 것이다. 그러나 항복의 정의 중 중요한 것의 하나는 이렇다.

'무엇인가를 위해 어떤 것을 포기하는 것!'

그것은 단지 새로운 어떤 것을 받아들이기 위해 옛날의 일처리 방식을 버리는 것이다. 빚 문제가 있다는 것을 인정할 때, 즉 그것에 대해 항복할 때, 당신은 박탈감, 압박감, 그리고 불행을 야기했던 당신의 모든 낡은 생각과 행동을 기꺼이 버리고 그 자리에 자유, 용이함, 그리고 번영을 낳는 새로운 어떤 것으로 채울 수 있을 것이다.

이처럼 항복한다는 것은 역설적으로 당신의 첫번째 승리를 의미한다.

부정하지 마라

부정한다는 것은 당신이 문제가 있다는 점을 인정하기를 거부하는 것이다. 그것은 어떤 사람이나 사물에게 책임을 떠넘기려 하는 것으로서 빚을 진 것을 합리화시키려 하거나 정당화시키려고 한다. 너무나도 당연한 자연스러운 반응이지만 또한 매우 위험한 것이기도 하다. 만약 그러한 태도가 배이게 되면, 빚지기 곡선을 멈추거나 빚을 갚는 데 큰 성공을 기대하기는 어려울 것이다.

빚졌다는 사실을 인정하지 못하는 것은 처음에는 거의 보편적인 반응인데, 빚 문제를 갖고 있기를 원하는 사람은 아무도 없기 때문이다.

당신은 스스로에게 이렇게 말할 수도 있다.

"부모님의 잘못이지…."

"정부의 잘못이다!"

"아내가 문제라니까."

"경제 시스템은 왜 제멋대로야?"

가부장제, 은행, 신용 카드 회사, 사장, 사회 등등. 원인은 널려 있다. 그리고 이혼, 직업 시장, 늦게 지불된 계좌, 세금, 이자율, 새

지붕, 높은 집세도 이유가 된다. 비록 돈을 빌리고, 상품을 외상으로 사고, 서비스를 받은 사람이 바로 당신 자신일지라도, 빚의 원인은 항상 당신 외의 어떤 물건이나 사람 때문이라고 말할 수 있다.

실제로 당신의 잘못이 아닐 수도 있다. 무엇보다도 빚이 있다는 것이 당신에게 흠이 있다거나, 잘못된 일을 했다거나, 또는 죄를 지었기 때문에 벌을 받아야 한다는 의미는 아니다. 당신은 빚을 지려고 계획하지도 않았고, 의도적으로 이러한 위치에 있으려 한 것도 아니다. 나도 마찬가지지만 당신과 같은 처지에 있는 수천만 명 중 어느 누구도 당신과 같은 처지에 있고 싶어하지 않았다. 아무도 비난하지 않는다. 의도적인 것도 아니었다. 그렇지만 빚 문제가 있다는 것을 부정한다는 것은 매우 심각한 문제다.

훌륭한 경력을 지닌 배우인 글렌은 빚의 늪에 심각할 정도로 빠지지는 않았지만, 성인이 된 이후 지속적으로 어느 정도는 빚을 지고 있었다. 빚은 매년 조금씩 늘어 이 프로그램을 시작할 때에는 약 9천 달러나 되었다. 빚꾸러기로서 가지게 되는 사고 방식이 점차 틀이 잡혀 가는 것과는 대조적으로 삶의 질은 좀이 슬고 있었고, 일할 수 있는 능력의 손상 정도는 차차 커져 가고 있었다. 약 9개월 동안 모임에 나와서 개념들을 토론하고, 테크닉 중 몇 가지를 실천하고 있다는 등 '흑자 전환 프로그램'을 잘 진행하는 것처럼 보였지만, 그의 실제 상황은 점차 악화되어 갔다. 9개월째의 끝무렵에는 일에 대한 전망도 없었고, 더 이상 돈을 빌릴 데도 없었으며, 먹을 양식까지도 거의 바닥이 났고, 빚쟁이들은 법정에 세우겠다는 위협까지 하는 상황에서, 연기자 조합으로부터 비상 대출까지 받았다. 그의 얼굴에는 고민이 가득 차 있었고, 몸은 망가지고 있는 것처럼 보였다.

그는 말했다.

"난 이제 다 망했어! 맞아. 이제껏 나는 천사같이 보이려고만 했어. 사람들은 많은 문제를 갖고 있지만 나는 아무 문제가 없다는 것을 연기하려고 했어. 난 단지 슬쩍 구경만 하고, 응급 처방만 하려고 했지. 끝났어. 나는 끝장났어. 내 방식은 통하지 않아."

그날 밤 그는 이전에는 결코 하지 않았던 항복을 했다. 그때가 지금부터 8개월 전이었다. 지금 그는 프로그램을 실시하고 있다. 결코 쉬운 기간은 아니었지만, 그는 그것을 견뎌냈다. 요즈음은 브로드웨이에서 배역을 하나 맡아 주당 1천5백 달러를 받고 있으며, 이전에 그를 무기력하게 만들었던 빚을 점차적으로 줄여 나가고 있다.

대전환은 당신이 빚 문제를 갖고 있다는 사실에 항복하는 것으로부터 시작되고, 문제에 대한 부정은 항복하는 것에 치명상을 입히는 탄환이 될 수 있다.

다음을 명심하고 부정하기와 싸워라.

첫째, 자유롭게 빚 문제가 있다는 것을 인정하라. 그리고 빚 문제는 없는 편이 더 낫다는 것을 스스로에게 말하라. 누군들 안 그러겠는가? 그렇지만 개인적인 선호가 사실을 변화시키지는 않는다는 것을 깨달아라. 나도 키가 6피트 2인치였으면 좋겠고, 머리숱도 많으면 좋겠다. 그러나 그렇지 않고, 그럴 수도 없다. 선호하는 것들이 사실을 변화시키지는 않는다.

둘째, 1장부터 5장까지 다시 읽어라. 거기에 있는 사료들은 이론적인 것들이 아니라는 것을 기억하라. 그것들은 빚 문제가 심각한 수많은 사람들의 생활에서 뽑아낸 것들이다. 거기에서 당신 자신을 발견하는 횟수를 기록하고, 그 사실들을 당신 자신의 마음에 새겨 두어라.

셋째, 당신 혼자만이 빚 문제를 갖고 있는 것이 아니라는 점을 기억하라. 당신은 아무것도 할 수 없는 아주 극소수의 사람들 중의 한 명이 아니다. 글자 그대로 수백만 명의 빚꾸러기들은 정확히 똑같은 상황에 놓여 있다.

넷째, 항복은 당신을 빈곤함과 힘든 삶으로 밀어넣는 것이 아니라 오히려 그 반대라는 것을 당신 자신에게 납득시켜라. 그것은 빚으로부터 자유로워지는 길을 걸어가는 첫걸음이다.

다섯째, 당신이 더 이상 빚 문제가 있다는 사실을 부정하지 않는다면, 앞으로 나아가라. 목적지에 도달할 때까지 옆길로 새지 마라. 부정한다는 것은 단순히 부정하는 것일 뿐이다. 무엇을 하게끔 하는 것이 아니다. 설사 부정하고픈 마음이 고개를 든다 해도 앞으로 나아갈 수 있다. 반복적으로 그러한 마음을 밀어내게 될 테니까 당신 마음을 꼭 쥐고 있는 부정의 손아귀의 힘도 조만간 느슨해질 것이다.

때때로 나중에 다시 '뻥' 하고 터지기 위해, 부정하고자 하는 마음이 잠깐 동안 동면하기도 한다. 당신이 상황을 역전시키고, 그간의 스트레스가 점점 손쉽게 해결되어 가고, 또는 어떤 곳에서 큰돈이 들어올 때, 그것들은 종종 다시 나타난다. 오래된 태도와 행동 유형은 쉽사리 죽는 것이 아니다. 그것들은 다시 쳐들어오기 위해 단지 숨고, 시간을 벌려고 한다.

모든 사람이 그러한 순간을 맞는다. 그럴 때면 보통 나는 내 자신과 내면의 대화를 이렇게 진행한다.

"너도 알다시피 나는 정말 모든 도움들과 호의들에 고마워해. 그리고 그것들은 사실 매우 도움이 되었어. 하지만, 여기에는 오해가 있었어. 너도 보다시피, 나는 이혼 후에 침울했었고, 내 경력은 침체기에 있었으며, 상당히 과중한 책임을 져야 했고, 몇 가지 실수를 저질렀어. 그게 전부야. 그렇지만 지금은 상당히 괜찮아졌고, 그래서 너에게 정말로 고맙게 생각해. 이제부터는 혼자 해도 될 것 같아."

이렇게 생각하게 되면 당신은 처음에 출발했던 자리로 되돌아갈 수 있는 편도 티켓을 손에 쥐고 있는 것과 같다.

레오가 전형적 예이다. 그는 보통 1년에 약 4만 달러의 수입을 올리는 세일즈맨이었는데 1만 5천 달러를 빚지고 있었다. 이 프로그램을 4년간 실시한 후에 그는 성공적으로 빚을 청산했고, 소득을 5만 5천 달러까지 늘렸다. 문제는 지나갔고, 더 이상 프로그램의 지배를 받을 필요가 없다고 믿었다. 그러나 그 후 1년 6개월 동안에 새롭게 1만 1천 달러의 빚을 지게 되었고, 다시 공황 상태에 빠졌다. 그래서 '흑자 전환 프로그램'을 다시 한 번 수행해서 작년에 빚의 반을 갚았고, 이번에는 이 책의 원칙들을 영원히 고수할 것이라고 맹세하고 있다.

나중에 부정하는 것이 다시 고개를 들면, 그래서 "고마워, 안녕"이라고 말하고 싶어지면, 이 장으로 돌아와서, 다시 한번 거부하는 과정을 진행하라.

파산 신청으로 자신을 파산시켜서는 안 된다

파산 신청을 선택해서는 안 된다! 당신은 이 문장 내문에 충격과 분노로 소리치지 않았는가? 몇몇의 사람들은 그렇게 한다. 그들에게는 파산이 최후의 수단이다. 적이 방어벽을 부수고 죽이려고 달려드는, 정말로 알라모 진지의 방어벽이 무너져 함락의 시간이 다가올 때면, 그들은 파산이라는 극적 수단을 통해 탈출하려고 한다.

이얏! 모든 빚은 한방에 사라지고, 새롭게 출발할 수 있구나!

쉽다! 그러면서도 실제적이고, 정당하지 않은가?

틀렸다!

파산 선언은 대전환(4장의 「고도를 기다리며 참조」)의 또 다른 버전일 뿐이며, 당신의 문제를 근본적으로 해결해 주는 수단은 아니다. 단지 시간을 좀더 벌어 주는 것이 전부다. 조만간, 대개는 생각보다 훨씬 빨리 다가올 테지만, 이전에 고통받았던 것과 똑같은 빚 문제로 끝날 것이다.

미국에서 개인 파산을 신청한 사람들 중에서 다시금 파산을 신청하게 되는 재발률은 지속적으로 증가하고 있다. 지금은 거의 50%에 달하고 있는데, 계속 증가하는 추세에 있다. 그것은 파산을 신청한 사람들 열 명 중 다섯 명이 현재로서는 법이 허락하고 있는 6년이 되자마자 다시 파산을 신청한다는 것을 의미한다. 파산은 그들을 전혀 변화시키지 못한다. 그들은 옛방식으로 다시 돌아가 또 빚지기 시작한다(우리 나라에서는 미국과 같이 6년 후에 자동으로 다시 복권되지는 않지만 법원에 복권 신청을 하면 권리를 다시 회복할 수 있다 : 역자 주).

그러면 다른 50%는 어떤가? 몇몇은 실제로는 전혀 빚 문제가 없는 사람들이었거나, 또는 파산이라는 파국적 사건에 의해 나가떨어진 사람들일 것이다. 또 몇몇은 강제적 빚꾸러기 또는 문제 있는 빚꾸러기들로서 다시금 빚지기로 돌아갔지만, 아직까지는 신용상에서 몇 가지 선택 여지가 남아 있는 사람들일 것이다.

어떻게 파산한 사람이 다시 빚을 질 수 있는가? 아무도 그를 신용하지 않을 텐데. 그렇지 않은가? 실상은 전혀 그렇지 않다. 어떤 금융 회사들은 뻔뻔스럽게도 신문, 텔레비전, 그리고 심지어는 버스와 지하철의 포스터에서 이렇게 광고한다. '파산자도 대출이 가능함'. 파산자도 친구와 친척에게 빌릴 수 있다. 그는 사채업자에게 분할 상환을 약속할 수 있다. 집세와 공공요금을 연체할 수 있다. 소득세와 재산세를 체납할 수 있다. 몇몇 가게, 상인은 그에게 외상으로 물건을 팔 수도 있다. 대출 기관은 그의 신용 한도액을 이전보다 더 늘려 줄 수도 있다. 전혀 노력하지 않고서도 상당한 규모의 빚을 상담을 통해 얻어낼 수도 있다.

최근 미국의 공영 방송인 PBS 텔레비전에서는, 방금 막 파산을 선언한 크레이그라는 사람과의 놀라운 인터뷰가 포함된 다큐멘터리 프로그램을 방영했다. 34살인 크레이그는 레스토랑에 재료 공급하는 일을 하고 있는데 1년에 3만 달러 정도를 번다고 했다. 그는 2만 5천 달러를 빚지고 있었는데 대부분은 신용 카드 회사에 진 빚이었다. 크레이그는 매우 행복해 보였으며, 열정이 넘치는 자세로 대담자에게 곧 이전의 생활로 되돌아갈 수 있을 것이라고 했다. 왜냐하면 참으로 대단한 시스템을 발견했다고 했는데, 그것은 열심히 빚지고 그런 후에 6년마다 파산을 선언하고 빚을 쓸어 버리면 된다는 것이었다. 인터뷰 전에 이미 자동차 회사 영업 사원과 새 차의 구입에 관해 얘기를 다 끝냈다고 했는데, 영업 사원들은 '당신은 아무 문제가 없으니 파산 선고 통보가 오면 논의했던 일을 마무리하자'는 것이있다.

분명히 크레이그는 현대판 기적을 발견했다. 그는 더 이상 문제가 없지 않은가?

불을 뿜는 총구 앞에 서 있거나 총알이 몸에 닿기 직전까지거나, 위태롭기는 마찬가지다. 크레이그가 설사 더 이상 새로운 빚을 지지 않는다 하더라도, 6년 후에 다시금 생기 없는 얼굴과 겁에 질린 표정을 짓고 방황하는 대파국의 상황으로 다시 돌아갈 것이라는 데 내기해도 좋다.

파산 신청은 이러한 이유들 때문에 선택해서는 안 된다.
첫째, 빚지기의 원인인 신념과 행동을 바꾸는 어떤 것도 하지 않는다.
둘째, 보통은 빚지기 증후군을 가속시키는 실패감, 부끄러움, 패배감만을 이끌 뿐이다.
셋째, 10년 동안은 당신의 신용 기록을 괴롭힐 것이다. 그러나 그 후 당신의 삶이 정말 잘 풀려갈 때 당신을 어려움에 빠뜨리는 원인이 될 수도 있다.
넷째, 상황이 힘들어질 때면, 당신은 스스로 빚에서 해방되고 영원히 빚 없이 살 수 있는 기회까지 파괴해 버리는, 파산 신청을 반복하려는 생각을 한다.

탈출구로 파산 신청을 생각하고 있다면, 그것을 마음 속에서 지워 버려라. 파산 신청은 빚 문제가 있는 어느 누구에게도 도움이 되지 않는다.

걱정거리 없는 한 달을 주라
오늘, 아니 지금 당장 시작하면서, 당신 스스로에게 빚 걱정이 없는 30일을 부여하라.

당신은 그럴 자격이 있다. 그만한 가치가 있다. 사실 당신은 그것이 필요할 것이다. 당신은 지나치게 긴장하고 있다. 아마도 당신은 지치고 기진 맥진해 있을 것이다. 당신은 지금 당신 자신 또는 빚쟁이에게 좋게 보이지 않을 것이다. 그리고 진실을 말하자면, 이 시점에서 우리는 당신의 빚쟁이들을 비난할 수 없다. 다만 우리가 말하고자 하는 것은 최근까지 아니 이제껏 살아온 당신의 전체 삶, 행복한 삶이다. 당신이 지금 당장 할 수 있는 최선의 일은 당신 자신에게 휴식과 안식처를 주는 것이고, 빚 걱정으로부터 자유롭게 하는 것이다.

여기 그렇게 할 수 있는 방법이 있다. 잠시 조용히 앉아 있어라. 편안하게 하라. 눈을 감아라. 숨을 깊이 들이쉬고, 온몸의 근육을 느슨하게 하라. 마음 속으로 집이나 아파트 주위를 돌아다녀라. 평소 가장 좋아하는 것이 담겨 있는 상자를 찾아보아라. 행복한 기억이 담겨 있는 것으로, 그것만 생각하면 흐뭇한 웃음이 도는 그러한 것 말이다. 도구 상자도 좋고, 모자 상자도 좋으며, 가족 사진이 들어 있는 상자, 또는 그 비슷한 어떤 것도 좋다. 찾았습니까?

좋다!

눈을 뜨고 일어나서 그 상자를 가지고 오라. 책상에 가져다 놓고 잠시 앉아서 그에 관련된 좋은 기억들을 전부 떠올려라. 그것이 불러일으키는 즐겁고 편안한 감정들을 경험하라. 이렇게 하면서 더욱더 좋은 생각을 불러일으킬 수 있다면 꺼내어 만져 보거나, 손을 올려 놓아도 된다.

이제 모든 청구서, 연체 통지서, 빚쟁이들로부터 온 위협 편지들을 모두 모아라. 그것들을 전부, 마지막 하나까지 모아라. 그렇게 한 후, 이전에 소중한 기억들이 담겨 있는 상자를 천천히 열고, 모든 청구서, 연체 통지서, 빚쟁이들로부터 온 위협 편지들을 집어 넣어라. 그리고 상자의 뚜껑을 덮고, 이전에 놓여 있던 그 장소에 상자를 갖다 두면 된다. 그런 후 앞으로 30일 동안은 청구서와 통지서들을 잊어 버려라.

이것이 중요한데, 진짜로 그것들을 잊어 버려야 한다.

그러면 이제 더 이상 그것들은 존재하지 않는다. 전혀 문제될 것이 없다. 그것들은 신의 문제로 되었으니, 신이 그것을 걱정하게 하라. 신은 그것을 쉽게 다룰 수 있다. 안도의 한숨을 쉬고, 이제 삶으로 돌아가서 즐거운 시간을 보내라. 다음 30일 동안 이들 청구서들에 대해 전혀 걱정할 필요가 없다. 그것들은 당신이 원할 때 비로소 나타날 것이다.

도대체 무슨 일이 일어날까? 조그마한 운과 그렇게 하고자 한 당신의 결심으로 앞으로는 즐거운 시간을 보내는 것만이 일어나게 된다.

당신이 이 프로그램을 반드시 따라할 것이라고 나는 확신할 수 없다. 그것은 당신에게 달려 있다. 그러나 나는 이것만은 보장한다. 당신을 향해 미사일은 발사되지 않을 것이고, 당신의 피가 거리에 흐르지 않을 것이며, 새벽에 총 맞을 일도 일어나지 않을 것이다.

"그러나 내일까지 돈을 내지 않으면 그들이 전화를 끊을 거야."

빚 문제를 갖고 있는 대다수의 사람들은, 여하튼 그들의 상황에 부정적 영향을 미치지 않으면서 그들 자신에게 30일간의 자유라는 선물을 줄 수 있다. 그러나 정말 있지 않을 것 같지만 당신에게 예외적인 상황이 일어날 것을 우려하고 있다면, 즉 전화 회사가 정말 내일 당신의 전화를 끊을 것이라고 생각되면, 양심적으로 솔직히,

첫째, 신뢰의 표시로서, 할 수 있는 만큼 지불하라.

둘째, 갚아야 한다는 의무를 잘 알고 있으며, 앞으로 완전히 다 지불할 것이라고 말하라.

셋째, 지금까지는 문제가 있었지만 재정의 회복을 위한 프로그램을 이제 막 시작했다는 것과 앞으로의 지불 스케줄을 이야기하기 위해 찾아가겠다고 말하라.

그들은 이러한 반응을 좋아하지 않고, 불쾌감을 나타낼 수도 있지만, 아마도 그들은 당신을 따라 줄 것이다.

그리고 이제는 30일을 시작하라.

"그러나 나는 미지불 때문에 내일 법정에 서야만 한다."

빨리 가라. 보여 주라. 그리고 나서 30일을 시작하라.

지금 당신은 30일의 중간 지점에 있다고 가정하자. 비록 당신이 그러한 안도감에 익숙하지 않고, 그런 것이 조금은 부자연스럽게 보일지라도, 실제로 당신은 자유를 즐기고 있다.

그렇지만 갑자기 배를 걷어차인 것처럼, 당신이 가장 두려워하는 빚쟁이로부터 편지가 왔다. 척 받아 보면 그 안에 무엇이 있는지 안다. 당신이 즉시 돈을 갚지 않는다면, 마치 그들은 당신의 가축을 죽이고, 곡식을 불태우고, 아이들을 노예로 팔 것같이 군다.

지금 무엇을 하는가?

지붕에 올라가서 뛰어내릴 것을 생각할지도 모른다. 그러나 어쩐지 오늘은 그것이 더 이상 합리적인 대응 방식으로는 보이지 않는다.

편지를 열지 마라. 그것을 곧바로 당신의 그 친근한 상자로 가져가라. 상자를 열고 그 안에 편지를 던져 버려라. 그곳이 편지가 있어야 할 곳이다. 상자를 닫고 걸어 나와서, 편지에 대해서는 잊어버리고, 30일을 계속하라. 지금 이 물건에 대해 걱정하는 것은 신의 일이지, 당신의 일이 아니다.

당신은 다시 마음이 차분해진다.

이때 전화가 울린다. 신용 카드 연체금 수금 회사다. 갚으라고 하든지, 아니면 소송을 하겠다고 얘기할 것이다. 공손하게 간단히 설명해 주어라. 그들에게 전화 회사에 이야기했던 것과 똑같이 말하라.

"저도 이 상황을 후회하고 있습니다. 제 의무를 인정하고 있습니다. 가능한 한 빨리 완전히 다 지불하겠습니다. 이 상황을 고치기 위해 재정적 회복 프로그램을 이제 막 시작했습니다. 상환 스케줄을 이야기하기 위해 다음달에 찾아가겠습니다."

확실하게 하라. 마음 속으로 느껴지는 것이 어떨지라도 차분함과 공손함을 유지하라. 다른 것은 말하지 말고, 어떠한 것도 동의하지 마라. 전화를 끊자마자 종이에 빚쟁이의 이름과 전화온 날짜를 적어라. 그것을 친근한 상자 속에 두고, 그러고 나서는 걸어 나온 뒤, 그것은 잊고, 신이 걱정하게 하라. 지금은 그것이 신의 일이라는 것만 기억하라

그것이다. 할 수 있는 한 최고 30일을 누려 보라. 당신은 그럴 만한 가치가 있다.

하루는 빚지지 않고 지낼 수 있다

지금까지 당신은 제시된 경로를 따라 경제 상황을 회복하기 위한 강력한 토대를 구축해 왔다. 빚 문제가 있다는 사실을 인정하고 항복했으며, 이를 부정하고픈 마음에 저항하기 위한 각 단계들을 밟아 왔고, 파산 신청이 탈출구가 아니라는 것을 깨달았으며, 빚

걱정으로부터 자유로운 30일을 부여받아 이제 시작하고 있다.

이제 당신이 빚 갚기의 토대를 쌓는 작업을 완성하기 위해 취할 수 있는 간단한 방법을 소개한다.

오늘, 단 하루만, 어떤 새로운 빚도 더 이상 지지 마라.

하나만이 아니다.

둘째, 친구에게 1달러도 빌리지 마라.
셋째, 나중에 지불하기로 계획한 서비스도 받지 마라.
넷째, 은행에서 대출을 받지 마라.
다섯째, 신용 카드로 어떠한 것도 결제하지 마라.

이것은 쉽다. 누구나 할 수 있다. 어떤 형태로든지 새로운 빚은 더 이상 지지 말고, 오늘 하루 이 작은 24시간을 그냥 지내라. 이것을 읽고 있는 시기가 언제인지와 상관없이, 그리고 당신의 30일이 언제 시작되었는지 또는 지금 다른 어떤 행동을 취하고 있는가와 상관없이, 오늘만은 어떠한 새로운 빚도 너 이상 빚지지 마라. 어떤 것이 절대적으로 필요하면, 대개는 더 이상 필요한 것은 거의 없을 테지만, 그것을 얻을 수 있는 다른 빚지지 않는 방법을 찾아야 한다. 그렇지 않으면 그것을 24시간 동안만 연기하라.

"참 잘했습니다."

이제 이 책을 덮고, 남은 시간을 즐기고, 그리고 내일 다시 읽기 시작하라.

제7장 | 빚 갚기 프로그램 수행의 핵심

바로 그 하루부터 시작된다

축하합니다!

당신은 어제 한 푼도 더 빚지지 않았다. 하루 동안 새로운 빚을 지지 않는 것이 가능하다는 것을 당신 스스로 증명하였다. 그렇게 함으로써, 당신은 이 프로그램의 가장 중요한 요소를 방금 달성하였다.

이것이 분기점이다.

> 당신은 단지 오늘 하루만
> 새로운 빚을 더 이상 지지 않으면 된다.

우리는 단지 하루만, 즉 오늘에 대해서만 이야기하고 있다. 내일은 상관없다. 당신이 내일, 다음주, 다음달, 내년에 무엇을 할 것인가는 문제가 되지 않는다. 그것들은 아직 여기에 없다. 문제가 되는, 실제적인 모든 것은 오늘이다. 그리고 오늘, 단 하루, 당신은 새로운 빚을 더 이상 지지 않으면 된다.

누구든 하루는 빚을 피할 수 있다. 전에 빚에 시달렸던, 상상할 수 있는 온갖 출신 배경의 수천 명의 사람들이 지난 10년간 매일 이것을 입증해 왔다. 오늘, 지금 이 순간, 당신 머리 위에는 지붕이 있고, 입을 옷이 있고, 먹을 게 충분하다. 필요한 것은 모두 다 갖추고 있다. 더할 나위 없이 좋다. 오늘이 끝나기 전에 당신이 빚을 져야 할 이유가 없다. 빚지기를 선택할 수도 있지만, 그렇게 해서는 안 된다.

"하지만……!"
"하지만……!"
"하지만……!"

좋다. 이 개념의 중요함에 처음 맞닥뜨렸을 때, 거의 모든 사람은 이 '하지만'이라는 말을 말머리에 단다.

"하지만 신용 카드를 사용하지 않고는 정비소에서 차를 가져올 수 없다."

"하지만 오늘 아침 출근할 버스비도 없다."

"하지만 오늘 저녁 어머니에게 외식하자고 약속했다."

오늘은, 이웃에게 차를 얻어 타라. 오늘은, 룸메이트에게 담보로 CD를 주면서 버스비를 빌리는 것을 보증해 주어라. 오늘은, 어머니에게 저녁을 집에서 대접하라. 꼭 오늘만은, 어떤 빚도 더 이상 새롭게 지지 마라.

여기에는 간단하지만 심오한 진리가 있다.

빚을 새로운 빚으로 갚을 수는 없다.

알콜 중독자는 술을 마셔도 결코 정신을 차릴 수 없다.

나의 '하지만' 중의 하나는 이랬다.

"하지만 나는 치과에 가야 돼. 이빨 씌운 것이 떨어져 뿌리가 썩었어. 뽑아야만 해. 이를 치료해야만 해. 그리고 또 할 게 많아."

광고업에 종사하는, 키가 크고 부드럽게 말하는 남부 사람인 에드는 나에게 이렇게 당부했다.

"오늘 그 일을 다 할 것이 아닐 텐데, 그렇지 않아요? 꼭 오늘만 빚지지 말아 봐요."

나는 그 말도 옳지만, 탈이 난 이가 앞니이기 때문에라도 반드시 해야만 하는 일이고, 게다가 가능한 한 아주 빨리 해야 하는 일이라고 성내면서 말했다. 또 거의 5천 달러가 드는데, 치과 의사에게 가지 않으면 내가 어떻게 그 지옥 같은 고통을 다스릴 수 있겠으며, 그래서 치료하러 간다면 치료비를 어떻게 오랫동안 내지 않을 수 있겠느냐며 따져 물었다.

에드는 차분하였다. 몇 년 동안 이 프로그램을 따르고 있으면서 이전에도 이러한 종류의 반응을 익히 보아 왔던 것이었다. 그는 내가 답을 찾을 것이고, 시간이 지나면 생각이 바뀌게 될 것이며, 그래서 해결책을 찾아내면 나 스스로의 능력에 대한 신뢰가 커질 것이고, 위기와 파국에 대한 느낌이 줄어들며, 마침내 정서적으로 보다 확고하고 긍정적이 될 것임을 알고 있었다. 4년이 지난 후인 요즘, 나는 다른 사람에게서 나와 똑같은 원초적인 공황과 분노를 볼 때마다 이전의 에드와 마찬가지로 나 또한 차분해진다. 나는 그들이 답을 찾을 것이라는 것을 안다. 시간이 지나면 바뀔 것이라는 것을 안다. 이전의 내가 그랬던 것처럼.

에드는 내게, 빚지지 않고도 그 일을 할 수 있는, 생각할 수 있는 모든 방법을 백지에 적어 보라고 권유했다.

"모든 방법을… 그 벽이 얼마나 아득해 보이는가에 상관없이."

그리고 나와 비슷한 상황에 처해 있는 사람들과 이야기하면서 그들이 어떻게 해결했는지를 물어 보라고 권유했다.

그래서 나는 어떻게 일을 처리했을까? 나는 긴급한 일을 뉴욕대학교 치과 대학에서 처리했는데, 임시적으로 기능과 미적 측면을 충분히 만족시켰고, 비용은 개인 치과에서 요구하는 것의 약 3분의 1 정도였다. 나머지 이의 치료는 돈이 준비된 그 다음해에 내가 다니는 치과에서 했다. 치료가 끝날 때마다 3천5백 달러의 비용을 지불했지만, 새로 빚을 진 것은 아니었다.

그날 오후 에드는 매우 간단하게 또 다른 것을 말했다.

"이 프로그램에서 기적은 보통이에요."

그의 말이 나를 좌절시키고 화나게 했다. 나는 도움이 필요하지 설교가 필요한 게 아니었다. 4년 전에는 그랬다.

지금은 나도 이렇게 말한다.

"이 프로그램에서 기적은 보통이다."

당신의 재정 상태가 회복되기 시작하고 빚으로부터 완전한 자유를 얻기 위해 당신이 해야 할 일은, 오늘 새로운 빚을 지는 것을 피하는 것뿐이다. 나는 내일, 다음주, 다음달 또는 내년의 빚은 피할 수 없다. 그건 너무 많아 생각할 수 없다. 그렇지만 나는 그저 어느 하루인, 바로 오늘만은 그렇게 할 수 있다. 그리고 요즘은 내 삶에서 전보다 더 많은 풍족함을 누리고 있고, 그것을 즐기고 있다.

이 원칙을 마음 속으로 확고히 지키는 것이 중요하다. 내일은 상관없다. 단지 일상적인 어느날, 바로 그 하루면 된다.

그리고 바로 오늘, 단지 하루 동안, 빚지지 않으면 된다.

몇 가지 실제적인 제안들

아마도 지금 당신은 일상적인 어느 하루 동안 빚지지 않는 것의 중요성과 이유에 대한 논리를 이해했을 것이다. 당신은 열정적이고 프로그램을 수행할 준비가 되어 있거나, 또는 그렇게 열정적이지는 않지만 적어도 시도할 의지는 있는 사람일 것이다. 어느 쪽이든, 당신에게는 어떻게 할 것인가가 중요하다.

당신 자신의 "그래, 하지만…"에 대하여 몇 가지 생각들이 스쳤을 것이다. 그러나 최초의 흥분과 감격이 지나고 나면, 그러한 반응들은 가만히 안정되기 시작하고 마음이 차분해질 것이다. 아니면 처음에 그랬던 것처럼 그렇게 효과적이거나 설득력 있어 보이지 않을 수도 있다. 또는 당신의 낡은 부정적 감정들이 다시 자리를 훔치기 시작하면서, 비관적이 될 수도 있을 것이다.

"확실히, 오늘 하루는 그렇게 할 수 있을 것이지만, 현실적으로 되어 보면, 내일은 무슨 일이 일어날 것인지 어떻게 알고, 또 다음 주에 내야 하는 집세는 어떻게 처리할 것인가?"

자, 꼭 오늘 하루라는 것을 기억하는가? 그것이 지금까지 우리가 이야기한 전부이다. 오늘 하루.

여기서 잠시 멈춰, 몇 분 동안 휴식을 취하라.

4장과 5장을 대강이라도 다시 읽어라. 당신을 빚지게 했던 당신 자신에 대한 왜곡된 신념과 시각들, '나는 자격이 없다', '나는 특별한 케이스다', 그리고 다른 모든 것들과 그것들을 대체한 새롭고 건강한 신념과 시각인 '지금 이 순간 당신은 더할 나위 없이 좋다', '감정은 실체가 아니다', 그리고 그 나머지들에 대한 기억을 새롭게 하라.

이 프로그램의 각 과정에는 당신 자신과 당신의 삶을 바라보는 방식에서의 의식의 대전환이 포함되어 있다. 의식의 대전환을 통해 당신 자신이나 혹은 다른 누군가가 오래전에 당신의 사고 방식에 자리잡게 한 의식의 장애물은 깨뜨리고, 생각에서는 낡은 제약 요소들을 걷어내고, 점점 더 새롭고 확장되는 지평선을 향해 달려 나아가게 될 것이다. 이러한 변화는 이미 시작되었다. 당신이 이 책을 펴기 전에는, 여기서 알게 된 것과 같은 방식으로 당신 자신과 빚과 돈에 대해 생각해 본 적이 결코 없다. 그렇지 않은가?

'흑자 전환 프로그램'의 각 과정들은, 당신이 다음 장들의 내용을 진행시킬 때, 그리고 전체적으로 이 프로그램을 실시하는 동안에 추진 속도가 더욱 증가될 것이다.

지금 당장, 다음과 같이 당신 자신에게 말하라. 혼자 있다면 큰 소리로, 주위에 다른 사람이 있다면 조용히 말하라. 세 번쯤 말하라. 신념과 확신을 불러 일으킬 수 있게끔 힘차게, 그리고 분명하게 말하라.

> 수많은 사람들이 이미 빚으로부터 벗어났다.
> 나도 그들과 똑같다. 나도 할 수 있다.
> 나는 하고 있다. 나는 지금 하고 있다.

다음달에도 하루의 일과를 시작하기 전에 잠시 조용히 앉아, 이것을 다시 확신시켜라. 세 번쯤 강하게 당신 자신에게 반복하고, 힐 수 있다면 외치는 것이 좋다. 그리고 미래의 어떤 때든 흔들리고 있는 당신을 발견한다면, 1~2주 동안 매일 아침 반복하라.

당신이 돈을 더 많이 벌거나 필요한 것을 빚지지 않고 얻을 수 있는 새로운 선택을 찾고 있다면, 당신의 생각을 구속하는 잘못된 자아, 공포감 또는 낡고 왜곡된 자기 이미지를 용납하면 안 된다. 당신은 지금 낡은 틀을 깨고 있고, 낡은 패턴을 다시 새롭게 만들고 있다는 것을 기억하라. 예전의 낡은 것들은 아무 효과가 없다. 당신을 막다른 곳으로 몰고 온 것들일 뿐이라는 것을 명심하라.

실제로 당신의 자부심과 자아를 무시하게 하는 대부분의 것들은 '당신은 가치 있는 사람이 아니다, 사기꾼이다, 일을 할 만한 능력이 거의 없다'는 믿음이나 공포에서 기인한다. 이러한 그릇된 믿음이나 공포가 심각하면 할수록, 그렇지 않다는 것을 당신 스스로와 세상에 강하게 증명하고 싶어진다. 예를 들면, 자포 자기 상태에서 자신이 절망적이고 무가치하다는 것을 스스로와 다른 모든 사람들에게 확신시키기 위해 노력하는 사람이 아니라면, 어느 누구도 20달러짜리 지폐로 담뱃불을 붙이지는 않을 것이다.

어느 하루만 빚지는 것을 억제하고, 그날부터 빚 갚기와 잘살기를 시작한다면, 자신에 대한 참된 확신과 자신의 진정한 가치에 대한 제대로 된 생각을 얻게 된다. 예컨대, 동료들이 그렇게 하기 때문에 회사 근처의 음식점에 35달러를 줘버리는 대신 며칠 동안 점심 도시락을 싸간다고 하자. 그렇게 당신의 재정 상태를 통제하기 시작함으로써 곧바로 얻을 수 있는 자존심은, 대개는 상상 속에만 존재하는 동료들의 존경과 인정이라는 허상에서의 손상보다 강력하고 유의미한 것이 될 것이다.

실제로 존경, 인정, 그리고 경애(심지어는 우정과 사랑)는 재정 상태가 믿을 만하고 튼튼한 사람들에게, 그리고 빚이 있고 빚지기를 계속하는 사람들보다는 빚이 없고 빚지기를 그만둔 사람에게 보다 쉽게 주어진다. 이것은 내 자신의 삶과 '흑자 전환 프로그램'을 시행하는 다른 사람들의 삶 속에서 반복적으로 증명되어 왔다.

초기 회복 단계에서 비용의 지출을 피하고 빚을 지지 않는 많은 방법이 있다. 다음의 목록은 몇 가지 제안들을 포함하고 있다. 이 책의 다른 모든 것들처럼, 이 목록은 부분적으로 당신에게 실제적인 아이디어를 제공한다는 의미를 갖고 있다. 그러나 당신 자신의 상상력에 불을 붙이고, 당신의 사고 속의 장애물들을 돌파할 수 있도록 도와준다는 데에 더 큰 의미가 있다. 이러한 초기 단계에서 필요한 도구들의 대부분은 단지 일시적임을 명심하라. 프로그램이 진행될수록, 당신은 안정적으로 증가되는 소득을 다루게 될 것이다.

첫번째, 각각의 비용의 필요성을 점검하되, 꼼꼼하고 솔직하게 하라. 그것이 절대적으로 필요하지 않다면 훗날로 미뤄라.

두 번째, 예금 계좌의 잔고를 찾아 현금화시켜라.

세 번째, 음식점에서 사먹는 대신 점심 도시락을 싸가라.

네 번째, 잔돈을 넣어 두는 저금통을 깨라. 대부분의 사람들에게 즉시 20달러에서 2백 달러까지 쓸 수 있는 돈을 준다.

다섯 번째, 설사 손해를 보더라도 증권이나 채권 같은 재산을 처분하라.

여섯 번째, 뭔가를 바꿔라. 이웃이 오늘밤 당신 자녀를 돌봐준다면, 다른 날을 잡아 그들의 아이들을 돌봐주어라. 서비스를 교환하라. 예컨대 의사에게 진료받는 대신 병원의 서류 정리를 대신해 주는 식으로. 목수로부터 그들의 숙련된 서비스를 받는다면 그에게 당신의 법률 지식을 제공하라. 어떤 분야에서의 당신의 전문성을 당신이 필요로 하는 다른 사람의 그것과 교환하라는 것!

일곱 번째, 옷, 가구, 예술 작품, 또는 은식기 같은 실제로 필요하지 않거나 또는 깊은 애착이 없는 것들은 모두 팔아라.

여덟 번째, 누군가에게 꿔준 돈이 있다면 모두 받아라.

아홉 번째, 받아야 할 모든 청구서들을 모아라.

열 번째, 지금까지 체불된 월급이나 임금을 모아라.

열한 번째, 고객들에게 재료비와 외상은 곤란하니 재료비는 먼저 지불해야 한다고 알려라.

열두 번째, 새롭게 주문한 것이 있다면 취소하고 환불받아라.

열세 번째, 옷장에 걸려 있는 모든 옷들과 지갑을 뒤져 보라. 종종 10달러에서 1백 달러까지 나타난다.

열네 번째, 친지로부터는 빌리는 것이 아니라면 선물은 돈으로 달라고 해라.

열다섯 번째, 고용주에게는 판매 수당의 일부라도 오늘 달라고 요청하라.

열여섯 번째, 영화 보러 가는 대신에 집에서 텔레비전을 보라.

열일곱 번째, 택시 대신 버스를 타라.

앞서서 당신 자신만의 목록을 적어 가라. 상상력을 자유롭게 발휘하라. 하나의 아이디어가 또 다른 아이디어를 촉발한다는 것을 발견할 것이다. 친숙하고 분명한 것으로만 제한하지 마라. 될 수 있는 대로 힘들고 불가능하게 하라. 낡은 정신적 장애물들을 뛰어넘고, 열린 곳으로 달려 나가고 있다는 것을 기억하라.

놀랍게도, 20분 아니 10분도 채 안 되어 처음에 생각했던 것보다 훨씬 더 많은 아이디어가 있음을 발견할 것이다. 어떤 것들은 다른 것들보다 더 멋진 아이디어일 테지만, 모든 것이 다 그럴 듯 하지는 않을 것이다. 당신은 생각을 세련되게 펼쳐 나가지 못할 수도 있다.

좋다!

 핵심은 가능한 한 많이 적어 보는 것이다. 진짜로 실질적인 것은 비록 반밖에 안 될지라도, 많이 적을수록 더 많은 가능성을 발견할 것이다.
 필요할 때마다 이러한 종류의 목록을, 그리고 이 모델이 제공하는 다른 목록들도 작성하라. 필요를 느끼지 못하더라도 상상력을 자극하기 위해, 혁신적 방식으로 계속 생각하기 위해서는 가끔씩 해 보는 것이 좋다. 많이 하면 할수록, 더 잘 되고 더 창조적이 될 것이다.

제8장 | 빚 갚기 프로그램 수행에 유용한 수단들

　우리는 앞 장에서 '어느 하루 빚지지 않는다'라는 한 가지 아이디어의 결정적인 중요성을 강조했다. 마찬가지로, 이 장도 프로그램 수행에 필요한 수단 한 가지를 집중적으로 다룰 예정이다. 그것은 당신의 목표를 달성하기 위해 사용하는 도구이며, 실제적인 장치이다. 여기서 목표란 당연히 빚을 청산하는 것을 말한다.

　'소비 기록'은, 비록 처음에는 그 완전한 가치가 명확하게 보이지 않을 지라도, 사실 매우 강력한 도구이다. 소비 기록은 아주 중요한데, 이것 없이는 빚을 안 지려는 대부분의 시도들이 무위로 끝날 수 있다. 어느 하루 빚지지 않는 것처럼, 소비 기록은 재정 상태의 회복을 위한 핵심적 요소이다.

　당신의 돈에 대한 투명성의 확보는 필수적이다. 실제적인 변화를 시작하기 전에, 돈이 어디로 가는지를 알 필요가 있다. 당연한 일 같은데도, 실제로는 제대로 하지 않는 일이다. 집세와 공공요금에 대한 근사치는 차치하고, 빚지고 있는 대부분의 사람들은 그들이 매달 얼마를, 어디에 쓰는지 제대로 말하지 못한다.

과장이라고?

당신은 지난 달에 얼마를 썼는가?

옷에 얼마를 썼는가? 신문 대금에? 잡지 구입비에? 커피숍과 패스트푸드에는? 택시비로는? 오락비는? 화장품 구입비는? 세탁 대금으로는?

대부분의 경우에 돈은 들어오고 나가지만, 그것만으로는 충분치 않다. 이러한 재정적 안개나 무지의 구름은 파국을 가져온다. 그것은 거의 대부분 불가피하게 새로운 빚을 낳는다. 당신이 무지의 상태에 남아 있는 한, 당신은 어둠 속에, 맹목적인 상태로, 절망 속에 남아 있을 것이다. 소비한 것을 기록한다는 것은 당신의 등잔에 불을 밝히는 일과 같다. 그것은 당신에게 지식을 준다. 그리고 그 지식은 곧 힘이다. 무슨 일이 일어나고 있는지를 알게 되면, 바로 거기부터 시작할 수 있다.

소비 기록은 예산이 아니다. 일련의 목표나 지침도 아니다. 단지 당신이 실제로 소비한 돈을 기록하는 것일 뿐이다. 소비 기록은, 아마도 처음이겠지만 당신의 돈이 나가고 있는 곳을 말해 준다.

일일 기록

당신이 오늘 쓴 현금의 기록이 필요하다. 일일 기록은 계획이 아니다. 그것은 단지 당신이 실제로 무엇을, 어디에 소비했는가에 대한 목록에 지나지 않는다.

당신이 할 일은 비용이 발생했을 때 그 액수를 기입하는 것, 그리고 무엇에 썼는지를 기록하는 것이 전부이다. 어떤 사람들은 조그만 스프링 노트를 그들의 지갑이나 서류 가방에 넣어 두고, 또 어떤 사람들은 지갑에 종이 몇 장을 넣어 둔다. 나는 셔츠 주머니에 펜과 종이 한 장을 접어서 갖고 다닌다.

아침에 집을 나서기 전에 그날의 날짜를 적어 두어라. 그날 현금을 소비할 때마다, 무엇을 샀는지 어떤 서비스에 비용을 지불했는지 그 내역을 기록하라. 얼마를 썼고, 어디에 썼는가를 적어 두라.

예를 들어 보자.

7월 1일 화요일

신문 대금 ·························· 30센트
택시 요금 ·························· 4달러 25센트
커피 ································ 3달러 75센트
담배 ································ 1달러 35센트
점심 ································ 6달러
버스 요금 ·························· 1달러
면도기, 면도 크림 ············· 7달러 17센트
식료품 구입 ······················ 18달러 23센트

그것이 기록된 전부이다. 이보다 더 쉬울 수는 없다. 평균적으로 하루에 2분 이상 필요치 않다.

그러나 그 효과는 어마어마하다. 다시는 지갑에 20달러, 50달러 또는 100달러를 넣지 않을 것이며, 그리고 나서 그 다음날에는 그 돈이 나간 곳을 좌절과 번민 속에서 생각하지 않을 것이다. 처음으로 당신은 돈이 어디로 갔는가를 정확하게 알게 될 것이다. 기록하는 것은 당신의 돈과 삶에 대한 통제력을 획득하는 데 중요한 도약이 된다.

일일 기록에 대한 다음의 요점들을 명심하라.

첫째, 그것은 매일의 기록이지 이따금씩 하는 기록이 아니다. 가끔씩 빠뜨리는 것은 전혀 도움이 안 된다.

둘째, 75달러짜리 스웨터부터 25센트짜리 껌 한 통까지, 지출한 모든 것을 낱낱이 세세하게 기록하라. 불완전한 기록은 전혀 쓸모가 없다.

셋째, 가능한 한 당신은 돈을 쓰면 곧바로 비용을 기록하라. 그렇게 하지 않으면 어떤 것은 잊어 버리기 때문이다.

넷째, 액수는 동전 한 푼까지 다 기록하라.

"한 푼까지? 말도 안돼. 그런 사소한 것까지 문제삼다니, 일만 만들 뿐이군."

아니다! 그렇지 않다!

빚을 진 사람들 대부분은 그들의 돈에 대해서는 안개 속을 걷고 있는 셈이다. 기록의 목적은 그러한 안개를 걷어내는 것이다. 정확하게 기록하면 효과는 극대화된다. 대개의 경우 매일 사소한 비용 지출이 몇 차례 발생하는데, 지속적으로 사사 오입하거니 대충 어림잡아 기록한다면 한 달에 150달러 나아가 1년에 1천8백 달러의 비용을 틀리게 기록하는 결과를 야기한다. 그것은 무시할 수 없는 큰돈이다.

그렇게, 어느 하루의 '일일 소비 기록'을 작성하라. 비용의 본질을 기록하라. 정확한 액수를 기록하라. 가능한 한 비용이 **발생하자마자 기입하라**. 나는 보통 계산하자마자 곧바로 옆자리에서 기록하거나, 가게 밖으로 나와 잠시 멈춰 서서 기록한다.

가계 수표 기록

어떤 물건의 값을 수표로 지불했다 하더라도 실제로는 현금으로 지불하는 것과 같다. 수표에 대한 지불 청구서를 받는 기간이 얼마나 걸리느냐에 상관없이, 그것은 확실히 당신의 매일의 비용, 즉 당신이 오늘 소비한 돈의 일부인 것이다. 다만 일일 기록에 그것을 기입할 필요는 없는데, 수표책의 정보로 충분하다.

그렇지만 수표책에는 확실히, 그리고 즉시 기입하라. 수표의 날짜와 액수, 그리고 누구에게, 무엇 때문에 지불했는지를 기록해야 한다. '7월 1일 나이먼마크스 95달러'라는 기록만으로는 불충분하다. 가구, 옷, 레크리에이션 장비를 구입했다는 등 무엇에 썼는지 구체적으로 기입해야 한다. 그러한 정보 없이는, 돈이 어디로 갔는지 알 수 없다.

수표책의 원장은 이렇게 돼야 한다.

번호	날짜	지 불 처	지 불 액	한도액 잔고
456	7-1	앳우드 부동산(임대료)	765달러 41센트	1,532달러 12센트
457	7-1	뉴욕 전화회사	59달러 70센트	1,472달러 42센트
458	7-1	슬로운 식료품점 (식료품 구입)	47달러 31센트	1,425달러 11센트
459	7-1	리지마크 제화점(구두)	87달러 61센트	1,337달러 50센트
460	7-1	행크스 정비소 (엔진 정비)	79달러 10센트	1,258달러 40센트

내 경험으로는 모든 빚진 사람들의 3/4 정도가 그들의 가계 수표의 사용 내역을 아무렇게나 적어서 수표 원장이 그들에게 아무 쓸모없이 되고, 오히려 돈의 사용처를 더 모호하게 만든다.

당신도 지역 텔레비전 조연출자인 린처럼 될 수 있는데, 그녀는 자신이 소위 '감각적 체킹'이라 부르는 것으로 수표를 관리했다. 결코 기록하는 일이 없었던 그녀는 전적으로 자신의 계좌 관리를 '감각'에 의존했는데, 이 프로그램을 시작할 때는 1년에 30~40장의 수표를 부도냈고, 3만 8천 달러의 빚을 지고 있었다.

혹은 지금은 바빠서 기록을 못하지만 나중에 그 정보를 기억할 수 있을 것이라고 자신하는 사람도 있다. 그러나 막상 내일이나 다음주, 또는 새로운 청구서를 적을 때가 되면, 무엇에 쓴 것인지에 대해서 희미한 기억조차도 없다는 것을 발견한다. 현금을 언제 썼지? 이 청구서는 무엇 때문에 사용했지? 무엇을 샀더라? 분명한 것은 사라지고, 혼란만 늘어나 있다.

잠깐, 신용 카드나 백화점 카드로 오늘 무엇을 구입했는가? 그것들도 일일 기록표에 기록하는가? 아니다. 기록하면 안 된다. 아주 단순한 이유, 즉 앞에서 말한 대로 오늘만은 당신이 더 이상 신용 카드를 사용하지 않을 것이기 때문이다. 그것들은 빚이다. 기억하는가? 신용으로 산다는 것은 빚을 지는 것을 말한다. 그리고 오늘, 당신은 결코 카드를 사용하지 않을 것이다.

다시 말하지만, 일일 소비 기록은 수표책의 기입에 의해 보완되는, 단지 그날에 쓴 현금 지출 목록에 지나지 않는다. 복잡하지 않다. 그저 몇 분 정도면 된다. 그러나 그것을 통해서 재정 상태에 대한 안개가 걷혀지기 시작하고, 재정 상태를 분명히 알게 되고, 그래서 당신 삶의 반환을 요구할 수 있는 힘이 생겨난다.

주별 기록

주별 기록은 일주일을 구성하는 일일 소비 기록을 요약하는 것이다. 그 주 동안 당신은 얼마를 썼고, 당신의 돈이 어디로 갔는지를 당신에게 가르쳐 준다. (우리는 월요일에서 시작해서 다음 일요일에 끝나는, 흔히 말하는 일주일을 말하는 것이 아니다. 여기의 일주일은 달력상의 날짜를 의미한다. 예를 들면, 7월 1일에서 시작해서 7월 7일로 끝나는 기간은 7월 1일이 수요일이든 또는 다른 어떤 요일이라도 아무런 차이가 없다.)

단순함을 위해, 한 달을 4주일로 나누자. 당연히 마지막 한 주는 7일 이상이 된다.

다음과 같다.

- 제1주 : 7월 1일 ~ 7일(7일간)
- 제2주 : 7월 8일 ~ 14일(7일간)
- 제3주 : 7월 15일 ~ 21일(7일간)
- 제4주 : 7월 22일 ~ 31일(10일간)

아래의 예처럼 종이의 맨 위에 날짜를 기록하라. 이제 세로에 당신이 돈을 쓴 범주들의 목록을 만들어라. 예를 들면, '집세', '식료품', '옷' 등등이다. 그 주의 일일 기록을 참조하라. 주어진 범주에 매일의 비용을 더하라. 예컨대 '야채' 항목에는 옆에 총액을 기입하라. 수표책의 원장을 기록할 때도 똑같이 한다.

당신의 주별 기록은 이렇게 될 것이다.

7월 1일 – 7일

집세	761달러 23센트
식료품	86달러 21센트
옷	23달러 77센트
오락비	12달러
세탁비	9달러 50센트
의료비	50달러
전화비	49달러 22센트
운송비	18달러 25센트
합계	1,010달러 18센트

그것이 주별 기록에 있는 전부이다. 보통 완성하는 데 15분 내지 20분이 걸린다.

월별 기록

아니다!

우리는 끝없는 일련의 기록을 시작한 것이 아니다. 이것이 마지막이다. 월별 기록은 그 달 주별 기록의 요약이다. 월별 기록은 당신이 그 달 얼마를 어디에 썼는지를 정확히 알려 준다. 그렇게 하기 위해서, 당신이 할 일은 그 달의 총액에 도달하도록 매주의 비용을 더하는 것이 전부이다. 대부분의 사람들은 그들의 주별 기록을 월별 기록이라는 하나의 형태로 결합하고 있다.

간단한 월별 기록은 이렇게 할 수 있다.

(달러)

주 별	1주	2주	3주	4주	계
임대료	761.22				761.22
식비	86.21	72.15	80.00	93.15	331.51
의복비	23.77	15.00	5.00		43.77
오락비	12.00		6.00	20.00	38.00
가스와 전기세	52.13				52.13
세탁비	9.50	3.50		18.00	31.00
의료비	50.00	12.43			62.43
신문과 잡지 구입	7.25	6.03	2.35	11.50	27.13
TV 시청료	49.22		0.50		49.72
운송비	18.25	15.00	10.00	15.75	59.00
계	1069.55	124.11	103.85	158.40	1455.91

월별 소비 기록은 당신이 실제로 소비하고 있는 것들의 기록이다. 이렇게 하는 유일한 목적은 당신의 돈이 흘러가고 있는 곳을 당신이 알 수 있도록 하는 것이다. 이제 좀더 자세히 논의해 보자.

명료해지는 문제점들

당신은 소비 기록이 무엇이고, 어떻게 기록해야 하는지를 알고 있다. 그러면 당신은 교통 수단을 확보한 셈이다. 당신이 가고자 하는 곳으로 데려다 줄 것이다. 다만 아직까지는 말이 없는 최초의 수레인 증기기관차처럼 대단히 조약하다. 그렇지 않은가? 스탠리 증기기관차는 나무 바퀴를 장착하고 등유를 태운 증기기관에서 동력을 얻었다. 앞으로 우리는 스탠리 증기기관차를 근사하고 막강한 힘을 가진 교통 수단으로 바꿀 것이다.

소비 기록의 주요 기능 중의 하나는 당신에게 삶의 초상화를 보여 주는 것이다. 그것은 당신이 실제로 어떻게 살고 있는가를 놀랄 만큼 많이 가르쳐 준다. 그리고 이전에 다른 어떤 것들이 했던 것보다, 또는 할 수 있는 것보다, 자신과 자신의 돈과 자신의 삶에 대해서 훨씬 많이 가르쳐 준다.

관건은 범주에 달려 있다. 범주가 정확하면 할수록, 당신에게 보여 주는 그림은 더욱 정확할 것이다. 그리고 그림이 정확하면 할수록, 스스로의 돈과 삶을 더 잘 통제할 수 있을 것이다. 예컨대, 앞에서 예를 든 월별 기록이 당신의 것이라고 가정하자. 식비로 331달러 51센트를 썼다. 틀린 것은 아니지만, 사실 많은 것을 말해 주는 것도 아니다. 범주가 지나치게 모호하다. 그것을 좀더 세밀하게 나누어 보자.

패스트푸드/외식비
식료품 구입비
레스토랑

'패스트푸드/외식'은 바깥에 나가 피자 가게, 델리스(소시지, 훈제 생선 등 조제 식품을 파는 식당 : 역자 주), 점심식사 판매대, 커피숍 같은 장소에서 먹는 것을 말한다. '식료품'은 집에서 요리해서 먹기 위해 사는 음식을 포괄한다. '레스토랑'에서 식사하는 것도 식비에 포함되기는 하지만, 거기에는 그 이상의 것이 있다. 레스토랑은 당신의 즐거운 경험 중에 하나가 될 수 있기 때문이다. 일단 '레스토랑'을 분리하여 기록하는 것이 좋다.

그래서 단순히 식비 331달러 51센트 대신 이렇게 나누어 쓸 수 있다.

패스트푸드/외식 ·················· 200달러
식료품 ································· 131달러 51센트
레스토랑 ····························· 0달러

이것은 우리에게 무엇을 말하고 있는가?

첫째, 영양학적 측면에서 당신은 스스로를 잘 챙기지 않고 있다.

둘째, 돈을 낭비하고 있다. 햄버거, 감자 튀김, 콜라도 요즘은 싸다고 볼 수 없다.

셋째, 자주 가는 음식점과 자주 먹는 음식이 정해져 버려 음식을 즐길 능력을 잃고 있다.

마지막으로, 스스로 즐거움을 박탈한다는 것이다. 레스토랑과 같이 조용하고 쾌적한 곳에 앉아 다른 사람이 준비해서 서비스하는 음식을 먹는 것은, 대부분의 사람들에게는 유쾌한 경험임에 분명하다.

이러한 요점들 중 아마도 첫째와 마지막이 보다 중요할 것이다. 빚에 대한 압박감은 흔히 삶의 질에 있어서 전반적인 악화를 야기하는데, 여기에는 보통 영양의 문제도 포함된다. 삶의 질의 악화는 그 자체로 스트레스를 증가시키고, 활력을 줄이고, 그리고 기존의 쓸쓸한 감정을 확대시킨다. 레스토랑 가기, 연주회 가기, 새 옷, 극장, 책과 CD, 휴가, 춤과 운동 강습 등과 같은 개인적 즐거움은 빚을 진 사람들이 가장 먼저 끊으려고 하는 것들이다. 이런 것들, 또는 이와 유사한 즐거움들이 사라지면, 극단적으로는 빚쟁이들을 위하는 삶이 될 때까지, 당신의 삶은 점점 더 우울해진다.

나의 첫번째 소비 기록에는 '오락' 범주가 포함되지 않았다. 내

친구 에드가 그것이 없다는 것을 지적했다.

"네가 가장 먼저 해야 할 일은 네 자신을 위해 돈을 쓰기 시작하는 거야."

그때 나는 그가 한 말을 제대로 이해할 수 없었다.

또 나는 치약, 땀 억제제, 구두약 같은 '자기 관리' 범주도 포함시키지 않았다. 나는 그것들을 '식비'에 일괄 처리하였는데, 슈퍼마켓에서 식료품 구입과 함께 사는 것들이었기 때문이었다.

에드는 또 말했다.

"그리고 꼭 이발과 치약만이 아니라 마사지 같은 것도, 어떤 사람들은 '건강' 범주에 넣는 것을 좋아하지만, 나는 '자기 관리' 범주에 포함시키고 있지."

"마사지?"

그가 말했다.

"또는 요가 교실, 스쿠버 다이빙, 그 무엇이든지. 그건 너에게 달려 있어. 그러나 하나는 확실한데, 네가 자기 자신을 돌보는 법을 먼저 배워야 한다는 거야. 인생을 즐기는 것을 시작하지 않는다면, 지금 같은 상황에서 결코 벗어날 수 없다는 거지."

소비 기록은 당신에게 많은 것을 말해 준다.

범주의 설정

대부분의 사람들은 자신들의 소비 범주를 25개에서 35개 정도로 나눈다. 어느 쪽이든지 극단은 피하라. 소비 범주의 수가 지나치게 적으면 재정 상태는 여전히 안개에 싸여 있을 것이고, 지나치게 많으면 기록이 과도하게 복잡해진다. 소비 기록을 만드는 것은 하나의 과정이다. 깨달음이 늘고 삶에서 변화가 생기기 시작하면, 그것을 바꾸면 된다. 나는 지금 소비 기록의 네 번째 버전을 쓰고 있다.

　당장 첫번째 기록표를 그려라. 적어도 몇 개월치를 쓰려면 6장 정도는 복사하라. 변화시켜도 되겠다는 아이디어가 생기면 그것을 기록하고 파일에 철해 놓아라. 6개월 정도가 지난 후 이 파일을 꺼내 보거나 기록을 고쳐라. 여기서의 요점은 기록을 정확하고 기능적인 것으로 만드는 것이다.

　범주에 관해서 어려우면서도 확실히 해야 할 오직 하나의 대원칙은 정확성이다. 치료비같이 특히 많은 비용이 드는 것은, 포괄적으로 '의료비' 범주에 넣는 것보다 범주를 분리시키는 것이 더 낫다. 당신이 만약 스키광이라서 장비, 옷, 레슨, 여행, 리조트 등에 많은 돈을 쓴다면, 따로 '스키'라는 범주를 만드는 것이 더 좋은 방법이다. 앞의 비용을 일반적인 '의류', '레크리에이션', 그리고 '여행' 같은 범주에 포함시켜 버리면 실제로 스키에 얼마나 쓰고 있는지를 전혀 알 수 없다.

　다음은 가장 평범한 범주들을 나열한 것이다. 어떤 것은 당신에게 적용되지 않을 것이고, 여기에는 없지만 당신에게 반드시 필요한 범주들도 있을 것이다.

　일반적인 범주들을 살펴 보자.

- 이혼 수당
- 책
- 택시
- 차(기름, 타이어, 보험료, 유지비, 그리고 수리비)
- 자선 기부금

- 자녀 양육비
- 아이들 용돈
- 옷
- 화장품
- 저녁/패스트푸드
- 세탁비
- 교육비
- 오락비(영화, 극장, 연주회, 화랑, 소풍, 서커스, 전시회, 비디오 대여비)
- 기타 오락비(데이트, 또는 친구와 외출해서 쓴 돈을 말한다)
- 가스/전기세
- 선물비
- 식료품비
- 이발/미용실
- 헬스 클럽
- 가정용 비품(텔레비전, 라디오, 접시, 포트, 냄비, 생활 필수품, 공구)
- 가구(테이블, 의자, 침대, 깔개)
- 난방비
- 집 수리/유지비(페인트 칠, 배관, 배선, 덧문, 난방 시스템, 지붕 수리비, 조경)
- 가정용품(종이 타월, 스펀지, 세제, 바닥 깔개, 화장실 휴지, 광택제, 바닥 왁스, 노끈, 테이프)
- 집 청소비
- 소득세(자영업을 하고 있고, 소득세가 봉급에서 공제되지

않는다면, 또는 소득세가 공제액보다 많이 부과되는 경우)
- 투자
- 법률 비용
- 생명 보험
- 신문/잡지
- 의료비(의사, 처방, 안경, 구급상자 용품)
- 의료 보험
- 자기 관리(샴푸, 손톱가위, 비누, 면도기와 날, 칫솔, 머리빗, 방향제 또는 화장수)
- 자기 성장비(강의, 세미나, 특별 훈련 또는 코스)
- 전문직 회비
- 재산세
- 대중 교통비(버스, 지하철, 기차)
- 집세
- 레스토랑
- 기타 레스토랑(다른 사람의 저녁을 산 경우)
- 스포츠
- 전화 요금
- 치료비
- 팁/감사 인사
- 교습비
- 조합비
- 휴가/여행
- 비타민
- 잡비(다른 범주에 맞지 않는 사소한 것들, 그러나 여기서 그

> 총액이 지속적으로 20달러 이상이 들면 한두 가지의 새로운 범주가 필요할 것이다)

당신만의 기록을 위해서는, 위에 제시된 범주들을 차용하는 것뿐만 아니라, 용어를 수정하거나 특별하게 필요하지만 여기서는 언급되지 않은 당신만의 범주를 덧붙여라. 당신이 쉽게 다룰 수 있는 방식으로 범주들을 분류하라. 어떤 사람들은 '임대료'와 '식료품' 같은 명확한 것은 위에 놓고, 나머지의 것들은 알파벳 순서로 기록하기도 한다.

소비 기록
대부분의 사람들이 한두 시간 내에 소비 기록표를 그릴 수 있다. 우리 삶을 변화시키는 데 그토록 강력한 힘을 가진 도구를 준비하는 대가 치고는 정말 작은 투자다. 앞의 표는 일종의 샘플일 뿐이다.

저항거리들
소비 기록에 대한 일차적인 반응은 보통 세 유형으로 나누어진다. 1/3 정도는 즉각 열성적 반응을 보이고 곧바로 뛰어든다. 또 다른 1/3은 미온적이고 심지어 내키지는 않지만 그래도 한 번쯤은 시도해 보려고 한다. 마지막 1/3은 화를 내거나 경악하고 전혀 시도할 의향이 없다.

분노한다는 것은 보통 부정하는 것의 한 형태로 볼 수 있다. 소비 기록을 작성한다는 순수한 그 사실에는 빚 문제가 있다는 것을 암묵적으로 수긍한다는 것이다. 기록하기를 거부한다는 것은 문제를 부정하고자 하는 것을 말한다.

"너는 그럴지 모르지만, 나는 그렇지 않아"라고 말한다는 것은, 상태가 악화되어 더 이상 선택의 여지가 없을 때까지, 빚과 외상이 있는 험악하고 음울한 그 상태로, 그리고 재정이 완전히 파괴되고 빚쟁이들이 집으로 쳐들어올 바로 그때까지, 다시 후퇴하는 것이다.

소비 기록   년   월   일

주 별	1주	2주	3주	4주	계
임대료					
음식비					
책					
버스/지하철					
택시비					
자동차					
자녀 용돈					
담배					
옷					
저녁/패스트푸드					
전기 요금					
문화비					
선물비					
가정 비품					
가정 용품					
세탁비					
잡지/신문					
의료비					
잡비					
자기 관리					
세금					
전화비					
계					

여전히 빚을 지고 있고, 매달 절망적으로 빚이 늘고 있는 용접공 대니는 내가 기록하라고 제안했을 때 분개했었다.

두려움 또한 보통은 문제에 대한 부정의 다른 형태에 지나지 않는다. 그것을 보지 않는다면 두려움은 없거나 아마도 그저 사라질 것이다. 두려움이라는 실체가 명확히 드러나지 않는 한, 당신은 걱정하는 것보다 그리 나쁘지 않다고 스스로에게 말할 수 있을 것이다.

아동 도서 편집자인 노린은 이 프로그램을 처음 본 순간부터 실행하였고, 즉시 빚지기를 멈추었고, 모임에 기꺼이 참여하였지만, 기록을 시작할 수는 없었다.

"무엇을 두려워하는지 알 수 없어요…. 내가 아는 것이라고는 그것을 생각할 때마다 손에 땀이 나기 시작하고, 침대 밑으로 기어들어가 숨고 싶다는 것뿐이에요."

두려움에도 불구하고 3개월 만에 그녀는 마침내 기록하기 시작했고, 그녀의 기록은 오히려 기본 경비가 순수입보다 실제로는 약간 적다는 것을 알려 주었다. 아이러니하게도 대부분의 사람들은 노린처럼 그들이 현재 처한 상황이 두려워하는 것만큼 나쁘지 않다는 것을 발견한다.

두려움은 오직 현재의 상황을 부정하게 할 뿐이지만, 현재 처한 상황을 알게 되면 안도감이 생겨난다.

소비 기록은 강력한 도구이며, 또한 생명력을 가지고 있다. 그것 없이는 결코 빚으로부터 벗어날 수 없다. 기록하지 않고 빚에서 벗어난 사람은 아무도 없다. 기록하지 않고 빚에서 빗어나 보려고 했지만 결국에는 실패한 몇 사람을 나는 안다. 기록한다는 것은 회복하기 위한 매우 중요한 하나의 단계이다. 당장 기록하기 시작하라.

이번 주말에는 월별 소비 기록을 만들 시간을 배정해 둬라. 충분히 쓸 수 있도록 6장 정도는 복사해라. 기록하는 것이 빠르면 빠를수록, 그것이 당신에게 기여하는 바가 빨라질 것이고, 그것이 당신에게 얼마나 많은 도움을 주는가에 놀라워할 것이다.

제9장 | 빚 갚기 프로그램 수행의 강화

당신은 이 프로그램의 가장 기본적인 두 가지 요소인 '어느 시점에서 오늘 하루 더 이상 빚지지 않기'와 '소비 기록의 작성'을 모두 터득했다. 그렇게 함으로써 이미 당신은 우리의 궁극적 목표인 '빚에서 해방되기'와 나아가 '풍요로운 삶을 살아가기'에 도달하기 위한 출발이 아주 쉬워졌다. 당신은 이 책을 처음 펼쳤을 때보다 훨씬 더 강해졌다. 이제는 스스로 삶을 조절할 수 있다. 시각도 보다 분명해졌다.

이 장은 그 힘을 보다 더 증가시키고, 그 출발을 보다 더 분명히 하게 하기 위한 것이다.

당신이 두려워하던 악마를 직시해 보자

'흑자 전환 프로그램'을 시작할 때, 많은 사람들이 자기 빚의 총계가 얼마인지 또는 빚쟁이가 몇 명인시를 잘 몰랐다.

무지가 큰 손해를 낳는다.

모르고 있는 악마보다는 알고 있는 악마가 더 낫다. 지금은 당신의 빚과 빚쟁이에 대한 완전한 목록을 작성할 때이다. 어떤 사람들은 이 시점에서 이러한 정보를 종이에 기록한다는 것은 잠자는 괴물들에게 숨을 불어넣는 것 같은 심리적 공황 상태에 빠질지도 모른다. 만약 당신이 그러한 사람들 중의 한 명일지라도 지금까지의 행위는 절대로 당신에게 상처를 입히거나 당신의 상황을 악화시키는 것은 아니라는 점을 깨달아라.

빚은 이미 존재하는 것이다. 그럼에도 당신의 의식이 그것들을 거부하려고 한다면, 점점 더 심해지는 압박감과 곤경에 당신 자신을 방치하는 것일 뿐이다.

어떤 일을 하기 전에는 무슨 일을 할 것인지를 알아야 한다. 여기서 우리는 빚을 갚아야 한다는 사실에 저주를 퍼붓자는 것이 아니다. 우리에게 필요한 것은 단지 분명하고도 완벽한 목록이다.

놀랍게도 많은 사람들이 그들이 두려워했던 것보다는 실제로는 '덜' 빚지고 있다는 것을 발견한다. 전에 '감각적 체킹'을 했던 텔레비전 조연출자인 린은 그녀 계좌의 수입과 지출에 무지했던 것처럼, 처음부터 실제의 빚에 대해서도 무지했다. 그녀는 자신의 빚을 약 5만 6천 달러 정도 될 것이라고 추측했다. 그녀가 리스트를 작성했을 때 실제 빚의 총액은 3만 8천 달러라는 것을 발견했다! 그녀의 정신이 오랫동안 실제 빚보다 거의 2배나 크게 키워 놨던 것이다. 린의 사례는 아주 극단적인 것일 테지만 대부분의 사람들도 비슷하다. 사람들은 종종 그들이 생각하고 있는 것보다 상대적으로 덜 빚지고 있다는 사실을 발견하게 된다.

빚의 목록을 종이 한 장에 작성하라. 빚쟁이의 이름을 왼쪽에 적고, 갚아야 할 액수를 오른쪽에 기록하라. 이러한 목록도 범주를 가지고 작성하면 훨씬 더 쉬울 것이다. 1달러의 빚이건 10만 달러의 빚이건 빚이란 빚은 모두 다 열거하라. 우리는 완전한 그림을 원한다. 처음에 얘기한 것처럼 보증된 빚은 빚이 아니라는 것을 명심하라. 그러므로 목록에는 보증되지 않은 진짜 빚만을 적어라

기관으로부터의 대출

이는 은행 또는 다른 대출 기관으로부터의 대출을 말하는데, 보통 당신의 서명만으로 이루어진다. 당신이 대출을 받는 이유는, 예컨대 집수리, 사업 자금, 휴가 등 무엇이든 상관없지만, 보증되지 않고 대출받은 것이라면 그것은 빚이라는 것이 내 말의 핵심이다.

둘 이상의 기관에서 그렇게 했다면 따로 기록하라. 한 기관에서 한 차례 이상 대출을 받았을 경우에도 각각의 대출을 따로 기입하라.

예를 들면 다음과 같다.

합동 은행
6월·············· 1,500달러

부동산 신탁주식회사
3월·············· 1,800달러
5월·············· 3,500달러

당좌 대월(마이너스 통장)

이는 계좌에 있는 돈보다 더 많은 수표(현금)를 쓸 수 있게 해 주는 것으로, 일종의 특권을 말한다. 은행은 사전에 합의된 액수만큼 (보통은 2천~5천 달러까지) 계약자의 재량에 맡겨 사용하게 한다.

일종의 자동 대출이다. 그렇지만 또 다른 보증되지 않은 빚이다. 왜냐하면 은행으로부터 돈을 빌렸는데 은행은 당신에게 담보물을 전혀 받지 않았기 때문이다.

현재 이 시스템을 이용하고 있다면 빚진 액수를 기록하라.

신용 카드

우리는 각각의 신용 카드에 빚진 총액에 관심이 있다. 이를 아메리칸익스프레스 카드, 다이너스 카드 등과 같이 카드 별로 분리하라.

똑같은 이름의 카드라 할지라도, 예컨대 비자 카드 아니면 마스터 카드라고 해도 서로 다른 곳에서 발행했다면 각각 달리 기입하라.

예는 다음과 같다.

비자(체이스맨해튼 은행) ·················3,000달러
비자(시티 은행) ·····························1,900달러
비자(바클레이 은행) ························1,450달러

백화점

백화점 카드도 마찬가지다. 백화점이건 편의점이건 외상으로 구입한 것이면 각각의 미지불 잔액을 기록하라.

학자금 대출

학자금 대출은 보통 연방 정부, 은행, 재학중인 학교, 주 고등교육 당국에서 받는다. 여러 곳에서 받았다면 마찬가지로 따로따로

기록해야만 한다.

사적 대출

이는 친척과 친구들로부터 얻은 대출들이다. 여기에는 같은 사람으로부터 빌린 서로 다른 모든 대출은 더해서 지불해야 할 총액만을 기입한다. 예를 들면, 아버지에게 2년 전에 1천 달러, 작년에 1천5백 달러, 올해 5백 달러를 빌렸다면, 하나로 기입한다.

아버지 ·························· 3,000달러

그러나 여러 사람들에게 빌렸다면 각각 기입하라.

가불한 급여

고용주가 당신에게 미리 지불한 봉급, 임금, 수수료 등의 액수를 기록하라. 한 명 이상의 고용주로부터 미리 받았다면, 각각 따로 기록하라.

미리 받은 서비스

서비스를 받고도 아직 다 지불하지 않았다면 갚아야 할 개인, 또는 기관을 기록하라. 여기에는 의사, 치과 의사, 회계사, 건축업자, 대리인, TV 수리공, 목수, 전기공, 용접공, 자동차 수리공, 주차 서비스, 잔디 깎기 서비스 등이 포함된다.

집세

밀린 집세의 총액을 기입하라.

공공요금

밀린 전기세, 가스 요금, 전기 요금, 상·하수도 요금 등 날짜가 지난 청구 금액을 모두 기록하라.

소득세

국세청, 카운티, 또는 시에 납부해야 할 모든 세금을 기록하라. 여기에는 각각의 기관에 납부해야 할 연체에 대한 벌금과 이자도 포함시켜라.

재산세

납부해야 할 지난 재산세도 기입하라.

기타

위에 포함되지는 않았지만 아직도 남아 있는 빚이 있다면 그것들 또한 기록하라.

명단을 완성했는가?

좋다! 총액을 더하라.

이제 다시 의자에 앉아 쉬어라. 천천히 깊이 숨을 들이 쉬고 잠시 눈을 감아라. 아마겟돈이 아니라는 것을 스스로 상기시켜라. 약간의 돈만 지불하면 된다. 더 이상 없다. 미사일은 발사되지 않을 것이고, 피가 거리에 흐르지도 않는다. 오늘 지금 당장, 바로 이 순간, 문제 해결의 기초를 마련하라.

오늘 지금 이 순간 당신은 더할 나위 없이 좋다.

필요한 모든 것을 갖고 있다.

당신 빚의 총액을 보면서 명심해야 할 것은 바로 이 점이다.

숫자는 관련 없다!

쓰여진 숫자가 얼마이든 간에, 이 숫자는 당신이 실제로 빚을 졌다는 사실을 나타내는 것에 지나지 않는다. 중요한 것은 빚의 총액이 아니라, 늘어나는 빚과 지속적으로 빚을 질 수밖에 없다는 사실이 당신의 삶에 파괴적인 충격을 미친다는 점이다. 1천 달러의 빚이 있는 사람이든, 1만 달러 혹은 5만 달러의 빚이 있는 사람이든, 빚이 매달 늘어 간다면 그들이 경험하는 매달 더 커지는 고통은 똑같다. 그러므로 빚의 총액이 얼마가 되든지 간에, 재정 상태를 회복시키는 것과 빚의 총액을 서로 연관시킬 필요는 없다. 관련이 있는 것은 이 프로그램이다. 당신이 그 원칙을 따른다면, 당신이 갚아야 할 빚이 아무리 많다 해도, 빚으로부터 당신 자신을 해방시킬 수 있다.

이전에 이미 빚지기의 악순환을 끊은 수천 명의 사람들이 있었다는 것을, 당신은 혼자가 아니라는 것을, 명심하라.

내가 처음 이 프로그램을 시작했을 때, 나의 목록을 보자.

케미컬 은행 ·······················17,500달러
아메리칸익스프레스 카드 ·············256 달러
비자 카드(시티 은행) ················1,493달러
비자 카드(케미컬 은행) ···············502달러
마스터 카드 ·······················364달러

작가 조합	2,500달러
변호사 비용	1,500달러
책 유통 회사	15,000달러
아버지	9,000달러
보브	500달러
메트	500달러
계	49,115달러

당연한 말이겠지만, 어떤 사람보다는 많고, 또 다른 사람보다는 적은 빚을 지고 있었다.

당신의 빚을 파악하고 더해 봄으로써, 당신은 빚으로부터의 완전한 자유를 누릴 수 있는 또 다른 중요한 단계를 밟고 있는 것이다. 당신은 지금 무엇을 하고 있는지를 잘 알게 되었다.
　여기서 작성한 빚의 목록은 당신의 자존심을 회복하는 원천이 될 것이다. 빚 목록을 작성하는 일은 용기 있는 행동이다.

카드로부터 자유로워져라

당신은 아마도 이 이야기를 할까 봐 걱정했을 것이다. 사실 지갑에 신용 카드를 지닌다는 것은 안전 핀이 빠진, 빠르든 늦든 언제고 터질 수류탄을 안고 다니는 것과 같다. 정말 그렇다.
　"하지만……!"
　"하지만……!"
　"하지만……!"
　맞다! 모든 사람들은 그렇게 말한다.

그러나 당신이 신용 카드로 할 수 있는 일은 단 한 가지뿐이다. 오직 빚을 지는 일이다. 대단히 간단한 얘기지만, 처음부터 알아차리는 사람은 단지 몇 사람뿐이다. 대부분은 여러 가지 이유를 들면서 신용 카드가 왜 필요한지를 설명하려 한다.

가장 많이 드는 이유들은 이렇다.

- 생활을 더 쉽게 해 주기 때문에
- 현금을 갖고 다니기 싫어서
- 신분 증명을 위해
- 통신 구매를 위해
- 사업상 이유로
- 비상시의 경우에
- 차를 빌리기 위해서

자, 가장 일반적인 것부터 검토해 보자.

첫째, 생활을 더 쉽게 해준다.

그래! 정말 맞는 말이다.

신용 카드가 없다면, 어떤 때는 돈을, 어떤 때는 그것을 대신할 무엇인가를 준비해야 하는데, 그러면서 불편을 느낄 수도 있다. 개념상으로는 정말 그렇다.

그러나 약간의 시간과 수고와 같이 당신이 겪어야 힐 불편은 상대적으로 사소한 것이다. 당신의 반대 생각에도 불구하고, 신용 카드 없이 사는 일은 어렵지 않다. 상당히 쉽다. 이 프로그램을 따르고 있는 거의 모든 사람들은 지금 그렇게 하고 있고, 그리고 수년 동안 해 오고 있다. 물론 그 사람들도 처음에는 '신용 카드 없이 살아라'라는 아이디어에 저항을 했다. 대부분이 그랬고, 심지어 신용 카드로 자기 자신을 확실하게 파괴한 사람들까지도 그런 반응을 보였다.

자살할 뻔했던 편집자인 캐서린은 2주 동안 카드 문제에 대해 고민했다. 그녀는 여러 신용 카드 회사로부터 1만 달러 이상의 빚을 지고 있었는데도 여전히 그 카드들의 사용을 포기하려고 하지 않았다. 그녀가 나를 만나고자 해서 우리는 조그만 식당에서 만났다. 그녀는 자신의 카드 전부를 가져 와서 테이블 위에 세 줄로 늘어놓았다. 모두 12장이나 되었는데, 마스터카드 2장, 비자카드 3장, 아메리칸익스프레스 골드 카드 1장, 까르트블랑슈 카드 1장, 알트만 카드 1장, 블루밍데일 카드 1장, 메이시카드 1장, 아메리칸 항공 카드 1장, 모빌오일 카드 1장이었다. 그녀는 그것들을 바라보고는 갈라진 목소리로 말했다.

"할 수 있을지 모르겠어요."

마침내 그녀가 지갑에서 가위를 꺼냈다. 손이 떨렸다. 카드를 한 장 한 장 집어 반으로 자를 때마다 움찔거렸다. 드디어 아메리칸익스프레스 골드 카드만이 남았다.

"제발."

거의 흐느끼면서 말했다.

"제발, 이것만은…, 이건 제 품위예요."

빚에 의해 그토록 상처를 입은 사람이 자신의 품위와 자신의 가치를 유일하게 한 장의 플라스틱에서 발견한다는 사실은 대단히 끔찍한 일이다. 계산원에게 골드 카드를 제시할 때면 그녀는 괜찮은 사람이 된다는 것이다!

그녀는 그것마저도 자르고는 무너지듯이 앉아 자신의 무릎을 바라보았다.

"정말 가슴 아프고… 이제는 모든 것을 다 잃어 버리고 혼자만 남은 것 같아요."

이제 캐서린은 잘살고 있다. 점점 더 나아지고 있다. 이제 그녀는 자신의 품위를 자신의 내부에서 찾고 있다. 그녀는 6개월 전의 자신의 행동과 그 행동의 원인이 빚을 안고 산 세월 때문이었다는 것을 이해하기란 어렵지 않다고 말한다.

어쩌면 당신은 이렇게 말할 수도 있다.

"하지만 나는 달라요… 나는 12장씩이나 카드를 가져 본 적도 없고, 카드사에 1만 달러씩이나 빚지지도 않았다고요."

다른 많은 사람들도 이 프로그램을 시작할 때, 그 정도는 아니었다. 다시 말하지만, 숫자에는 아무런 차이가 없다. 우리가 말하고 있는 것은 빚으로 가는 지름길은 어디에 있느냐 하는 것이다.

대학 교수인 러스는 2년 동안 이 프로그램을 실시하고 있다. 그는 평생 1장 이상의 신용 카드를 가져 본 적이 없었으며, 2년 전에 단지 4백 달러만 빚지고 있었다. 그래서 그 정도의 빚은 문제가 안 되고, 자신은 그것을 포기할 생각이 없다고 했다. 그러나 그의 생각에도 불구하고 돈이 모자랄 때나 자신의 기분 전환을 위해서, 때로는 단지 충동적으로 그 카드를 다음 6개월 동안 반복적으로 사용했다. 청구서가 도착할 때마다 새로 산

것을 완전히 지불하겠다고 맹세했으나 그럴 만한 여유가 없어 계속 빚을 졌고, 지불할 총액은 매달 올라갔다.

마침내 그는 좌절과 분노 속에 항복했고, 카드를 부숴 버렸다.

나중에 그는 말했다.

"카드를 자른 것은 내가 생각했던 것만큼의 박탈이나 패배는 아니더군. 실제로 그것은 내게 커다란 구원이 되었지. 마음이 가볍고 참으로 행복한 기분을 느꼈었네."

신용 카드는 안전 핀이 뽑힌 수류탄이다. 곧바로 빚이다.

*

"잠깐만."

많은 사람들이 그런 것처럼, 당신도 그렇게 말할 수 있다.

"신용 카드의 핵심을 이해하지만, 그러나 내 아메리칸익스프레스 카드가 어때서? 나는 다르게 사용한다구. 할부로 처리하지 않지. 매달 총액을 내니까, 전화 요금과 차이가 없지."

우와, 당신은 행복한 사람이다. 출구를 발견했다. 당신은 아메리칸익스프레스 카드를 가질 수 있다.

당신의 아메리칸익스프레스 카드는 신용 카드가 아니란 말이 맞을 수도 있다. 그러나 이 프로그램을 수행한 많은 사람들이 잘 알고 있듯이, 그것도 다른 것과 똑같이 쓸 수 있고, 그걸로 더 많은 빚을 얻을 수 있다.

실제로 사용해 보면 당신은 아메리칸익스프레스 카드 회사에 한 달 늦게 지불할 수 있다. 그리고 두 달 늦게, 또는 석 달 늦게, 마침내 그들이 당신의 카드를 취소하겠다고 협박하기 전까지 늦출 수도 있다. 그리고 어떤 사람들은 아메리칸익스프레스 카드 회사와 분할 지불을 위한 협상을 하기도 한다.

그러나 가장 중요한 것은 이것이다. 당신의 전화기를 크레이지 에디스 상점에 가져 가서 5백 달러짜리 텔레비전 대금으로 결제할 수 없다. 마찬가지로 여행사에 가져 가서 파리행 티켓을 결제할 수는 없다. 그러나 아메리칸익스프레스 카드로는 당연히 결제할 수 있으며, 그것도 지독히 많이 할 수 있다. 우리의 목적을 달성하기 위한 보다 실용적인 측면에서 보자면 아메리칸익스프레스 카드와 비자 카드는 아무런 차이가 없다. 또 백화점 카드와도 전혀 다르지 않다. 그것으로 할 수 있는 단 하나의 일은 빚지는 것뿐이다. 그러므로 없애 버려야 한다. 당연히!

그렇다! 당신의 모든 카드를 잘라라. 카드가 없어져 버리면 당연히 쓸 수 없다. 그리고 진짜로 카드를 없애는 가장 중요한 단계는 카드 회사에 이제는 당신의 계좌를 취소하고 싶다는 것을 알리는 것이다. 그렇게 하는 것만이 당신의 행동을 완성하는 것이고, 그 계좌에서 발생할 수 있는 어떤 문제를 예방하는 것이다.

대부분의 카드 회사에서는 당신의 카드 취소 결심을 만류할 것이다. 카드 회사의 반응은 아주 자연스러운 것이다. 왜냐하면 그들은 당신의 계좌에서 적어도 연 15~24%의 이익을 내고 있기 때문이다. 그러나 친절하고 공손하지만, 단호하게, 카드를 취소하겠다고 말하라. 당신이 원한다면, '이제부터는 현금으로 계산하는 것이 더 좋아졌다'라고 말할 수도 있지만, 어떤 설명도 할 필요가 없다.

둘째, 차를 빌리기 위해서는 신용 카드가 필요해.

미국 도시에 살면서 차를 소유하고 있지 않은 대부분의 사람들은 이 말을 맨 먼저 한다. 마치 신용 카드로 차를 빌리지 않고서는 도시를 벗어나거나 이동을 전혀 할 수 없다는 듯이.

배우인 글렌은 신용 카드의 사용을 포기할 수 없을 것 같다고 하면서 다음의 이유를 들었다. 지금부터 1~2년 내에 영화와 텔레비전 시리즈물에서 비중 있는 역할을 맡게 될 것이고, 그렇게 되면 로스엔젤레스로 가야 한다. 그 도시는 자동차의 도시로 차 없이는 꼼짝할 수도 없지 않은가? 그래서 차를 빌려야 하는데, 그렇게 하려면 신용 카드가 필요할 것이다.

납득할 수 없는 얘기 아닌가? 글렌은 현재 9천 달러를 빚지고 있고, 주로 그의 빚이 야기한 정서적 상황 때문에 배우로서의 경력조차 별로 내세울 만하지도 못한 사람이다. 그리고 최소한의 생활비라도 벌기 위해 파트 타임 리무진 운전과 주 2회는 야간에 법률 서류의 교정일을 하고 있는 그가, 매달 집세를 어떻게 낼지도 모르는 그가, 지금부터 2년 뒤에 자동차를 빌릴 것을 걱정하고 있다!

빚의 압박감은 진짜로 우리의 시각을 왜곡시킨다. 그 왜곡된 시각을 거부하기란 참으로 만만치 않은 일이 된다.

소비 기록을 쫙 펼쳐 보라. 당신이 어떤 얘기를 들었건, 당신이 얼마나 고집스런 확신을 하고 있건, 신용 카드를 사용하지 않고서도 차를 빌릴 수 있다. 실제로 카드 없이 빌릴 수 있는 회사가 훨씬 더 많다. 때로는 그 자리에서 빌려 주기도 하지만, 하루나 이틀 전에 예약을 하는 것이 더 낫다. 그러려면 대부분의 경우에 당신은 한 회사에서 1년 이상 재직해야 하며 당좌 계좌, 예금 계좌, 그리고 당신의 운전 면허증에 나타나 있는 주소에 당신의 이름으로 등록된 전화를 갖고 있어야 한다. 렌터카 회사는 전화로 당신에 대한 정보를 확인한다.

현금을 공탁금으로 맡겨야 할 것이다. 액수는 거리와 당신이 빌리는 차종에 따라 달라진다. 보통 75달러에서 350달러이다. 자본이 많은 전국적 규모의 큰 회사는 대부분 이러한 방식의 계약도 받고 있으며, 렌트 사업에 적극적인 소규모의 지방 회사도 같은 방식으로 많이 하고 있다. 당신의 진정한 관심사가 차를 빌리는 것이라면, 생각을 조금만 넓히면 충분히 가능한 방법을 찾을 수 있다.

만약, (그럴 것 같지는 않지만) 당신 주위에 앞에서 방금 얘기한 신용 카드를 사용하지 않고도 차를 빌려 주는 회사가 없고, 당신은 꼭 차가 필요하다면, 친구에게 차를 빌리는 등의 차를 빌릴 수 있는 다른 방법을 찾아라. 지금쯤이 점점 늘고 있는 당신의 목록 작성 능력을 이용할 아주 적당한 시기일 수 있다.

종이를 갖고 앉아라.

맨 위에 '신용 카드 없이 차를 빌릴 수 있는 방법'이라고 적어라.

당신 생각 속의 낡은 바리케이드를 부셔라.

상상력을 마음껏 펼쳐라.

셋째, 신분 확인을 위해서 신용 카드가 필요해.

수표를 현금화하거나 수표로 물품을 구입할 때는 신분 확인이 필요하다. 그러나 수표를 현금화하는 것은 은행에서 주로 하게 되는데, 사실 은행원은 이미 당신을 알고 있을 수도 있고, 다른 증명서로도 충분히 신분 확인이 가능하다. 수표를 동네의 다른 상점이나 친구에게 현금과 바꿀 경우에도 마찬가지다. 대부분의 상황에서는 신용 카드가 필요없다. 그리고 대형 백화점이나 당신이 알지 못하는 가게에서 어떤 물건을 살 때에는, 많은 다른 신분 증명서로 충분히 신분 확인이 가능하다. 이 프로그램을 시행하고 있는 사람들은 다음의 신분 증명서를 성공적으로 사용하고 있다.

- 운전 면허증
- 은행 ID 카드
- 여권
- 총기 소지 허가증
- 의료 보험 카드
- 다양한 회사의 사진 ID
- 자동차 등록증
- 클럽 멤버십 카드
- 다양한 공공 서비스 ID
- 노동 조합원증
- 외국인 등록증
- 현역 군인 신분증
- 예비역 군인 신분증
- 공식 배지
- 이름과 주소가 있는 공공요금 고지서
- 공증된 출생 증명서

이것들 중에서, 운전 면허증이 가장 보편적이고 유용하다. 그러나 이것들 외에도 신분 증명이 가능한 것들은 정말 많이 있다. 어떤 사람은 그날 아침에 끊은 교통 위반 티켓을 사용했다. 또 다른 경우는 작가였는데, 서가에서 책을 꺼내 책의 뒤표지에 있는 자신의 사진을 점원에게 보여 주고 책을 사기도 했다.

신분 확인을 위해 아직도 신용 카드가 필요할까?

넷째, 현금을 갖고 다니기 싫어.

많은 사람들은 지갑에 몇 백 달러를 갖고 다니는 것이 불편하다고 한다. 그들은 강도를 만나거나 잃어 버릴까 봐 걱정한다. 그러나 실제로 불편하다고 생각하는 것은 지갑에 돈을 넣고 다니는 것이 낯설기 때문에 그렇다. 강도를 만나거나 지갑을 잃어 버리는 것은 당신이 생각하는 것만큼 자주 있는 일은 아니다. 당신 또는 당신의 절친한 친구들 중에서 누가 강도를 몇 번이나 당했는지, 지갑을 얼마나 자주 잃어 버렸는지 알아보라. 나는 1969년에 강도를 한 번 당했다. 지갑은 2번 잃어 버렸는데, 1960년에 한 번, 1972년에 또 한 번 잃어 버렸다.

무모하다고 할 정도로 배짱 좋게 몇 천 달러를 갖고 다녀야 한다는 제안이 아니다. 그 정도는 아니더라도 매일 상당한 액수의 현금을 갖고 다니라는 것도 아니다. 단지 약간 실험해 보고, 얼마나 지녔을 때 편안한가를 알아보고 결정하면 되는 일이다. 내 경우는 쇼핑을 하기로 한 날에는 약 300달러, 다른 대부분의 날에는 50달러에서 60달러만을 지니고 다닌다.

만약 수백 달러 또는 그 이상의 진짜로 큰 구매를 하고자 한다면, 그때는 수표를 쓰면 된다. 또 나름대로 편안하다고 생각해서 설정한 액수 이상의 현금이 필요하거나 더 지녀야 하겠다고 마음먹은 사람들은 대개 여행자 수표를 갖고 매일 아침 집을 나선다.

다섯째, 신용 카드가 없이는 통신 구매를 할 수 없어.

아니다. 대부분의 경우에 할 수 있다. 상품을 현금으로 주문하거나, 또는 판매자에게 그 상품을 갖고 있으라고 요청한 뒤, 그날 오후에 가계 수표를 보낼 수도 있다. 이래도 안 된다고 하면 원하는 상품을 다른 곳에서 찾으면 된다.

여섯째, 사업상 필요해.

대개는 고객에게 식사를 대접하는 경우에 그렇게 한다. 그럴 때 현금으로 지불하면 된다. 아니면 회사에 직접 청구되는 법인 카드를 사용하면 된다.

비행기와 호텔 예약을 할 때, 일반적으로 미리 현금이나 가계 수표를 보낼 수도 있고, 보통은 떠날 때 현금이나 여행자 수표를 지니고 가서 지불할 수 있다. 무엇이 필요한가를 미리 결정해서 잠재적 문제점을 제거하면 된다.

일곱째, 비상시에 필요해서.

어떤 것을 비상 사태라고 하는가? 핵 공격? 아니면 폭동과 무질서한 상황? 미국에서는 폭동과 무질서 상황이 자주 발생하기도 한다. 그러나 그때가 언제냐고 한다면, 정확히 대답할 수 있는 사람은 없다.

아마도 벌거벗은 채 배는 고프고 완전히 혼자인 채 돈 한 푼, 아니 그 어떤 것도 없이 믿음직한 신용 카드만 손에 움켜 쥐고 있는 상황이 일어날지도 모른다. 아무렴, 늘 일어날 수 있는 일이다.

하지만 나는 현금이나 수표, 또는 전화보다 신용 카드가 훨씬 더 유용했던 비상 사태는 단 한 번도 겪지 못했다.

대부분의 사람들이 "비상시에는 신용 카드가 필요해"라고 말할 때 의미하는 바는, 돈이 떨어질 경우에 신용 카드가 필요하다는 것이다.

그러나 신용 카드로 당신이 할 수 있는 유일한 일은 빚지는 것뿐이다. 그리고 돈이 다 떨어지는 것에 대한 공포는 이전의 빚지기에서 비롯된 것이다.

더 이상의 빚지기를 그만둔 날이 당신의 삶에 더 많은 돈이 들어오기 시작하는 첫날이다. 그때부터 비로소 여유가 생기기 시작하고, 그때부터 돈이 떨어지면 어쩌나 하는 공포가 비로소 당신에게서 사라지기 시작한다. 돈을 빌린다면 빚에서 절대 해방될 수 없다.

말하기 조심스러운 몇몇 예외들도 있다

신용 카드를 없애는 것이 당신에게 많은 이익을 가져다 준다는 것은 분명한 사실이다. 그래서 빚을 갚기 위해 필수적으로 그렇게 해야 하는 것도 사실이다. 신용 카드를 계속 가지고 있으면서 이 프로그램을 성공시킨 사람은 아무도 없다고 내가 말해 온 것은, 실제 사례들을 많이 보았기 때문이다.

그러나, 지금 얘기하고자 하는 것을 두고 당신이 신용 카드를 써도 된다는 것으로 오해할까 봐 두렵기는 하지만, 예외적으로 몇몇 사람들은 아직도 신용 카드를 가지고 있다.

로이스는 콘서트 피아니스트인데 직업상 여행이 아주 잦다. 그래서 반드시 처리해야 하는 절차를 단순화하기 위해서, 그리고 소비 기록의 작성에 카드를 사용하는 것이 보다 용이해서 여행할 때에는 아메리칸익스프레스 카드를 사용한다. 사업상 미국 전역과 유럽을 다니는 전자 제품 세일즈맨인 셰프도 그렇다.

이 두 사람은 지금 강력한 회복 프로그램을 시작하고 있고, 그들은 아주 조심스럽게, 항상 주의하면서 신용 카드를 사용하고 있다. 나는 언제나 신용 카드의 사용을 그만두라고 하는데, 여하튼 그것은 빚으로 가는 지름길이기 때문이다. 다만 신용 카드 사용에 대한 스스로의 규제가 바위처럼 단단하다고 자신한다면, 그리고 사용할 수밖에 없는 상황이 생긴다면, 반드시 다음과 같이 사용해야 한다.

첫째, 카드는 서랍에 넣어 두어라. 반드시 필요한 날에만 가지고 나가라.

둘째, 지갑에서 카드를 꺼내기 전에 무엇에 쓸 것인가를 정확히 알고 있어야 한다.

셋째, 의도했던 목적 이외에는 절대로 사용하지 마라.

넷째, 집에 돌아오자마자 다시 서랍에 넣어 두어라.

다섯째, 당신이 외상으로 사용한 액수만큼 카드의 이름으로 즉시 수표를 끊어 그만큼 당신 계좌의 잔고에서 공제하라.

다섯째 단계는 꼭 해야 한다. 그것은 '빚지지 않기'의 원칙 및 실천과 일치하는 것이다. 그만큼의 돈을 당신의 계좌에서 공제한다는 것은 그 액수만큼 당신이 이용할 수 없다는 것을 말하기 때문이다. 또한 당신의 잔고에서 돈을 공제함으로써 당신의 잔고는 정말 정확해지며, 그래서 앞으로 실제 사용 가능한 돈은 얼마인지 알 수 있게 해 준다. 그렇지 않고 만약 잔고에 이미 카드를 사용함으로써 소비해 버린 액수가 계속 포함되어 있다면, 그 잔고에는 실제 모습이 아닌 잘못된 정보가 포함되어 있는 것이고, 그러면 당신은 '아직도 상당한 여유가 있다'라는 착각을 할 수도 있다.

또 수표를 쓰자마자 당신의 잔고에서 그 액수만큼 즉시 공제를 해 버리면 수표 사용에 관한 영수증이 올 때 공포심을 느끼지 않아도 된다.

"어이구, 맙소사! 또 250달러를 빼먹었구나. 이 돈을 어디서 구해 메꿔야 하나?"

당신은 이미 이 청구서를 지불했다. 그러니까 당신은 그저 카드를 사용한 그날 써 두었던 수표를 반송 봉투에 넣어 부치면 된다.

신용 카드를 계속 소지하는 것은 필수사항이 아니며, 오직 예외적인 상황일 뿐이다. 당신은 예외적인 사람이 아니길 바란다. 그러나 어쩔 수 없이 신용 카드를 소지할 수밖에 없다고 하더라도, 당신의 의도와 달리 잘못 사용하여 빚을 지게 되었다고 하자. 이때 당신이 진정으로 빚에서 벗어나기를 원한다면 당신이 취할 오직 하나의 행동은, 즉시 카드를 없애고 당신의 구좌를 신용 카드 회사에 취소한다고 하는 것이나. 당신은 지금까지 이전의 빚이 없는 상태의 삶으로 복귀시키기 위한 노력을 잘해 왔다. 우리는 당신이 자신을 파괴시키는 행동은 하지 않을 것으로 믿는다.

직불 카드를 써라

비자 카드 회사에도 직불 카드가 있다. 비자 직불 키드는 겉보기에도 비자 신용 카드와 거의 같으며, 신용 카드가 사용 가능하면 직불 카드도 사용가능하다. 예컨대 쇼핑을 하거나, 외식을 하거나,

비행기 예약을 하거나, 그 외 나머지 모두에서 사용할 수 있다. 그러나 중요한 차이가 하나 있다.

직불 카드는 신용 카드가 아니다.

그래서 직불 카드는 신용 한도란 없으며, 선불되지도 않고, 청구서를 받지도 않는다.

직불 카드를 사용하는 것은 정확히 수표로 지불하는 것과 같다. 상인의 전표가 은행에 도착하자마자, 그 액수만큼 당신의 계좌에서 공제된다. 수표를 사용하는 것처럼 거래 내역은 월별 고지서에 나타난다.

직불 카드를 이용하기 위해서는 예금 계좌를 개설해야 한다. 미국에서는 직불 카드의 개설에 보통 약 1만 달러 정도를 예치한다. 그렇지만 일단 개설하고 나면 최소 잔고 유지와 같은 제한은 없다. 바클레이 은행은 이 계좌를 '자산 관리 계좌'로 부르고 있다. 메릴린치 은행은 '현금 관리 계좌'라고 하며, 시티 은행은 '포커스 계좌'라고 한다.

은행이 직불 카드의 관리 계좌를 어떤 이름으로 부르든지 직불 카드는 신용 카드의 아주 훌륭한 대안으로 기능할 수 있다. 직불 카드를 사용하면 거래액은 즉시 당신의 예금 계좌 잔고에서 공제되기 때문에 실제로 당신이 하는 일은 수표로 지불하는 것과 똑같다.

마구잡이 약속은 그만 하라

화가 나 있거나 지나친 요구를 하는 빚쟁이를 만나게 되면, 압박감에서 벗어나기 위해 그에게 어떤 것이든지 약속하려고 하는 강한 충동이 있기 마련이다. 아주 자연스러운 반응이다. 그러나 대단히 불쾌하고 때로는 몹시 괴로운 사건이다.

"돈 어디 있어?"

"너, 돈 떼어먹으려는 거야?"

"내놔. 지금 당장."

"네 변명에 넌덜머리가 났다."

"빌어먹을 집세는 어디 있어?"

"너 지난달에도 똑같은 수작을 했어."

"서비스를 중단하겠다."

"수금 회사로 넘기겠다."

"법정에 끌고 가겠다."

"월급을 차압하겠다."

이런 종류의 소리를 들으면 위장병이 생길 수도 있다. 잘못한 일이기는 하지만 대단히 창피하다. 매우 화가 나지만, 달리 대안이 없어 행동은 전전긍긍하게 마련이다. 누구 하나 도와주는 사람이 없으며 거의 미칠 지경이 된다. 그래서 그들의 화를 멈추게 하고, 빨리 눈앞에서 사라지게 하기 위해 무엇이든지 약속하게 된다.

내일 당장 수표를 보내겠다, 매달 200달러씩 갚겠다, 다음주에 전부 다 갚겠다 등등의 약속을 할 수 있다. 짐깐 동안, 아주 잠깐 동안 압박감이 사라진다. 지불일이 다가왔다. 약속을 지킬 상황이 아니다. 이후의 상황은 이보다 더 나빠질 수 없이 심각한 상태가 된다. 빚쟁이들은 당신이 또 한 번 거짓말을 했다고 느끼게 된다. 이전보다 더 화를 내고, 더 심하게 협박한다. 자포자기 상태에 빠진 당신은 또 새로운 약속을 할 것이고, 그것을 지킬 수 없게 되면, 모든 일은 끔찍한 상태로 바뀐다.

지금부터 당신은 '지킬 수 있다'는 완벽한 확신이 없이는 빚쟁이에게 단 하나의 약속도 절대로 하지 마라.

하나만이 아니다. 당신이 얼마나 압박감을 느끼게 되고, 전전 긍긍하게 될지는 고려하지 마라. 명심해야 할 것은 빚쟁이에게 어떤 것을 약속하고, 그리고 나서 그 약속을 지키지 못할 때, 불가피하게 당신의 상황은 이전보다 더 악화된다는 사실이다.

당당하게 거절하라

당신의 빚진 상태를 지속시키는 사람들, 심지어는 빚지기를 더욱 쉽게 해 주는 사람들(보통은 당신 주위의 친구들이나 친척들, 때로는 기업일 수도 있겠지만)을 여기서는 '조력자'라고 부르자.

대부분의 '조력자'들은 당신에게 호의적이다. 그들은 당신을 걱정한다. 급박한 처지에 빠진 당신을 어떡하든 도와주려고 한다. 그러나 그들이 당신에게 제공하는 대출이 실제로 하는 일은, 당신을 점점 더 심각한 빚꾸러기로 만드는 것뿐이다.

나의 소위 조력자는 보브였다. 우리는 함께 기쁨을 나누고, 함께 고민하며, 서로를 의지하는 오랜 친구 사이이다. 5년 전, 나에게는 참으로 고통스러운 일련의 사건들—고통스러운 이혼, 질병, 그리고 직업상의 침체기에 이르기까지—이 연달아 일어나서 일시적으로 재정적 위기를 낳았다. 그때 나는 그 상황을 뚫고 나가기 위해서 '내가 할 일은 더 많은 돈을 빌리는 것뿐이다'라고 생각했고, 보브도 나와 생각이 같았다. 그때는 우리 둘 다 그 반대의 것이 참이고, 나에게 발생한 위기는 늘어가는 빚지기에 의해서 생긴 당연한 결과라는 사실을 깨닫지 못했었다. 우리들은 그때 조만간 대전환이 이루어질 것이고, 그러면 모든 것이 다 잘될 것이라고만 생각했다. 보브는 내가 대출을 할 때면 주로 보증을 서 주었고, 가계 수표도 보내 줬으며, 장거리 전화로 "네가 망하도록 하지 않을게"라고 격려해 준 최고의 친구였다. 그는 정말 그렇게 했고, 나는 늘 깊이 고마워했다.

그러나 나는 점점 더 심하게 빚에 빠져 들었다.

마침내 무엇 때문에 이렇게 되었는가를 조금씩 이해하게 되면서 빚지기를 중단하게 되었고, 내게도 희망의 싹이 조금씩 자라기 시작했다. 그러나 나는 한편으로 여전히 불안했고, 프로그램에 대한 의구심으로 가득 차 있었다. 그 즈음에 보브는 내게 1천 달러의 가계 수표를 보내 줬다.

"일이 잘 안 되는 경우에만 사용해. 얼마라도 가지고 있는 것이 좋지. 필요할 때 현금으로 바꿔."

나는 6주 동안 책상 서랍에 그 수표를 넣어 두었다. 그리고는 찢어 버렸다. 여전히 두려움은 사라지지 않았고, 그 돈에 매달리고 싶은 마음도 있었지만, 그렇게 해야만 했다. 반드시 다음과 같이 말해야 한다는 것을 잘 알고 있었다.

"어떤 일이 생긴다고 해도 나는 절대 빚지지 않는다."

그 수표를 찢은 일이 하나의 주요한 이정표가 되었고, 나의 재정적 회복을 위한 초석이 되었다. 보브는 진정한 친구로서, 나를 도와주기 위해서, 우정을 가지고 한 행동이었다. 그럼에도 불구하고 그의 관대함과 호의에 찬 행동은 의도와는 달리 나의 상황을 더 악화시킬 뿐이었다. 새로운 빚은 나를 점점 더 깊이 빚의 수렁에 빠지게 했고, 계속 그렇게 하면 머지 않아 스스로 폭발할 것임을 예고했던 것이다.

　조력자는 때때로 역기능적이다. 의식적이든 무의식적이든 조력자들은 당신을 무능력하게 하여 그들에게 의존하게 만든다. 심지어 어떤 조력자들은 당신을 그들의 통제하에 두려는 욕구를 가지고 행동하기도 한다. 이러한 일은 부모와 자식 간에 종종 일어난다. 예컨대 성인이 된 자식을 종속적인 위치에 두고 싶은 경우나 자녀가 곁을 떠나는 것을 막고 싶을 때, 부모는 자식에게 돈을 빌려 줌으로써 그들의 목적을 달성할 수도 있다.

　보안 전문가인 처크는 지금까지 살아오면서 빚지지 않은 적이 거의 없었다. 딸이 태어났을 때 재정 상태는 최악이었다. 늘 그의 조력자였던 부모님이 무기한으로 2만 달러나 되는 돈을 빌려 주었다. 그 이후 3년 동안, 부모님은 처크의 삶에서 그들의 발언권을 강화시켜 나갔다. 아파트에 가구를 놓는 방법에서부터 휴가 기간의 선택과 심지어는 둘째 아이의 이름 짓기에 이르기까지 처크의 삶의 모든 영역에 그들의 영향력이 미치지 않는 곳은 없었다. 처크가 그의 권리를 주장하려고 하면 부모님은 단지 조언을 한 가지 하겠다고 하면서도 빌려 준 돈에 대해 암묵적인 언급을 하며 그에게 상처를 줬다. 처크가 삶에 있어서 자신의 권리를 다시 느끼기 시작한 것은 빚지기를 그만두고 계획에 따라 상환을 시작한 뒤부터였다.

　동기가 비록 순수한 사랑과 헌신에 의한 것일지라도, 조력자의 도움은 당신이 이전보다도 더 쉽게 지속적으로 빚질 수 있도록 하며, 결국 당신에게 손해를 입힐 뿐이다.

　　　　그렇다면 어떻게 해야 하는가?

조력자의 관심과 도와주고자 하는 욕구에 고마움을 표시하라. 지금까지의 그의 도움에 감사하고 있고, 그의 도움에 보답하는 최선의 길은 빌린 돈을 가능한 한 빠르고 완전하게 갚는 것이라고 말하라. 그리고 덧붙여서 이제는 더 이상 빚지지 않는 것이 궁극적인 목표에 더 빨리 다가가는 것이라는 점을 밝혀라.

둘 사이의 관계가 친밀하고 우호적이라면, 솔직하게 당신이 현재 실행하고 있는 회복 프로그램에 대해 이야기하는 것도 좋은 방법 중의 하나다. 진심으로 당신을 걱정하는 조력자라면 잘 이해하고 따뜻한 마음으로 당신을 지지해 줄 것이다. 그러나 만일 친밀한 사이가 아니라면, '장부를 간단히 하기 위해서', 또는 '책임을 단순히 하기 위해서' 등의 이유를 대고 더 이상의 대출을 바라지 않는다고 간단히 말하면 된다. 이런 방법 외에 당신이 선택할 수 있는 '편하고 쉬운 방법'은 더 이상 없다. 그리고 당신이 어떤 방법을 선택하더라도 이것만은 반드시 말해야 한다.

"고맙지만 사양하겠어."

제10장 | 소비 계획

 이 장은 프로그램의 성공적 수행을 위한 또 하나의 도구인 '소비 계획'에 완전히 할애될 것이다. 소비 계획은 실제 수입과 지출 욕구간의 조화를 위한 방법과 보다 분명한 선택 방법, 그리고 재정 상태를 잘 파악할 수 있는 방법 등에 대해서 도움을 줄 것이다. 그리고 반드시 알아야 할 핵심 영역으로 당신을 인도할 것이며, 재정 상태에 관한 스스로의 통제력을 점차 키워 줄 것이다.

예산은 필요 없다
 소비 계획은 예산이 아니다. '예산'이라는 영어 단어 budget는 가죽 가방 bouge의 축약형으로 작은 지갑을 의미하는 프랑스어 고어인 bougette에서 유래하였다. 작은 지갑에 많은 것을 넣을 수 없다. 단어 자체에 원래부터 불충분함과 제한의 의미가 담겨 있는 셈이다. 예산이라는 말은, 모든 사람들이 바깥에 나가 밝은 햇살 아래에서 놀고 있을 때에도, 당신을 좁고 침침한 방에 가두어 두는 효과를 낸다. 예산에 짓눌려 있는 사람들의 대부분이 그가 수립한 예산대로 지내지 못한다는 사실은 결코 놀라운 일이 아니다.

한편 '계획'은 자세한 개요를 말하는 것으로 목표를 달성하기 위하여 사전에 만든 방법이다. 장군은 승리의 예산을 짜지 않고 승리를 계획한다. 연인은 낭만적 밤의 예산을 짜지 않고 낭만적 밤을 계획한다. 그것을 구별하는 것이 중요하다. 계획과 예산 사이에는 거대한 심리적인 차이가 있다.

스스로 물어 보라.

"이번 주말에 내 돈을 어떻게 쓰려고 계획하는가?"

또다시 물어 보라.

"이번 주말에 내 돈에 대해 어떻게 예산을 짤 것인가?"

같지 않다.

예산은 당신을 제약하고 제한한다. 계획은 선택의 종류와 선택권을 부여한다. 예산은 고정되어 있다. 계획은 유연하다. 예산은 인색하게 굴게 하고 박탈감을 낳는다. 계획은 용기 있게 하고 뿌듯하게 한다.

소비 계획은 절대적인 것은 아니다. 그건 단지 당신이 가고자 하는 방향을 지시해 주는 일련의 가이드 라인에 지나지 않는다. 또 소비 계획은 한시적인 일이라는 것을 이해하는 것도 중요하다. 당신이 이 프로그램을 계속 수행한다면 당신의 돈은 점차 늘어 갈 것이고, 그에 따라 당신의 계획은 수정될 수도 있을 것이다. 어쩌면 소비 행위의 결과에 소위 '사치품'이라고 부를 수 있는 것들도 포함될 수 있을 것이다. 정장을 사는 것이 더 나을까, 아니면 블레이저(해군 제복 풍의 남성 의류: 역사 주)가 더 나을까? 비디오 카메라를 사야 하나, 아니면 새로 나온 스피커를 살까? 스페인을 여행하는 것이 좋을까, 아디론댁 산맥(the Adirondacks—미국 뉴욕주 북

동쪽에 있는 산맥 : 역자 주)에 있는 오두막을 빌릴까? 이 프로그램을 실시하는 모든 사람들은 조만간 이런 문제에 부닥치게 된다.

　소비 계획서를 만드는 가장 쉬운 방법은 당신이 지금 사용하고 있는 소비 기록서를 확장하는 것이다.

　아무것도 쓰여 있지 않은 빈 소비 기록지를 한 장 꺼내 보라. 다른 종이에 소비 기록지에 쓰여진 것들을 지금 얘기할 내용에 맞춰 새로운 양식으로 만들어 보자.

　첫째, 오른쪽 마지막 열의 이름을 '총액'에서 '현재'로 바꾼다.
　둘째, 그 오른쪽에 새로 한 칸을 만들고 '계획'이라고 한다.
　셋째, '계획'의 오른쪽에 마지막 줄을 더 만들어 여기에 더하기 빼기를 나타내는 '+ 또는 -'를 넣는다.
　예로 하나 만들어 보자.

　잠깐 동안 '계획'란에 기입되어 있는 숫자에는 신경 쓰지 마라. 그 숫자들은 이 장에서 논의될 앞으로의 주제를 위한 준거점으로 사용될 뿐이다. 계획란도 다른 칸처럼, 자기만의 양식을 그리기 위해 곧 비워 놓을 것이다.

소비 계획을 수립해 보자
　소비 계획을 작성하는 주된 목적은 다음달에 지출할 비용을 계획하는 데 도움을 얻기 위해서이다. 그러나 이것이 가능하려면, 먼저 필수적으로 당신의 월별 순수입을 알아야 한다. 순수입이란 모든 공제액이 제외된 뒤에 당신이 실제로 손에 쥐게 되는 수입을 말한다. 어디서 얼마나 받는가에 상관없이 당신의 순수입은 모두 포

소비 기록   년   월   일
(달러)

주 별	1주	2주	3주	4주	현재	계획	+/-
임대료						765	
음식비							
책						20	
버스/지하철						30	
택시비						35	
자선 기부금						20	
자녀 용돈						200	
담배						40	
옷						65	
대출 상환금						100	
전기세						40	
외식/저녁식사						75	
문화비						40	
가정 비품						25	
가구						50	
가정 용품						20	
세탁비						18	
잡지/신문						25	
의료비						50	
의료 보험						100	
잡비							
자기 관리						40	
레스토랑						35	
전화비						45	
계						2,058	

함시켜야 한다. 고정급을 받는 사람들은 액수가 어느 정도 고정되어 있을 것이다(승진, 보너스, 전업, 또는 다른 요소들로 인해 바뀔 수 있겠지만). 고정직이 아닌 경우에는, 예컨대 자영직, 자유직, 전문직의 경우에는 매달 순수입에 상당한 변화가 있을 수 있다. 그렇지만 우선 논의의 단순화를 위해 매달 2천 달러의 순수입이 있다고 하자.

소비 계획은 가능하면 일찍 세워 두는 것이 좋다. 되도록 매달 첫쨋날이 좋겠고, (그날까지 기다릴 필요가 있는데, 왜냐하면 지난달의 소비 기록을 보면 계획 수립이 보다 쉬워지기 때문이다), 늦어도 둘쨋날이나 셋쨋날을 넘겨서는 안된다.

책상을 깨끗이 하고 '소비 계획' 양식을 한 장 놓고, 맨 위에 방금 시작된 그 달을 적어라. 이제는 당신이 지난달에 실제로 소비한 총액이 범주별로 나열되어 있는 지난달의 소비 기록을 꺼내라. 이 액수가 출발점이다.

한 번에 한 범주의 숫자만을 생각하라. 가만히 살펴 보라. 어떤 범주의 지난달 지출액이 너무 많은 것처럼 보이지 않은가? 아니면 너무 적다고 생각되는가? '택시비'를 살펴 보자. 지난달에 택시비로 60달러를 썼다고 가정하자. 너무 많이 썼는가? 적절한가? 아니면 아주 적게 썼다고 생각되는가? 당신만이 판단할 수 있다.

너무 많이 썼다고 가정해 보자. 그래서 지나치게 많이 줄였다는 느낌이 들지 않을 정도로, 이 달에는 택시비를 35달러로 줄이겠다고 결심했다. 그러면 소비 기록표의 계획란의 택시 범주에 35달러라고 기입하라. 이 새로운 양식은 하나의 계획이며 동시에 기록이다.

각각의 범주마다 지난달의 지출액을 참조하여 이 달의 소비 계획을 결정하라. 어떤 것은 적고, 어떤 것은 더 많고, 또 어떤 것들은 비슷할 것이다.

　당신은 이 달의 소비 계획을 세웠고, 당신이 세운 소비 계획표가 앞에서 예로 제시했던 것과 같다고 하자. 가만히 들여다 보면 당신이 계획한 비용이 이 달에 예상되는 순수입 2천 달러에 거의 근접한다는 것을 알 수 있다. 이 예를 지나치게 끼워 맞춰 놓았다고 생각하는가? 아니다. 대부분의 사람들에게 처음으로 소비 계획을 세워 보라고 하면 실제로 쓸 돈과 계획한 돈의 액수가 놀랍게도 매우 근접하고 있다. 여기서는 겨우 58달러만 초과하는 것으로 되어 있다.

　액수가 약간 초과했지만 아직까지 나쁜 상태는 아니다. 그러나 지출 계획표상의 계획된 지출액은 너무 많다고 생각된다. 또 당신이 팔아치울 만한 것이 없다면, 아니 환급할 생각이 전혀 없다면, 이 달의 순수입을 2,058달러 또는 그 이상으로 벌 수 있는 다른 방법들을 찾아야 한다. 그렇지 않다면 비용에서 58달러를 줄여야 한다. 당신은 앞에서 얘기한 대로 팔아치우든가 비용을 줄이든가 해야 한다. 그렇지 않고 계획표대로 생활할 것이라면 당연히 빚지게 된다. 2천 달러를 벌면서 빚지지 않고 2,058달러를 쓸 수는 없다. 모형으로 제시한 계획표상으로 줄일 만한 곳은 전화비, 자선 기부금, 주택 설비, 또는 대출 상환금 정도일 것이다. (여기서 가장 직질하다고 생각되는 범주는 대출 상환금이다. 왜 그런가에 관해서는 15, 16, 17장에서 자세히 논의할 것이다). 집에서 좀더 많이 식사하고 식당과 패스트푸드비를 줄이는 것도 또한 하나의 방법이다.

　그러나 일상의 즐거움과 개인의 복지에 기여하는 범주들인 자기 계발, 오락, 레스토랑 등등은 줄여서는 안 될 범주이다. 기억하라. 우리는 삶의 질을 향상시키려고 하는 것이지, 퇴보시키려는 것은 아니다. 이 점이 매우 중요한데, 나는 이들 범주에 대한 어떤 하향 조정도 거부하고, 반대로 늘리는 것을 고려하라고 권한다. 활기가 없이 살아가는 사람들이나, 지나치게 속된 사람들, 또는 아무런 매력이 없는 사람들을 조사해 보라. 그들은 결국 자기 계발비를 쓰지 않는 사람들임을 알게 될 것이다. 여하튼 당신에게 기쁨을 주는 범주들을 고려해서 지출 계획을 줄이고 분배하라.

즐거움을 가져다 주는 영역에 지출할 돈을 조정해야 한다는 원칙에도 예외가 있다. 당당하다는 것을 보이려고, 체면 때문에, 또는 분위기 전환을 위해 돈을 썼던 것이 당신의 과거사였고, 그러한 소비가 지나치게 많았다면, 이제는 반대로 그러한 파괴적 소비는 억제해야 하고 재조정해야 한다. 근심하지 마라. 영원히 박탈당한 것이 아니다. 대부분의 다른 사람들과 마찬가지로, 당신은 여타의 범주들에서 계획된 지출 액수를 더 늘릴 수 있게 될 것이다. 그러나 앞으로 당신의 지출이 늘었다 할지라도, 당신의 지출은 심각한 빚지기의 상태에 빠뜨릴 수 있는 일시적인 충동이나 쾌락의 환상을 좇기 위해서가 아니라, 현실적인 토대 위에서 진정한 즐거움을 찾기 위해서가 될 것이다.

지출 계획서 작성 이후를 보자

월말에 계획표의 마지막 3칸을 이용하라. 각 칸은 수립한 계획을 당신이 얼마나 잘 이행했는가를 알려 주는 지표로 이용될 것이고 동시에 다음달의 계획 수립에 도움을 주는 지표가 될 것이다.

논의를 보다 단순화하기 위해 다음의 예처럼 마지막 3칸의 액수를 근사치로 사사 오입할 수 있다. 매일의 기록과 주별 기록을 사사오입하면 포함되어야 할 기입액의 숫자들에서 심각한 차이가 생길 수 있지만, 월 총액은 1, 2달러 정도밖에 차이가 나지 않는다.

월 총액은 각 범주의 4주 동안의 주별 총액을 더한 것이다. 그 숫자를 '실제'란에 기입하라. 그런 다음 각 범주별로 '실제'란의 액수와 '계획'란의 액수를 비교하라. 액수의 차이를 '+/−'란에 기입하라. 이것은 당신이 계획했던 것보다 얼마나 많이 썼는가(+) 또는 적게 썼는가(−)를 나타낸다.

예를 들어 보자.

(달러)

주 별	1주	2주	3주	4주	현재	계획	+/−
의복비	24.90	16.56	85.17	11.00	138	65	+73

지난달에 작성한 계획표상에는 옷에 65달러를 쓰려고 했다. 그러나 실제 소비액수는 138달러이다. 그래서 계획보다 73달러를 초과했다는 것을 나타내기 위해 '+/−'란에 +73이라고 기입했다. 이렇게 기입한 것은 당신이 이 달 이 범주에서 얼마를 쓸 것인가를 결정하는 데 도움이 될 것이다. 예컨대 이 달에는 옷 구입에 단 한 푼도 쓰지 않겠다거나, 또는 10달러나 15달러 정도만 씀으로써 지난달의 과소비를 보충하려 할 수도 있다. 당신에게 가장 적절하다고 생각하는 수준으로 각 범주를 이런 과정에 따라 조정하면 된다.

소비 계획을 짜는 것을 더 이상 미루지 마라. 계획 수립의 가이드로 사용될 선날의 소비 기록을 완성하자마자 바로 계획을 짜라. 그리고 계획을 짤 때, 계획된 지출 총액이 단 10달러라도 그 달에 예상되는 당신의 순수입을 초과해서는 안 된다는 것을 명심하라.

버는 것보다 단 10달러라도 더 쓰겠다고 계획하고, 그에 맞추어 소비하면 단 한 가지 결과만이 다가올 뿐이다. 빚지는 일! 그러면 이제 어느 한 시점에서 오늘 하루 동안 더 이상 빚지지 않는다는 '흑자 전환 프로그램'을 더 이상 따라할 수 없게 된다.

제11장 | 빚 갚기 프로그램의 안정화 단계

당신이 앞 장에서 제시한 지침을 따른다면 더 이상 빚지지 않을 것이다. 당신이 더 이상 빚지지 않는다면, 그리고 이 장과 다음 장에서 제시될 지침들을 따른다면, 조만간 모든 빚을 갚고 그때부터 빚 없이 풍족감을 지니고 살 수 있을 것이다.

대단히 간단하다.
그래서 정말 따라하기 쉽다.

소비 계획을 점검하라

계획했던 비용 총액이 지출 가능 총액을 초과한다는 것을 알았다면, 뭔가를 바꿔야 한다. 그렇게 하지 않으면 당신은 당연히 새로 빚지게 된다. 이러한 불균형을 교정하는 방법으로는 지출을 줄이는 것과 돈을 너 버는 것이 있는데, 보통은 이 둘을 결합한다.

가만히 따져 보면 앞서 계획한 범주들에는 종종 처음에 볼 때보다 더 많은 지방이 껴 있다는 것이 발견된다. 과도하게 설정된 것이나 부적절하다고 생각되는 것을 찾아서 분명히 하라. 예를 들어 문화비나 레스토랑에 3백 달러를 지출하려고 계획했다고 하자. 그런데 계획된 지출 총액이 예상 수입보다 2백 달러를 초과했다. 당연히 어떤 범주에서건 2백 달러를 줄여야 한다. 당신은 문화비나 레스토랑 범주는 그냥 그대로 두고 싶다. 근사한 레스토랑이나 영화 관람에 3백 달러를 소비하는 것은 아깝지 않으며, 그렇게 하고 싶다. 그렇다면 다른 하나의 범주에서 2백 달러를 줄이거나, 아니면 여러 범주들에서 합계하여 2백 달러를 줄이면 된다. 원하기만 하면 하지 못할 것은 없다. 그것이 당신만의 계획이다. 어떤 방법이든 당신이 좋아하는 방식으로 다 할 수 있다.

계획된 지출이 예상 수입을 초과할 때 그 차이를 메우기 위해 끌어들일 수 있는 방법이 하나 있기는 하다. 예컨대 당신의 예금 계좌의 돈을 끌어들이는 것이다. 빚지기는 아니다. 당신의 돈이고, 그래서 당연히 마음대로 할 수 있는 권리가 있다. 그러나 나는 권하고 싶지 않다. 일반적으로도 바람직한 전술은 절대 아니다. 예금을 찾아 쓰면 빚을 지지 않는 것은 사실일지라도, 토대를 잃을 우려가 있기 때문이다. 그러나 빚지지 않기를 원하고 수입 이상의 지출이 꼭 필요하다면 예금 계좌의 돈을 쓸 수도 있다.

사람들이 다양한 범주에서 비용을 줄이는 방법을 소개한다.

- 카풀을 이용한다.
- 택시 대신 버스를 탄다.
- 웬만한 거리는 버스를 타기보다 걷는다.

- 비싼 연극보다 영화를 본다.
- 영화를 보기보다 비디오를 빌린다.
- 가능한 한 외출을 하기보다 집에서 즐긴다.
- 비행기 대신 기차 여행을 한다.
- 여행 목적지까지 가는 상업적 배달 서비스를 대행해 줌으로써 여행 비용을 줄인다.
- 사립 대학에 다니기보다 주립 대학에 다닌다.
- 작년에 입었던 파티복을 다시 입는다.
- 장거리 전화를 걸기보다 편지를 쓴다.
- 빚 상환에 대한 지불 유예 기간을 늘인다.
- 일일 소비 기록을 꼼꼼하게 적는다.
- 잔디 깎기 같은 불필요한 서비스는 가능한 한 줄인다.
- 잔디 깎기 같은 불필요한 서비스는 직접 한다.
- 집을 수리해 주면 애를 돌봐주는 것과 같이 서비스를 서로 주고받는다.
- 외식을 하기보다 집에서 더 많이 식사한다.
- 선물은 사는 것보다 직접 만든 것으로 대신한다.
- 책, 레코드, 비디오 등을 사거나 돈을 주고 빌리는 대신 도서관에서 대출한다.
- 이혼 수당이나 자녀 양육비를 줄여 달라고 요청한다.
- 금연한다.
- 불필요한 치료는 연기하거나 취소한다.
- 체력 단련을 위해 사설 클럽에 등록하기보다는 공원과 공공 시설을 이용한다.
- 문화생활에 박물관, 화랑, 수족관과 무료 공공 이벤트를 포

함시킨다.
- 새것을 사기보다 옷이나 공구 같은 손상된 것들은 수리하거나 수선해서 사용한다.
- 가구를 교체하기보다는 재배치하여 새 분위기를 만든다.
- 파출부를 쓰는 시간을 가능한 한 줄여 나간다.

사람들이 더 많이 돈을 버는 방법이다.

- 뭔가를 판다―어떤 것이든지 상관없다.
- 하숙생이나 룸메이트를 받아들인다.
- 시간외 근무를 한다.
- 한정된 시간의 부업을 갖는다.
- 개인 교습을 한다.
- 전혀 일하지 않는다면, 직업을 얻는다.
- 자산을 처분한다.
- 받아야 할 돈이 있으면 기억해낸다.
- 창고 세일을 한다.
- 임시직이지만 일을 한다.
- 자신이 갖고 있는 전문가적 지식을 팔거나 자신이 갖고 있는 기술을 가르쳐 주고 돈을 받는다.
- 돈을 받는 파티나 이벤트를 기획해서 연다. 집이든 어디서든. 열정적인 성격의 한 독창적인 여성은 자신만의 '명사들의 불고기 파티'를 기획해서 실행했다.

다시 말하지만, 앞에 나열한 사항들은 가능한 방법을 모두 포괄한 것도 아니고, 사실 포괄할 수도 없다. 다만 당신의 상상력을 자극하기 위해서 예를 든 것이다. 당신 스스로의 욕구와 가능성을 반영하는 실천 항목을 작성하는 것이 중요하다. 당신이 갖고 있는 낡은 사고 방식의 한계점에서 의식적으로 벗어날수록, 당신이 작성하고 있는 실천 항목들은 훨씬 더 가치 있고 효과적이 될 것이라는 점을 명심하라. 그리고 프로그램 진행의 초기 단계에서 보는 수치들은 그저 수치일 뿐임을 명심하라.

여윳돈 만들기

지출이 수입을 초과하지 않도록 하는 프로그램의 안정화 단계에서, 당신의 수입과 지출은 똑같아져서 이제 0이 되었다. 지출은 당신의 모든 수입을 요구했다.

좋다!

당신은 더 이상 빚지지 않을 것이다. 그것만으로도 상당한 진전이다. 월말 계산에서 사사 오입을 했기 때문에 0이 되었다면, 아주 조금이지만 잉여금이 남아 있는 셈이다.

그것을 절대로 빚쟁이에게 지불하지 마라.
그것으로 큰맘 먹고 뭘 사서는 절대로 안 된다.
그것을 전부 저축하지는 마라.

소비 계획표상의 여러 범주들 중에서 당신이 가장 증가시키고 싶은 범주에, 앞에서 남긴 잉여금 중 약 절반 정도를 일단 넣어라. 그 범주 외에도 삶의 즐거움과 삶을 즐기는 데 기여하는 범주에 항상 관심을 가져라.

앞에서 반 정도를 할당하고 남은 잉여금은 어떤 형태로든 저축을 하라. 그것이 바로 당신이 남기고자 하는 여윳돈이다.

여윳돈은 예상치 못한 사건이 생겨 당신이 빚질 수밖에 없을 경우 당신을 버틸 수 있게 해주고, 당신을 지켜 주게 되는 안전 장치가 될 것이다. 프로그램이 진행됨에 따라 여윳돈은 서서히 증가할 것이다.

매달 매달 잉여금이 생기면 앞의 과정대로 분할 방법을 계속 따라하라. 잉여금이 생긴다고 해서 전부를 여유 자금에 넣지 마라. 이 프로그램은 최저 상태의 생활을 유지하면서 빚을 갚게 하는 것이 아니라, 어떻게 삶의 질을 향상시킬 것인가에 관한 것임을 상기하라. 남는 돈의 반 이상을 영원히 여유 자금에 할당하라는 것이 아니다. 여유 자금의 본질과 어떻게 사용할 것인가는 18장에서 논의할 것이고, 여기서는 적절한 만큼을 쌓는 데에는 그리 오랜 기간이 소요되지 않는다는 점만 알면 된다.

여윳돈이 없어도 좋다

여윳돈이 없다고? 아직까지는 그래도 괜찮다. 또는 더 나쁘게, 여전히 매달 수입이 부족하다고? 그렇다고 해도 아직까지는 괜찮다.

다른 사람들은 다양한 수단들을 통해 어떻게 비상 자금을 증가시키는지, 어떻게 지출을 줄이는지, 그리고 어떻게 부수입을 얻는지를 다시 공부하라. 당신 자신만의 실천 항목을 아직도 작성하지 않았다면, 지금 바로 작성하라. 그것들은 매우 소중하다. 그걸 무시한다는 것은 당신 스스로 발목을 잡고 있는 것과 같다. 실천 항목을 작성하는 것은 생활 향상을 위한 필수 과정이다. 많이 하면 할수록 생각은 더욱 좋은 방향으로 보다 풍부하게 될 것이고, 작성된 항목들은 훨씬 더 효과적이고 효율적으로 될 것이다.

그리고 잊지 말아라.

어느 시점에서부터, 하루 동안 당신은 더 이상 빚지지 않는다.

당신이 이미 배운 것을 실천에 옮겨라.

그러면 이제 여윳돈이 생길 것이다.

모라토리엄

모라토리엄은 빚의 상환 기한을 일시적으로 연기하는 것이다. 당신의 채권자들은 보통 3개월에서 6개월까지의 기한 동안 전체적이거나 부분적인 모라토리엄을 기꺼이 허용할 것이다. 회복을 하기 위한 주요 수단으로서의 모라토리엄을 효과적으로 사용하기 전에 개념과 구체적 절차에 대해 익숙해질 필요가 있다. 모라토리엄에 관해서는 16장에서 자세히 논의할 것이다. 여기서는 그러한 수단이 존재하고, 이 프로그램의 안정화 단계에서 전체 계획의 일부분으로 그걸 사용할 수 있다는 것을 아는 것이 중요하다.

수입의 증가

수입을 증가시킨다는 것은 좋은 생각이다. 터무니없는 것을 말하는 것처럼 들리는가?

그렇지 않다. 생활 속에서의 진정한 만족은 돈 그 자체에서 생기는 것이 아니라, 언제나 그 주위의 다른 것들에서 생기는 법이다. 돈은 만족할 때 생긴다. 또 삶을 즐기고, 삶에서 기쁨을 얻을 때 그 결과물로 돈이 생긴다. 달리 어떻게 표현하든지 마찬가지다.

진실은 먼 데 있지 않다.

짐은 1년에 2만 5천 달러를 벌지만 3만 달러를 쓰고, 앞서 우리가 논의한 그 모든 이유들로 인해서 돈을 빌리면서 점점 더 깊이 빚에 빠져 들었다. 그가 받는 압박감, 고통 그리고 불행의 지속적인 원천은 빚이었다. 만약 그의 연봉이 내년에 5만 달러로 오른다면 지금까지의 행태로 보아 거의 불가피하게 6만 달러를 쓸 터이고, 더욱더 심하게 빚의 늪에 빠지게 될 것이다. 돈과 자아에 대한 그의 왜곡된 태도에서 비롯된 행동 유형이 빚을 지게 했고, 여전히 그렇게 하고 있다. 앞으로도 계속 빚지게 된다면 그 때문에 생겨난 압박감, 고통, 불행도 계속 위력을 더해 갈 것이다. 변하는 것은 오직 숫자뿐이다.

이처럼 수입의 증가 그 자체는 빚의 해결책이 될 수 없다. 또한 필요하지도 않다. 많은 사람들에게서 증명되어 왔던 것과 같이, 빚 때문에 지금도 고통받는 많은 사람들은 수입의 커다란 증가 없이도 이미 주어진 가이드 라인과 앞으로 주어질 가이드 라인을 준수하는 것만으로 빚에서 해방될 수 있다.

그러나 수입의 증가가 바람직하지 않다는 것을 말하는 것은 아니다. 그와는 반대로, 나를 포함해서 '흑자 전환 프로그램'을 실시하고 있는 거의 대부분의 사람들은 그게 매우 바람직하다는 것을 잘 안다. 이미 말했듯이 이 프로그램은 번영과 풍요로움을 위한 프로그램이고, 돈은 결과적으로 그것의 일부라는 것은 사실이다.

요점은 이렇다.

만성적 저소득자의 경우를 제외하고는, 대부분의 사람들은 수입의 큰 증가 없이도 빚에서 벗어날 수 있다!

얼마나 더 많이 벌 것인가는 전적으로 당신에게 달려 있다.

이 책은 빚에 관한 것이지 수입에 대한 것이 아니다. 그래서 여기서는 수입을 증가시키는 것, 예컨대 직업을 성공적으로 바꾸는 과정 같은 것들은 구체적으로 다루지 않는다. 그러나 '흑자 전환 프로그램'의 많은 개념과 테크닉들은 수입 증가에 강력한 효과를 발휘할 수 있다. 그리고 당신이 잘 응용한다면 확실한 실제적인 결과를 얻을 수 있을 것이다.

재시도하라

"이것은 허용 범위를 넘어선 것이다. 하지만…."

그렇다. 당신은 퇴거 명령서, 긴급 자동차 수리, 혹은 그 무엇이든지 '이것은 있을 수 없는 상황'이라는 생각이 들고, 빚을 지지 않고서는 도저히 해결할 수 없다고 생각한다. 형에게 돈을 빌려 주지 않으면 안 되는 상황이다. 또는 정신이 어떻게 됐는지 5백 달러나 하는 옷을 덜컥 사 버렸다. 신용 카드를 없애 버렸다면 그렇게 하지 않았을 텐데…. 후회되지만 어쩔 수 없다.

"오, 신이여!"

당신은 지금 죄의식과 후회를 느끼고, 마침내 절망에 빠져 버렸다. 이제까지 해 왔던 모든 과정이 허사가 되어 버렸다. 더 이상 희망은 없다. 그래서 '프로그램'을 조용히 덮어 버렸다. 결코 빚을 갚을 수 없게 되었다고 생각한다.

그렇다! 누구든지 그렇게 될 수 있다.

당신도 잘 안다시피 어떡하든 빚을 지지 말았어야 했다. 진짜로 그랬어야 했다.

변화란 쉬운 것이 아니다. 이 프로그램의 진행중에 때때로 힘들다는 것을 느낀다. 그리고 오랫동안 형성된 낡은 태도와 행동은 쉽게 사라지지 않는다.

그러나 이것만은 명심하라.

당신은 빚을 진 사람 중에서 최초로 이 프로그램을 진행한 사람도 아니고, 단언컨대 최후의 사람도 아닐 것이다. 아마도 성공했던 사람들의 1/4 이상은 그 길의 어느 곳에선가, 특히 그 초기 단계에서 다시 빚을 졌을 것이다.

중국의 옛 속담에 이런 것이 있다.

"넘어지는 데에는 잘못이 없다. 잘못은 일어나지 않는 데 있다."

그렇다, 당신은 일을 망쳤다!

그러나 세상이 끝난 것도 아니다.

다시 출발하라. 이미 망친 것은 망친 것이지만, 그런 일이 다시 일어나서는 안 된다.

꼭 오늘, 바로 이 순간부터, 어떤 새로운 빚도 지지 마라. 그리고 이번에는 자유를 향해 곧장 나아가라.

Get Out of Debt

제3부

삶 의 전 환

제12장 | 삶의 새로운 방식

이미 보았듯이, 이 프로그램에서 우리가 추구하는 것은 의식의 커다란 변화이다. 당신 자신과 돈에 대한 태도, 신념, 아이디어 등의 변화를 추구하는 것이다. 이것이야말로 삶의 질을 향상시키기 위한 단 하나의 요소이다. 마찬가지로, 어떡하면 쉽고 편안하게 빚에서 해방될 것인가를 결정하는 데도 단 하나뿐인, 그래서 가장 중요한 요소이다.

의식의 전환 없이도 성공할 수는 있다. 이 책에서 다루는 실제적인 테크닉과 전략만을 사용한다고 해도, 빚지는 것은 멈춰지게 되고, 결국에는 모든 채권자들의 빚을 갚을 수 있을 것이다.

그러나 의식에 있어서의 커다란 전환 없이는, 더 힘든 시간을 보내게 될 것이고, 정서적이든 물질적이든 이익의 상당한 감소가 있을 수도 있으며, 또다시 똑같은 문제에 빠질 가능성이 있다.

당신이 곤경에 빠시게 되는 것은 내적인 문제점이 발현되기 때문이지, 어떤 일이 외부에서 일어나기 때문이 아니다. 당신의 외부에서 일어나는 것들—예를 들어 스타가 된다든가, 복권이 당첨되었다 등등—은 당신 자신의 개선에 크게 기여하지 않는다. 자아는 스스로 생각하는 내적 이미지이고 사상과 신념의 복합체이다. 자아가 근본적으로 변화하지 않는 한, 전에 하던 것과 똑같이 행동하고 느낄 것이다. 그렇다면 현재의 상황에 관계 없이 조만간 전에 당신이 했던 것과 똑같은 빚으로의 추락을 낳을 수 있다.

현실의 많은 부분들은 우리가 어떻게 생각하는가에 의해 형성된다.

헨리 포드는 이렇게 말했다.
"어떤 사람이 '그 일을 할 수 있습니다' 또는 '할 수 없습니다' 라고 할 때의 그 사람 말은 맞다."
속담 책에도 이렇게 쓰여 있다.
"(사람이) 진정으로 생각한다면, 반드시 그렇게 된다."

'빚에 관한 책은 쓸 필요가 없다. 누가 그걸 사겠는가'라고 생각했다면, 나는 이 책을 쓰지 않았을 것이다. 내가 책을 쓰지 않았다면, 아무도 이 책을 살 수 없었을 것이다. 나의 생각이 나의 현실을 만들었다.

3부에서 논의되는 것들은 주로 개념적이다. 그리고 이 책의 모든 개념들은 발전성을 가지고 있는데, 개념들은 서로가 서로를 지지하고 확장시켜 준다. 개념들을 많이 생각하면 할수록 더 깊은 의미를 발견할 것이다. 그런 다음 그 개념들을 의식 속에 통합시키고 마음 속에서 습관으로 자리잡게 하면, 새로운 가능성이 당신 삶의 진정한 일부분으로 자리잡게 될 것이다.

행동하라

행동하지 않으면 결과를 만들어 낼 수 없다. 소원만으로는 어떤 것도 만들어지지 않는다.

"빚에서 벗어나고 싶어."

"돈을 더 많이 벌고 싶어."

"휴가를 가고 싶어."

물론 당신은 그걸 원할 것이다. 다른 모든 사람도 마찬가지다. 그러나 자신이 원하는 것을 얻는 사람과 그렇지 못한 사람의 결정적 차이는 행동이다. 얼마나 절실하게 원하는가는 상관없다. 행동하지 않으면 아무것도 일어나지 않는다. 분명하냐고? 그렇다. 그러나 자주 무시된다. 이 진실을 스스로에게 납득시켜 보자.

눈을 감아라. 이제 열심히 현관에 황금자루가 나타나기를 빌어라. 모든 힘껏 빌어라. 할 수 있는 한 열심히 오랫동안 빌어라. 할 수 있는 모든 것을 다 바쳐라. 거기에 쏟아부어라.

빌어라!

빌어라!

이제 눈을 뜨고 현관으로 가라. 거기에 황금자루가 있는가?

내가 청년이었을 때, 나는 내 책이 출판되기를 정말 많이 원했다. 그러나 내 글이 처음으로 팔리고 출판되기 위해서는, 19살인 나에게는 내 원고를 봉투에 넣어 잡지사로 발송하는 행동이 필요했다. 나는 그렇게 했고 책은 출판되었다.

나는 행동을 할 필요가 있었다.

미용사인 도나는 개인적 즐거움과 빚

을 상환하기 위해 더 많은 돈을 벌고자 했다. 그래서 거의 1년 동안 고민을 했으나 좌절감만 커져 갔다. 그녀에게 필요한 것은 행동을 취하는 것이었다. 명함을 찍어서 늘 갖고 다니면서 만나는 사람들 중에 관심을 나타내는 사람이 있으면 누구에게나 그 명함을 주는 것이었다. 그녀는 그렇게 했고, 6개월도 되지 않아 수입이 20%나 늘었다.

철학 교수인 스티브는 더 큰 아파트를 원했으나, 그걸 살 수 없었다. (자기 인식 세미나를 위한) 강의 계획서를 개발하고, 광고지를 발송하고, 선전하는 행동을 할 필요가 있었는데, 그렇게 했다. 지난 2년 동안 매달 주말에 한 차례 세미나를 가졌다. 이렇게 해서 1년에 1만 3천 달러의 부수입이 생겼고, 그것은 지금 살고 있는 새 아파트의 집세를 내는 데 필요한 액수 이상의 것을 가져다 주었다.

행동한다는 것은 앞의 사례처럼 분명한 변화를 가져 온다. 행동한다면 이런 변화는 언제나 일어나는 것이다. 그렇다면 행동을 취하는 것이 늘 효과적이라는 것을 의미하는가? 아니다. 전혀 그렇지 않다. 어떤 행동은 다른 것들보다 더 효과적일 수 있지만, 어떤 것은 수포로 끝날 수도 있다. 그러나 핵심은 '행동 없이는 결과를 얻을 수 없다'는 것이다.

물고기는 수천 개의 알을 낳는다. 언제나 이것들 중 극히 일부만 부화한다. 그렇지만 주위에 물고기는 아주 많이 있다.

10개의 행동 지침 중에서 단지 3가지만을 행했다고 해도, 그에 따라 3가지의 이익은 얻을 수 있다는 것이다. 그와는 반대로, 이익이 생기기를 바라지만 노력하지 않고 손놓고 기다리기만 했다면 아무것도 얻지 못했을 것이다. 그 차이는 오직 행동을 취했느냐, 취하지 않았느냐 하는 것 하나로 설명할 수 있다.

사실 당신은 벌써 몇 가지 행동을 취했다.

- 이 책을 샀다.
- 읽고 있다.
- 소비 기록을 하고 있다.
- 소비 계획을 만들었다.
- 스스로의 새로운 선택을 위해 실천 항목을 작성했다.
- 오늘 하루 더 이상 빚지지 않았다.

상당히 의미 있고 중요한 행동들이다.

이제 다른 사람들이 취한 여러 행동들의 예를 보자. 어떤 행동을 했는가 하는 것보다 행동했다는 사실 자체가 더 중요하다. 구체적인 목표에 행동을 맞추는 방법에 관해서는 19장에서 논의할 것이다.

여러 행동들의 예이다.

- 구인 광고를 조사했다.
- 승진을 요구했다.
- 광고를 했다.
- 에이전트를 바꿨다.

제3부 • 삶의 전환 | 193

- 실천 항목을 작성했다.
- 대학을 졸업했다.
- 냉대당하기 쉬운 전화 판매를 했다.
- 사업에 필요한 옷을 샀다.
- 취업 면접 계획을 짰다.
- 취미를 직업으로 바꿨다.
- 응답 서비스를 받았다
- 전문직 협회에 가입했다.
- 비생산적인 종업원을 해고했다.
- 새로운 도구와 장비를 샀다.
- 일찍 잠을 잤다.
- 휴가를 얻었다.
- 경리직을 채용했다.
- 편지를 보내기보다는 전화를 했다.
- 전화를 하기보다는 방문했다.
- 규칙적으로 명상을 했다
- 도와주는 사람과 개인적 재정 상황을 논의했다.
- 모든 요구 사항을 따랐다.
- 분명히 되지 않을 프로젝트는 포기했다.
- 요금을 올렸다.
- 머리 스타일을 바꿨다.
- 편지 보낼 명단을 작성했다.
- 전문가와 상의했다.
- 문제점을 교정해 주는 강의에 자발적으로 참석했다.
- 최신의 주소록을 만들었다.

- 사무실 벽을 다시 칠했다.
- 일 중독증을 탈피하려고 했다.
- 정확한 기록을 남겼다.
- 수표책의 수지를 맞췄다.
- 낡고 불필요한 파일을 없앴다.
- 즐겼다.

결과를 낳는 것은 행동이지 소원이 아니다.

결과에 신경 쓰지 마라

당신이 취하는 모든 행동은 그 결과에 상관없이 완전한 성공이다. 결과는 전혀 문제가 되지 않는다. 아마도 처음에는 납득하기 어려울 것이다. 결과가 아무런 문제가 되지 않는다면 왜 애를 써야 할까? 왜냐하면, 아무것도 하지 않는다면 어떤 결과도 없기 때문이다.

모순이라고? 표면적으로는 그렇다. 행위와 결과에 대한 이러한 생각을 두 부분——나의 것인 부분과 내 것이 아닌 부분 또는 내가 통제할 수 있는 부분과 통제할 수 없는 부분——으로 나눠 보자.

여기 행동이 있다. 잡지 기사에 대한 생각을 개발하는 데 아침 시간의 대부분을 소비하고, 제안서를 타이프하고, 그걸 편집자에게 보낸다. 그건 내가 취할 수 있는 행동이고, 그 부분은 내 것이다. 뒤에 발생할 결과는 전적으로 나의 통제 밖에 있다. 편집자는 나에게 일거리를 보낼 수 있다. 나에게 그 아이디어를 다시 작업해서 다시 제출하라고 요구할 수 있다. 그 아이디어가 채택되기는 어렵지만 다른 것을 제출하라고 요구할 수도 있다. 또는 아무런 언급도 없이 거부당할 수도 있다.

나는 결과를 통제할 수 없다.

그것은 내 손 밖에 있다. 이 상황에서 내가 통제할 수 있는 것은 행동이 전부다. 내 것, 언제나 내 것은 행동을 취하는 것뿐이다. 나는 내가 취하는 어떤 행동의 결과를 지배하거나 통제할 수 없다.

나는 오랫동안 책을 써 왔다. 어떤 것은 꽤 인기를 끌었으나, 어떤 것은 아주 조금만 팔렸다. 각각의 경우에서처럼, 책을 쓰는 행동을 취한 뒤에 그 책에서 발생되는 모든 일에서 나는 전적으로 무기력했다.

책은 출판사에 의해 광범위하게 배포될 수도 있고, 그렇게 되지 않을 수 있다. 서평자가 그 책에 관심을 가질 수도 있고, 그렇지 않을 수도 있다. 잠재적인 독자층 중에서 책을 아는 사람이 있을 수도 있고, 모르는 사람도 있다. 책을 살 수도 있고, 사지 않을 수도 있다. 그것들은 전부 예상되는 결과들이지만, 전적으로 내 통제 밖에 있는 것이다.

행동과 결과에 대한 이러한 구분을 이해하는 것이 중요하다. 당신은 결과를 결코 통제할 수 없다. 그러니까 걱정하거나 근심하는 것으로부터 해방될 수 있는 것이다.

이건 사소한 일이 아니다. 많은 사람들의 최초 행동을 가로막는 것이 바로 그 결과에 대한 관심이다. 보통은 스스로 상정한 부정적 시나리오에 의해 행동하기를 망설인다. 따라서 역설적이지만, 부정적 결과에 대한 두려움 때문에 긍정적 결과가 일어날 가능성을 제거하는 것이 된다. 즉 우리의 바람을 현실로 바꾸어 줄 수 있는 행동을 취하지 않음으로써 원하는 것을 성취할 수 없는 것이다.

사람들 대부분은 날마다 행동에 대한 몇몇 생각들을 간헐적으로 한다. 이런 식이다. 문득 생각이 떠오른다, 잠깐 동안 흥분한다, 곧이어 맥이 탁 풀어진 표정으로 중얼거린다.

"절대 그렇게 되지는 않을 거야…. 나는 아니야…. 나는 제대로 해 본 적이 없어…. 아무 희망도 없어…. 난 자격이 없어…. 그런 식으로는 누구도 돈을 벌지 못해."

이제 아이디어는 금방 사라져 버리고, 결국 아무런 행동도 취하지 못한다. 그리고 계속 고민하기만 하고, 우리가 갖지 못한 삶을 희구하고, 뭔가 다른 것이 이루어지기를 끊임없이 소원한다.

당신이 취한 행동의 결과를 통제하거나 또는 결과에 영향을 미칠 수 없다는 것을 깨닫는다면, 당신의 적극적인 행동을 막는 부정적인 중얼거림의 힘도 점차 사라질 것이다. 행동한다는 것을 단 하나로 요약하면, 단지 행동을 취하기만 하면 된다는 것이다. 당신이 그 사실을 이해하기 시작하면, 이제 행동하기를 시작할 수 있고 계속할 수 있다.

'내가 하는 행동들은
　　모두 다 성공한다'라고 마음에 새겨라.

당신이 어떻게 행동하더라도 당신의 모든 행동들은 단 하나도 실패하지 않는다. 왜냐하면 당신이 달성하고자 하는 목표는 그 행동을 취하는 것이기 때문이다. 따라서 당신이 행동했다면 당신은 목표를 달성했다. 행동에서 야기된 결과는 아무 상관이 없다. 당신은 행동을 했다. 당신은 완벽하게 성공한 것이다!

목표와 행동을 혼동하지 마라.

미용사인 도나는 개인적 즐거움과 빚의 상환에 쓰기 위해 더 많은 돈을 벌고자 했다. 그건 목표였지, 행동이 아니었다. 그걸 달성하기 위하여 그녀는 일련의 분리되어 있는 독립된 행동을 한 번에 하나씩, 그 자체 내에서는 각자 완벽하게 취했다. 그녀는 그때마다 그 하나의 행동 외에는 다른 것에 관심을 두지 않았고, 각각에 행동을 취했기 때문에 그녀 스스로 완벽하게 성공적이라고 생각했다.

그녀의 행동은 이랬다.
1. 명함을 디자인하고 글을 써넣는다.
2. 명함을 인쇄했다.
3. 명함을 매일 갖고 다닌다.
4. 잠재적 고객으로 보이는 사람을 만나면 명함을 준다.

그녀는 이런 식의 부정적인 중얼거림을 하는 사람이 아니었다.
"이건 안 될 거야."
"지나치게 저돌적으로 보일 거야."
"너무 당황해서 명함을 못 건넬 거야."
그녀는 결과는 내버려 두고 각각을 행동하기만 했다. 그래서 오히려 역설적으로 처음에 원했던 '수입의 큰 증가'라는 바람을 이룰 수 있었다.

• 이룩하는 것이지 바라는 것이 아니다.

- 행동을 취하기만 하면 언제나 성공한다. 행동한다는 것 자체가 성공이기 때문이다.
- 행동의 결과는 행동하는 사람의 손을 넘어선 것이다.

그러므로 결과는 신경 쓰지 마라. 행동만 하라.

침착하라

침착함은 조용하고 차분하다는 것이고, 공포로부터 자유롭다는 것이고, 그리고 잘 지내고 있다는 감정을 느끼는 것이다. 침착하다는 것은 매우 바람직한 상태에 있음을 말한다. 그리고 침착함은 빚으로부터 해방되는 과정에서 매우 강력하게 작용하는 도구 중의 하나다. 침착하면 할수록, 재정적 문제를 훨씬 효과적으로 처리할 수 있을 것이다.

침착함을 개발하는 데 매우 좋은 3가지 방법이 운동, 명상, 기도다.

정신과 몸 사이의 상호 영향은 오래전부터 알려져 왔다. 규칙적인 운동은 활력을 주고, 정신을 맑게 해 주며, 정서적 측면에서 긍정적이 되게 한다. 그리고 근육을 이완시켜 주며, 편안히 잠잘 수 있게 한다.

명상은 다양한 형태로 나타나는데, 정신과 몸이 조용하고 고요한 상태로 유지될 수 있게 해 주는 정신적 훈련이다. 고대부터 지속되어 온 유서 깊은 훈련이다. 지난 30년 이상, 서구의 의학자들은 심리적, 지적, 그리고 정서적 측면에 명상이 제공하는 이점을 지속적으로 보고해 왔다.

기도 또한 오랫동안 그것을 실행하는 사람들에게 지지, 강함, 안정감을 가져다 준다고 인정되어 왔다. 그건 특별한 형태나 신념을 요구하지 않는다. 인간보다 우월한 힘을 가진 그 무엇에 대해 기원으로써 말해진 것은 모두 기도다. 키에르케고르는 기도가 이러한 기능을 한다고 말했다.

"기도는 신에게 영향을 미치기보다 오히려 기도하는 사람의 본질을 변화시키는 기능을 한다."

단순하게 생각하라

일을 복잡하게 하지 마라. 어떤 일, 어떤 행동, 또는 어떤 쟁점이든지 제대로 보라. 실제로 무슨 일이 일어나고 있는가를 보라. 거기에 있지도 않은 의미나 결과를 부여하지 마라.

빚쟁이한테서 온 편지는 단지 한 명의 빚쟁이로부터 온 한 장의 편지일 뿐이다. 그 이상의 것이 아니다. 그건 당신의 일생에 대한 판결문이 아니다. 당신 자녀가 학교에 갈 수 없다는 것을 의미하지 않는다. 다른 빚쟁이와는 아무 관련이 없으며, 얼마나 오랫동안 빚져 왔는가 하는 점과도 아무 상관이 없다.

취업 면접이라는 것도 단지 취업 면접일 뿐이다. 그게 당신의 인생이 성공할 것인가 실패할 것인가의 분기점에 서 있는 것이 아니다. 당신의 운명을 결정 짓지 않는다. 당신이 전에 했던 어떤 면접과도 아무 관계가 없다.

아침에 신발끈을 묶으면서, 전에 가졌던 모든 신발, 앞으로 가질 모든 신발, 그것들의 수리·유지의 총비용, 옷과의 조화, 어떤 용도로 사용했는지, 앞으로 무슨 용도로 사용할지, 무슨 파티에 참석했는지, 앞으로 어떤 파티에 신고 갈 것인지 등등의 모든 것들을 생각한다면, 그 어머어마함과 중요성 때문에 미쳐 버릴지도 모를 일이다. 당신이 정말 해야 할 일은 신발끈을 묶는 일이 전부이다.

일이나 상황에 휘둘려지게 되면, 잠깐 동안 깊이 숨을 들이쉬어라. 지금 막 당신이 시작한 일이나 상황에 의미와 중요성이라는 화물칸이 매달려 있다고 생각하라. 마음 속에서 매달려 있는 화물칸을 떼어 놓아라. 단순하게 하라. 일이나 상황을 분리된 상태로 있게 하라. 있는 그대로의 상태로 환원시켜라.

쉽게 생각하라

걱정과 초조함이 당신의 결정을 흔든다는 것을 명심하라. 걱정하고 초조해 한다고 해서 빚을 갚을 수 있는 것이 아니다. 두려워하고 좌절하는 것, 그리고 스스로 꾸짖는 것도 마찬가지다. 그렇게 되면 당신은 더 불행해진다.

그렇다면 요점은 무엇인가?

영화를 보러 가라!

친구와 저녁을 먹어라!

음악을 들어라!

책을 읽어라!

당신 자신을 즐겨라!

당신은 이렇게 말한다.

"불가능해…. 나는 걱정할 필요가 있어…. 공포를 맛봐야 해…. 놀라 봐야 나는 정신 차리게 돼."

그럴 수도 있다. 아마도 당신은 그런 감정을 조만간 떨쳐 버리게 될 것이다. 하지만 지금은 어쨌든 우연과 임의의 상황에 맡겨 두지 말고 어떻게 구체화시킬 것인지 시도해 보는 것이 좋겠다.

시간을 골라라. 어떤 이유인지는 잘 모르겠지만 이걸 시도하는 사람들은 오전 11시 45분 또는 오후 3시 30분경의 시간대를 주로 선호한다. 아마도 점심시간대이거나 그날의 나머지 일과에 방해받지 않는 시간대라고 생각하기 때문일 것이다.

5분을 주어라. 진짜로 5분이다. 피하거나 반만 하지 마라. 이건 진짜 심각한 일이다. 누군가 당신을 우주의 쓰레기더미에 내동댕이쳤다고 생각할 정도의 일이다.
자, 준비하라. 깊이 숨을 들이마시고, 여기에 많은 에너지를 쏟아 넣을 각오를 하라. 이제, 시작하라!

통곡하라. 공포로 벌벌 떨어라. 두려움에 전율하라. 절망감에 신음하라. 그래야 한다. 당신 자신을 갈가리 찢어 버려라. 울부짖어라. 아무런 가치도 없는 인간이라고, 의지가 약해빠져 콧물이나 훌쩍이는 인간이라고. 썩어빠진 인간 쓰레기라고 스스로 말하라. 울어라. 무력감에 몸서리 쳐라. 운명을 저주하고 마음껏 통곡하라.

이제 다 했는가?

좋다!
당신은 방금 고통받을 수 있는 모든 도덕적, 윤리적 의무를 완수했다. 이제는 다시 당신의 일상으로 돌아와 인간적이고 행복한 형태로 하루를 마감하면 된다.

당신이 진정으로 고통받기를 원한다면, 또는 그래야만 한다고 생각한다면, 이제부터는 하루에 5분, 규칙적으로 정해진 시간에 방금 한 것처럼 하라. 나머지의 시간에는 당신 자신에게 잘하라. 휴식을 취하고, 놀고, 좋아하는 것을 하라.

실제로 보여 주어라

보여 준다는 것은 어떤 측면에서는 책임을 진다는 것을 말한다. 책임을 진다는 것은 종사하는 일이나 작업실, 그리고 사업상의 약속 등에서 해야 할 일에 초점을 맞추어 철저히 준비하고, 일을 이행하는 것을 의미한다. 마치 지출한 내역을 원장에 기재하는 것과 같다. 말한 바는 반드시 이행한다는 것이다.

보여 준다는 것은 다른 사람보다는 자기 자신에게 책임을 진다는 것이다. 이런 행동의 결과로 누가 이익을 보는가 하는 것은 부수적인 것이지만, 결국 당신 자신이 가장 많은 이익을 거둬 들이는 사람일 것이다. 그렇게 함으로써 자신감과 자존심이 증가할 것이고, 더 많이 돈을 벌게 될 것이고, 삶에 대한 통제를 더 잘할 수 있을 것이다.

그러나 이것들은 보여 주기를 통해서 사업이나 재정적인 측면에서 얻을 수 있는 것에 지나지 않는다. 그 외의 측면에서 얻을 수 있는 이익이 훨씬 더 크다는 사실을 명심하라. 왜냐하면 보여 주기라는 것은 당신의 전체적인 삶, 가족, 친구, 일, 취미, 스포츠, 레크리에이션, 놀이 등등 모든 수준에 걸쳐 있기 때문이다.

보여 주기는 자기 자신을 육체적, 정신적, 그리고 영적 측면에서 책임 지고 잘 돌본다는 것을 의미한다. 삶의 스펙트럼을 관통하는 이러한 약속은 당신 자신이 '잘되고 있구나' 하는 생각을 낳게 된다. 그러면 소득의 증가는 필연적이다.

우선 그런 척이라도 해 보자

　모든 사람은 공포를 경험한다. 그래서 용기란 공포에도 불구하고 어떤 행동을 계속하는 것이라고 할 수도 있다.
　주어진 어떤 상황도 두려워하지 않는 것처럼, 자기 자신을 의심하지 않는 것처럼 행동하라. 당신이 맡은 일에서는 최고의 후보인 것처럼 행동하라.

　헬렌은 여배우다. 처음에는 조그마한 성공을 거두었지만, 연이은 실패와 몇몇의 역할을 놓치게 되자 점점 자신감을 잃어 갔다. 살기 위해 단역도 마다하지 않고 끈질기게 계속 오디션을 봐 왔지만, 약 4년간이나 제대로 된 배역은 맡지 못했다. 간혹 생기는 일은 언제나 단역일 뿐이었다.
　"나는 늘 오디션을 망치고 있어. 잘해야만 하는데…. 이건 아니다 싶을 때도 어쩔 수가 없어."
　헬렌은 아동기에 정서적으로 매우 많은 상처를 입었고, 그때의 경험이 스스로를 무가치하고 무능력한 존재로 만들었다고 했다. 그녀는 자신에게 일어나는 일의 매커니즘을 잘 이해하고 있는 편이지만 별다른 도움이 되지는 않았고, 여전히 가슴 깊숙이 자리잡고 있는 자기 자신을 파괴하고자 하는 욕구에 대해 아주 무력했다.
　주위의 누군가가 그녀에게 그럴 필요가 없는데 왜 그렇게 스스로를 옭죄는 듯이 행동하느냐고 물었다. 그 말을 처음 들었을 때 그녀는 화를 냈다. 자신에게 내재되어 있는, 그토록 심각한 문제의 해결책이 그렇게 간단하리라고는 전혀 믿지 않았다. 그녀가 나름대로 생각했던 해결책이라는 것은, 예전에 겪었던 일과 똑같은 강도와 기간의 보상이 있어야 한다는 것이었다.

그러나 어쨌든 그녀는 새로운 시도를 했는데, 오디션을 볼 때마다 최선을 다하며 스스로에 대한 자긍심을 가지고 행동했다.

헬렌은 단번에 숙달하지는 못했다. 아주 조금씩만 깨달아 갔다. 그러나 점차적으로 나아졌고, 작은 역이지만 단역이 아닌 배역을 맡게 되었다. 나중에는 워싱턴에 있는 극장에서 한 달 동안의 공연에 고정적으로 출연하는 작은 배역을 맡았으며, 영화에도 출연했고, 뉴헤이븐에 있는 연극 무대에 6주 동안 출연했다. 약 2년이 지난 후인 지금은 정기적인 배역을 맡아 출연하고 있다. 그녀는 아직도 스스로 위축될 이유가 없다는 것을 완전히 확신하지는 못했다. 그러나 대신 그녀는 자신감이 필요한 시점이라고 느끼면, 즉시 그런 자신감이 넘치는 것처럼 행동한다.

종종 우리는 어떤 척을 하며 산다. 만약 언제고 '외적인 실천의 본질은 그런 척할 뿐'이라는 사실을 간파한다면, 당신의 의심도 극복될 것이다.

그런 척할지라도 우선 행동함으로써 건설적인 사고에 이르는 것이, 생각이 다 바뀌어서 건설적인 행동을 하게 되는 것보다 훨씬 쉬운 방법이다.

제13장 | 힘이 되는 친구들

'흑자 전환 프로그램'은 당신이 준수하기만 한다면 상황에 관계없이 당신을 빚으로부터 벗어나게끔 해 줄 것이다. 그러나 어떤 사람들은 프로그램 참여자보다는 후원자나 동료의 위치로 스스로를 놓을 때, 자신의 프로그램 수행이 훨씬 쉽고 효과적이라는 것을 발견하기도 한다.

혼자만 출연하는 주인공은 없다

빚 문제가 있는 사람들은 고립감을 크게 느낀다. 어느 누구에게도 빚에 대해 얘기를 하지 않기 때문에, 단절감과 외로움을 느끼게 되고, 고통스럽고, 절망감에 휩싸인다.

자구 조직도 프로그램 수행에 강력한 도움을 준다. 자구 조직은 동병 상련의 경험, 프로그램의 강력함, 그리고 빚 갚기의 희망을 가질 수 있도록 돕는다. 조직에 참여하면 격려를 받고 동료애를 나누며, 왜곡된 태도와 인식에 대한 교정과 각종 아이디어, 정보 및 공유된 테크닉 등을 얻을 수 있다. 많은 사람들이 그러한 조직에 참여하는 것을 처음에는 망설인다. 자존심, 당혹감, 부끄러움, 분노 등이 작용한다.

"나는 약하지 않아, 나 혼자서도 할 수 있어."

물론이다. 당신은 할 수 있고, 사실 그래야만 한다. 다만 원하는 대로 누구나 다 할 수 있는 것은 아니다. 그러나 자구 조직이 도움을 줄 수는 있지만, 그 일을 해야 하는 사람은 바로 당신인 것이다.

자구 조직에 참여하는 것은 당신의 허약함을 나타내는 징후가 아니라 강건함을 나타내는 것이다. 두려움과 자존심에 대해 도덕적으로 올바르게 처신하는 것이기 때문에 그건 용기와 강함을 선언하는 것이고, 자신에게 헌신하는 행동이다.

"무엇을 하라는 식의 말을 듣고 싶지는 않다."

훌륭한 자구 조직에서는 권위를 내세우는 인물이 없다. 자구 조직은 공통된 문제를 함께 해결하고자 하는, 경험과 희망을 공유하려는 같은 처지에 놓여 있는 사람들의 공동체이므로 서로가 다 동등하다.

"나는 너무나 두려웠다. 누구와도 이 문제를 상의할 수 없었다."

이것이 바로 빚 문제의 원인과 결과다. 지속된 고립감이 당신을 더욱 고립시킨다. 세상의 어느 누구도 자구 조직에 들어가자마자 자신의 상황을 망설임과 저항 없이 기꺼이 이야기하지 않는다. 처음에는 많은 사람들이 그저 듣기만 한다. 그렇지만 때가 되면 대부분이 말문을 연다. 당연하게 그들은 거기에서 안도감을 찾게 되는 것이다.

"내가 아는 사람에게 달려갔다면 아마도 굴욕감을 느꼈을 것이다."

왜 그럴까? 자구 조직에 오는 모든 사람들이 정말 똑같은 이유를 든다. 그러나 그들과 당신은 차이가 없다. 당신이 상상한 굴욕감은 당신이 일을 망쳤다고 믿을 때, 당신은 의지가 약하거나 무능력하다고 믿을 때 생기는 것이다. 바로 그렇게 생각한다는 것 자체가 문제의 일부이다.

'익명의 빚꾸러기'들을 보라

'익명의 빚꾸러기들'이야말로 최고의 가장 효과적인 자구 조직이다. 이 조직의 회원들은 지금까지 10년 이상 이 문제를 직접적이고 성공적으로 다뤄 왔다. 일체의 회비나 입회금이 없는 자구 조직으로 각 지부는 독립적으로 움직이되, 조직의 일반 행정 부문을 통해 서로 연결되어 있다.

아래에 소개하는 것이 전형적으로 이뤄지는 모임이다.

금요일 밤, 그리니치 마을. 벽돌로 지어진 교회당의 한 방에 약 50명의 사람들이 플라스틱 의자에 앉아 있다. 편안한 느낌이 드는 그 방에는 가구가 드문드문 갖춰져 있는데, 각종 공동체 모임의 장소로 주로 이용되고 있다. 오늘은 한 여성이 자신의 삶과 돈에 대해 이야기하고 있다.

매번 모임이 있을 때면 한 명의 회원이 발표자가 된다. 오늘 밤에는 3년 동안 회원으로 있는 루스가 발표자이다. 그녀는 50대의 상업 미술가인데, 오늘 밤은 맞춤 치마와 긴 소매의 베이지색 블라우스를 입고 있다.

그녀가 말했다.

"내 가족은 극단적으로 돈을 추구하는 편이었습니다. 나는 그게 최고의 가치라고 생각하면서 자랐습니다. 이제 나는 돈이 두렵습니다. 나는 늘 돈이 있다는 인상을 주려 했고, 부유한 친구들의 수준에 맞춰 살려고 했습니다."

그녀의 말을 듣고 있는 사람들은 남녀가 반반 정도 되었는데, 20대 중반부터 60대 중반까지, 청바지에 운동화 차림에서부터 값비싼 앙상블과 비즈니스 정장을 갖춰 입은 사람까지, 나이와 옷차림은 다양했다. 대부분의 사람들이 그녀에게 깊은 관심을 보였다. 일부의 사람들은 나중에 그들이 제기하고 싶은 문제 때문에 심란해 보였다.

루스는 '삶이란 충족되는 것이 없는 그 어떤 것'이라고 묘사했다.

"나는 돈을 갈망했습니다…. 돈을 가졌을 때, 나는 거만하고 건방졌지요. 돈이 없을 때의 나는 정말 비참했습니다. 나는 항상 더 많은 것을 원했어요. 은행 대출을 이용했고, 카드를 썼습니다. 나는 지속적으로 빚지고 있었습니다."

그녀는 재정 상태를 저글링(3개의 공 등을 번갈아 던져 올리는 서커스 기술 : 역자 주)하듯이 꾸려 가면서, 그 시스템을 몇 년 동안 유지했다고 말했다. 그러나 그녀는 늘 위태롭게 살았고, 더 많은 압박감과 더 심한 절망을 느꼈다. 그리고 마침내 모든 것이 무너졌다.

"전부 뒤엎어졌답니다. 내가 가졌던 모든 것이 사라졌지요. 이 프로그램에 들어왔을 때 나는 히스테리 상태였고, 자살 충동까지 느끼고 있었어요. 나는 모든 기능을 상실했었습니다."

회원으로 가입한 지 3년이 지난 후인 오늘 밤, 그녀는 편안하고

담담하게 자신의 이야기를 했고, 여러 차례 웃기도 했다. 그녀는 더 이상 빚이 없다. 사업도 번창하고 있다. 그녀는 결론을 맺고, 남은 시간을 종합 토론으로 넘겼다.

어떤 광고업 종사자가 그녀의 초기 좌절감을 충분히 이해한다고 말했다. 그는 5만 4천 달러를 빚지고 압박감과 절망감에 싸여 있던 차에 '익명의 빚꾸러기들'에 가입했는데, 그때가 2년 반 전이라고 했다.

"그때 나는 돈이 무엇인지도 몰랐고, 내가 돈을 가지고 어떻게 했는지도 이해하지 못했습니다."

그는 1만 5천 달러의 빚을 갚았고, 위기에 처해 있던 결혼생활은 더욱 단단해졌다고 한다.

30대 초반의 물리 치료사가 지난 3년 간 루스가 변하는 것을 지켜 보았던 기쁨을 말했다. 몇 달 전에야 처음으로 루스가 웃는 얼굴을 보았다고 했다.

헐렁하고 긴 소매의 스웨트를 입은 젊은이는 자신의 고용주에게 승진을 요구하는 것이 얼마나 두려운지를 이야기했다.

"나는 더 많이 알고 있고, 계속 공부하고 있습니다. 하지만 아직도 마음 깊은 곳에서는 더 많은 보수를 받을 수 있는 나 자신의 가치를 믿지 못하고 있습니다."

20대 후반의 한 여성은 아직도 분명히 안정되지 못한 상태에 있다. 마음이 편치 않은 모양이었다. 루스나 다른 사람들이 그렇게 간단하게 수입과 빚의 구체적 액수를 밝히는 것을 이해할 수 없다고 말했다. 그녀는 '익명의 빚꾸러기들'에 가입하여 5개월째 다니고 있었으나, 여전히 일반적인 것들 외에는 아무것도 말하지 않았다. 그렇지만 이제는 자신이 하고 있는 일과 자신이 얼마나 빚을 지고 있는가를 정확하게 말하려고 한다. 그녀는 애를 써서 말을 시작했다. 2만 5천 달러를 빚지고 있다고 했다. 그녀는 휘청거렸지만 말을 다 한 뒤에는 안도하는 얼굴이 되었다. 다른 여성 회원이 그녀의 손을 꼭 쥐어 줬다.

관자놀이가 희끗희끗한 한 남자 회원이 그의 주된 채권자인 은행 담당자와의 만남을 자세히 말한다. 여기서 배웠던 충고에 따라 행동했는데, 6개월간의 모라토리엄을 성공적으로 얻어냈다는 것이다.

20대 중반의 여성이 갑자기 폭발하듯이 외쳤다. 비서로 일하고 있는 그녀에게는 이번이 겨우 네 번째 참석이다. 긴장하고 감정이 북받쳐서 떨리는 목소리로 말했다.

"나는 화가 나요. 내 빚을 증오한다구요. 난 내가 충분히 못 가진 것을 증오해요. 여기에 관련된 모든 것이 다 싫다구요."

어떤 사람이 무표정하게 말했다.

"그것 참 이상하네…. 우리들은 그걸 좋아하는데 말이야."

몇몇 사람이 웃음을 터뜨렸다. 비서가 그들을 노려봤다. 그러다가 그녀도 갑자기 웃음을 터뜨렸다.

모임이 끝났다. 사람들은 의자를 치우는 것을 서로서로 돕고 방을 정돈했다. 그들은 이야기를 하거나 커피나 음식을 먹기 위해 천천히 움직이면서 작은 그룹으로 나뉘어 사라져 갔다.

'익명의 빚꾸러기들'은 잘 조직되어 있어 급속히 성장하고 있지만, 아직은 미국 전역에서 활동하고 있는 것은 아니다. 당신이 살고 있는 지역에 없다면 거기에 지부를 설립하는 것도 고려할 수 있을 것이다.

미국의 '익명의 빚꾸러기들'의 주소다.

Debtors Anonymous, general Service Board

P. O. Box 20322

New York, New York 10025-9992

Telephone: (212) 642-8222

다른 방법도 있다

자구 조직을 찾을 수 없다면 당신 스스로 자구 조직을 만들 수도 있다. 그런 생각을 가지고 있다면 빚 때문에 고통을 당하는 다른 사람들을 찾는 것부터 신중하게 시작하라. 믿을 만한 친구를 통해서 찾을 수도 있을 것이고, 의사나 성직자, 또는 다른 자구 프로그램 등 그들을 찾기 위한 비슷한 통로들이 많다.

스케줄은 1시간이나 1시간 반 정도의 주별 모임이 적당하다. 이 책에서 제시되는 자료들을 토론거리로 활용하라. 자기 나름대로의 경험, 프로그램 진행시 느꼈던 순간순간의 어려움, 그리고 완전한 성공의 경험들을 서로 공유하라.

처음에는 기이하게 보일 것이지만, 시간이 지남에 따라 참으로 쉽다는 것을 느낄 것이고, 엄청난 가치를 지니고 있다는 것을 발견할 것이다.

제8장 | 원칙의 점검

몇 세기 전에 생산된 유리는 기술이 미숙해서인지 표면은 울퉁불퉁하고, 색깔은 칙칙하며, 빛은 아주 조금만 통과될 뿐이었다. 그것을 눈에 대고 보면 사물은 뒤틀려 보이고, 세상은 어두컴컴하다. 성경 구절에조차 '유리를 통해 보라. 어둡지 않은가'라고 쓰여 있다.

이 장에서 논의되는 개념들은 당신 삶의 핵심 측면을 보다 분명하고 명확하게 볼 수 있도록 도와주고, 나아가 뒤틀려 있거나 어두컴컴하게 보이는 것들을 올바른 방향으로 수정하도록 도와줄 것이다.

당신은 돈을 소비하는 방법에 대한 선택권을 가지고 있다

빚의 압박하에 있는 사람들은 그들이 하고자 하는 일이나 해야 할 일에 대해서 거의 본능적으로 이렇게 된다.

"나는 경제적 여유가 없다."

이것은 스스로를 위축시키는 것으로서, 생활을 구속하고, 보다 더 빈곤한 생활로 이끌게 되며, 결국에는 이전보다 더 많은 빚을 낳게 된다.

당신은 생각하는 것보다 더 많은 경제적 여유를 가질 수 있다. 사실 진짜 돈이 드는 일이 많은 것은 아니다. 어떤 일을 할 만한 여유가 없다고 할 것이 아니라, 지금과는 다른 방법으로 돈을 어떻게 소비할 것인가를 강구해야 한다.

우선 집세를 지불해야 한다고 해 보자. 또는 전화 요금을 납부해야 한다고 해 보자.

"살아가려면 이 정도의 공간은 있어야 돼."

"아무튼 전화는 꼭 필요한 법이야."

이것은 진실이 아니다.

생활 공간을 축소하려면 기분이 유쾌하지 못하고, 심지어 여러 가지 심각한 문제를 낳을 수도 있다. 전화 없이 일을 하려면 참으로 어렵고 불편하며, 어떤 때는 일을 망칠 수도 있다. 그러나 큰 아파트에 살거나 번호 자동 저장 기능의 전화기를 쓰는 것이 삶을 유지하는 데 필수 조건은 아니다. 당신이 필요로 하는 것은 음식·쉼터·의복 등이고, 그것이 어떤 종류인가 하는 것은 단지 선택 사항일 뿐이다.

간신히 생존에 필요한 요구 조건만으로 유지되는 헐벗은 삶을 옹호하는 것이 결코 아니다. 그런 삶은 비생산적이고, 빚 문제를 확대할 수도 있다. 내가 여기서 강조하는 것은, 지금 이 시점에 서 있는 당신이 자신의 돈에 대해서 참으로 많은 선택권을 가지고 있다는 것과 그것이 얼마나 중요한 가치를 가지고 있는지 알아야 한다는 것이다.

경제 사정의 회복기 초기에 들어섰을 때의 나는, 매달 매달의 비용은 간신히 맞추어 나가지만 다음달에는 또 어떡하나 하는, (수입과 지출이 대차대조표상으로 꼭 맞는) 0점의 단계에서 생활하고 있었다. 어느날 텔레비전 브라운관에서 뭔가가 뻥 하고 터지는 소리가 나더니 색조가 점점 흐려지고 결국에는 흑백 상태가 되어 버렸다. 그 당시 나는 삶의 즐거움을 주로 비디오 영화를 보는 것에서 찾고 있었다.

텔레비전을 고치려면 약 225달러가 들 텐데, 그럴 만한 여유는 없었다. 그때 나는 많은 것을 줄여 가고 있는 상황이었고, 그래서 이것도 내가 벗어 던져야 할 여러 요소 중의 하나라고 간주해 버렸다. 그 당시 나의 일 처리 방식은 그랬다.

그런데 나에게 치과 일은 어떻게 처리해야 하는지, 그리고 자기 자신에게 왜 돈을 써야 하는지를 일러주었던 애드가 수중에 돈을 어느 정도 가지고 있는지 물었다.

"약 1천5백 달러 정도. 하지만 집세 내고, 의료 보험료랑 기타 고지서 대금이야. 모두 급한 거라구."

애드는 이렇게 말했다.

"어쩌면 텔레비전을 수리할 만큼은 충분히 남을 거야. 아니, 그 이상으로 갖고 있는지도 모르지. 너는 텔레비전을 수리해도 돼. 너는 돈이 없는 것이 아니라, 무엇부터 해야 하는지 선택하고 있는 거잖아."

궤변이 아니었다. 그가 옳았다.

나는 집세, 의료 보험료의 지불을 선택하고 있었다. 부채 상환 스케줄에 따를 것을 선택하고 있었던 것이다. 이달에는 옷에, 오락에, 외식에 돈을 소비하겠다고 선택하는 것임을 내가 세운 소비 계획을 보면서 깨달았다. 그러나 늘어 가는 빚과 함께 산 세월 때문에 이전에는 분명하게 보였던 사실들이 이제는 흐릿하게 보였던 것이다. 내 본능적인 반응과 소신이 나는 경제적인 여유가 없다고 생각하게 한 것이다.

내가 몇 년 전부터 알고 있는 한 편집자는, 새 비즈니스 정장에서부터 주말 스키에 이르기까지 많은 것들을 할 경제적 여유가 없다는 사실에 늘 개탄하고 있었다. 그는 이런 것들을 할 여유가 없다고 생각했고, 그 생각이 항상 그를 절망케 하였다. 사실 그는 일주일에 3번 정도는 외식을 할 수 있었고, 매일 출퇴근시에 택시를 이용할 정도의 여유는 있었다.

항상 돈을 소비하는 방법에 대한 선택권을 가지고 있고, 또 지속적으로 선택 행위를 하고 있다는 사실을 깨닫게 되면, 보다 즐겁고 보다 만족한 생활을 할 수 있다. 그러면 '하고 싶지만 할 만한 여유가 없다거나', '갖고 싶지만 가질 여유가 없다'라는 생각은 점점 사라질 것이다.

"좋아, 그렇다면 6개월간 세계 일주 여행을 하고 싶어요. 그럴 때도 내가 그럴 만한 여유가 있다고 할 수 있나요?"

6개월간의 세계 여행이 모호한 바람이나 환상 속의 변덕이 아니고 당신이 진정으로 원하는 것이라면 가능하다. 왜냐하면 진정으로 당신이 원하는 것이라면 그런 결정을 할 수 있는 방향으로 소비 계획을 짜거나, 더 많이 벌 수 있는 방법을 강구할 것이기 때문이다.

반드시 손에 돈을 쥐어야 일을 할 수 있는 것이 아니다. 돈 없이도 할 수 있는 일이 더 많다. 대부분은 당신이 무엇을 선택할 것인가의 문제다.

구체적으로 눈앞에 그려 보라

당신이 돈에 대해 지나치게 집착하게 되면 눈에 콩꺼풀이 씐 것처럼 당신의 삶에서 어떤 것이 진정으로 좋은 것인지, 그리고 당신이 실제로 무엇을 가지고 있는지를 잘 판단할 수 없다. 시야가 가로막힌 삶에서는 빚이 과장되어 괴물처럼 느껴진다. 삶에는 빈곤과 박탈만이 있다고 생각하게 된다. 그러면 이러한 왜곡된 상황을 어떻게 교정할 수 있을까? 간단하고도 효과적인 방법을 강구해 보자.

종이를 한 장 가지고 앉아라. 맨 위에 삶에서 내가 정말 고마워하고 있는 일들, 또는 삶에서 내가 즐기고 좋아하는 일들이라고 써라.

생각나는 모든 일들을 써라.

어떤 사람들은 이러한 아이디어를 말하면 장난스럽게 대답한다.

"내가 이렇게 고통스럽고, 그토록 많은 것을 잃고 아무것도 가진 것이 없을 때, 반대로 다른 사람들은 내가 할 수 있는 것보다 훨씬 더 많은 것을 할 수 있을 때, 과연 그럴 때도 즐겁고 감사할 수 있을까?"

요점은 이렇다. 당신은 고통과 당신이 가지지 못한 것만을 본다는 것이다. 정작 당신이 갖고 있는 것에 대해서는 장님이 되어 간다.

예전에 나는 7에이커나 되는 숲속에 자리한 방이 14개나 있는 집에서 살았다. 그 집에는 수영장과 손님의 숙소, 초원이 내려다보이는 커다란 작업실이 딸려 있으며, 뒤에는 산이 병풍처럼 쳐져 있었다. 그러나 지금 나는 도시에 있는 자그마한 스튜디오형 아파트에 살고 있다.

지금은 전혀 다르게 보이지만, 한때는 이 아파트를 보면서 무엇을 잃었는지, 내가 갖지 못한 것은 무엇인지, 내 삶은 이제 얼마나 황폐하고 절망적이 되었는지 하는 것만 보던 시절이 있었다.

그때의 나는, 이 아파트 바로 옆에는 지은 지 100년이나 되는 중후한 연방 건물이 있으며, 아파트 자체도 최근에 아름답고 쾌적하게 개조되었으며, 자연석 벽난로와 아름다운 유실수 재목의 블라인드는 얼마나 멋진지, 얼마나 환기가 잘 되는지, 잘 다듬어진 나무가 서 있는 정원은 또 얼마나 아름다운지, 조용하고 점잖은 이웃이 얼마나 좋은지 등등 이루 헤아릴 수조차 없는 많은 것들은 볼 수가 없었다.

많은 빚을 졌다는 것이 너무도 걱정스럽고 절망스럽기 때문에, 즐겁고 고마워하는 것들의 목록을 작성하기가 지금은 좀 어렵고 앞으로 기분이 좀 나아질 때까지 기다려야 한다고 말하는 것은, 마치 수레를 달리는 말에다 매는 것과 같다. 기분이 나아지게끔 도와주고, 무엇을 직시해야 하는지를 알려주고, 그래서 결국에는 앞으로의 당신의 삶의 질을 개선하기 위한 출발점은, 바로 지금, 즐겁고 유쾌하며 감사해 하는 것들의 목록을 작성하는 것이다.

목록에 포함될 수 있는 일들은 이렇다.

- 나는 건강하다.
- 내 아이들은 훌륭하다.
- 나는 스테레오 오디오가 있다.
- 애완견이 있다.
- 나는 테니스를 아주 잘한다.
- 나를 사랑하는 남편이 있다.
- 나를 사랑하는 아내가 있다.
- 나는 서재가 있다.

- 나는 살아가는 집이 있다.
- 나는 잘생겼다.
- 나를 이해해 주는 친구가 있다.
- 나는 컴퓨터가 있다.
- 내가 사는 아파트는 천장이 높아 배기가 잘 된다.
- 나는 비디오 카메라가 있다.
- 나는 취미로 모은 총이 많다.
- 나는 헬스 클럽의 회원이다.
- 정원에 참나무가 있다.
- 내 침대의 매트리스는 딱딱해서 편안하다.
- 나는 애인이 있다.
- 나는 보석이 있다.
- 집에 식기 세척기가 있다.
- 일체의 캠핑 장비를 갖췄다.
- 나는 춤을 잘 춘다.
- 골동품 아이스크림 테이블이 있다.
- 내 전화기는 자동 응답기 장치가 되어 있다.

3개월마다 새로운 목록을 작성하거나, 1년마다 새로 작성해서 갱신하라. 5~6개월마다 해도 좋다. 무엇이 부족하고 무엇을 박탈당했다는 생각은 쓰레기통에 던져 버려야 한다. 그 점을 깨닫기 위해서 목록을 작성해야 한다는 것이 요점이다.

그런 말은 입에 담지도 마라

당신은 이렇게 말한다.

"나는 압박받고 있어."
"나는 벽에 몰려 있어."
"나에겐 모든 것이 다급해."
"나는 몰락하고 있다."
"버틸 수 없어."

잠재 의식에 이렇게 들린다. 믿을 수밖에 없다. 미칠 것만 같다.
"이젠 어떡해야 합니까? 이젠 절망적입니다. 완전한 패배자입니다. 뭘 어떡해야 합니까?"

감정도 따라서 반응한다. 전전 긍긍하다가 끝내 좌절하고 만다. 왜 아니겠는가? 당신은 압박을 받고 있고, 막다른 골목에 몰려 있고, 모든 것은 다급하며, 이젠 더 이상 버틸 수 없다.

어느 누가 공포를 느끼지 않겠는가?

그러나 그것은 실제로 일어나고 있는 일이 아니다. 다만 오랫동안 압박받고 있다는 느낌 때문에, "지금 무엇을 하고 있느냐?" 하는 질문에 대해 반사적으로 공격적인 응답을 하고 있을 뿐이다.

그렇지만 당신의 무의식은 그런 사실을 모른다. 그래서 무의식적으로 떠오르는 것들을 마치 사실인 양 믿게 되고, 당신의 모든 감정도 다가오는 파국을 맞이하듯이 맞춰지는 것이다. 투쟁, 고난, 혹은 재난이라는 말은 사용하면 할수록 스스로 파괴적인 감정 상태를 많이 만들며, 부정적인 의식을 보다 강화하게 된다.

당신이 구사하는 언어에서 이러한 생각을 떼어 버려야 한다. 투쟁을 말하지 마라. 빈곤이나 박탈을 말하지 마라. 그러한 낱말들을 발음함으로써 그런 상황을 자초하지 마라.

당신의 감정은 사실이 아니라는 점을 기억하라. 그들에게 이런 식으로 힘을 부여하지 마라. 그것들은 참된 것이 아니며, 부정적 사태들만 낳는다는 점을 스스로에게 확신시켜라.

당신은 오늘, 지금 이 순간, 더할 나위 없이 좋다.

당신은 빚의 악순환의 고리를 끊어 버렸다. 당신은 삶의 통제력을 증가시키고 있다. 돈을 더 많이 벌고 있다. 지금 당신의 삶은 점점 나아지고 있다.

내가 이렇게 좋았다는 것을 알지 못했을 뿐이다

지금까지 우리가 느끼고 행하는 대부분의 감정과 행동은 진실이라고 생각하는 자신의 믿음에 지배되어 왔다는 것이 사실이다. 이러한 신념들은 대개는 우리의 무의식 속에서 작동한다.

그렇다면 우리는 그것들을 어떻게 얻었을까?

기본적으로는 자기 자신과 자신을 둘러싸고 있는 사람들에 의해 만들어졌다. 그것은 아주 어릴 때부터 만들어진다. 그때는 자신에게 일어나고 있는 일들을 판단하고 평가하기에 충분한 지능을 미처 갖추지 못한 시기이다. 생각과 행동은 각기 다른 3가지 과정을 통해 만들어진다.

첫째, 자신과 세상에 대한 다양한 정보를 처리하여 결론을 이끌어낸다.

둘째, 누군가가 자신과 세상에 대해 말한 바를 진실로 받아들인다.

셋째, 자신과 세상에 대한 말을 우연히 듣고는 그 말을 믿어 버린다.

어려서 이 말들이 의미하는 바가 무엇인지 이해하기도 전에 다음과 같은 왜곡된 태도나 신념들을 받아들인다.

"삶은 힘든 것이다."

"나는 그럴 만한 가치가 없다."

"돈은 악마다."

"앞서 나가기 위해서는 고생을 해야 한다."

"다른 사람이 굶주릴 때, 뭔가를 갖는다는 것은 비도덕적이다."

그리고 기타 등등을….

지금껏 머릿속에 형성된 이러한 신념에 따라 느끼고, 살아가고, 행동하는 것이다. 그러나 그러한 신념은 보편적 진리가 아니며, 우리의 무의식 속에 자리잡은 다른 사람의 왜곡된 판단과 의견일 뿐이다.

왜곡된 신념과 그에 따르는 행동은 우리에게 엄청난 손해를 주는 파괴적 효과를 지니고 있다. 우리는 이에 맞설 필요가 있다. 그렇게 하기 위한 매우 효과적인 방법 중 하나는 우리 스스로 확신을 가지고 그러한 과정을 통제하는 것이다.

뭔가를 확신한다는 것은 뭔가를 긍정적으로 또는 확고하게 선언하고, 그것이 옳다고 주장하는 것이다. 라틴어 'affirmare'에서 유래한 '확신(affirmation)'이라는 단어는 '자리에 놓다', '견고하게 하다', 강하게 또는 건강하게 하다'라는 것을 의미한다.

확신은 '태도와 인식의 건강한 변화를 위한 의도를 지니고 무의식 속에 심어야 하는 강한 긍정적 사고'를 말한다. 그리고 긍정적으로 사고하게 하는 것 이상의 효과를 가져다 준다. 그것은 구체적이고 강력한 변화를 위한 수단인데, 보다 체계적으로 사용한다면 외적 변화를 필연적으로 야기할 수 있는 내적 변화를 유발시킨다.

당신의 확신을 믿고 안 믿고는 문제가 되지 않는다. 비록 사리에 맞지 않고 믿기 어려운 것이라고 생각할지라도, 당신의 무의식은 조만간 그것을 받아들이기 시작할 것이다.

확신을 가지고 일할 수 있는 가장 좋은 방법은 그것을 적는 것이다. 종이 한 장을 가운데에 세로줄을 그어 둘로 나누어라. 왼쪽에는 긍정적 측면에서의 확신을 적어 나가라. 다 했으면 곧바로 맨처음 떠오른 생각을 오른쪽에 적어라. 이 반응 항목은 매우 중요하다. 왜냐하면 무의식이 모든 거부나 반발을 제기하면, 거기서 허접쓰레기 같은 것들은 분리시켜 없애 버리면 되기 때문이다.

맨 먼저 1인칭 '나는 무엇을 한다'라는 방식으로 5개의 단문을 적어라. 그런 후 자기 자신의 이름을 적고 그가 2인칭의 '당신에게 무엇을 한다'라는 식으로 5개의 단문을 만들어라. 이번에는 당신의 이름을 3인칭으로 바꿔 5개의 문장을 적어라. 예전에 당신의 무의식의 삶에 관한 낡고 왜곡된 태도가 들어온 것과 똑같은 방식으로 1인칭, 2인칭, 3인칭이 내는 새로운 태도에 관한 외침이 들려 올 것이다. 1인칭으로는 자기 자신에 대해, 2인칭은 마치 다른 사람이 당신에게 말하는 것과 같이, 그리고 3인칭은 아예 딴 사람이 되어 버린 객관화된 당신을 말하는 것과 같이.

그 과정은 이렇다.

나는 아주 쉽게 돈을 번다.	그건 거짓말이야!
나는 아주 쉽게 돈을 번다.	뭐라고 지껄이는 거야?
나는 아주 쉽게 돈을 번다.	거지도 그렇게 해.
나는 아주 쉽게 돈을 번다.	그런 소리를 누가 믿는담!

나는 아주 쉽게 돈을 번다.	그래, 간혹 그럴 수도 있겠지!
제리, 너는 아주 쉽게 돈을 번다.	에이, 아니야!
제리, 너는 아주 쉽게 돈을 번다.	어쩌다 한 번.
제리, 너는 아주 쉽게 돈을 번다.	제길!
제리, 너는 아주 쉽게 돈을 번다.	아이구, 지겨워!
제리, 너는 아주 쉽게 돈을 번다.	폴 게티나 되는 줄 알아?
제리는 아주 쉽게 돈을 번다.	걔는 그럴 수 있어.
제리는 아주 쉽게 돈을 번다.	좋아, 벌써 그랬을 거야.
제리는 아주 쉽게 돈을 번다.	됐어, 그만해. 이제는 지겨워.
제리는 아주 쉽게 돈을 번다.	그래, 아마 그랬을 거야.
제리는 아주 쉽게 돈을 번다.	맞아, 분명히 그래!

사람들이 강한 효과를 얻기 위해 사용하는 몇 가지 긍정적인 확신들이 있다.

첫번째, 나는 지금 내가 원하는 것을 얻기 위해 필요한 것은 모두 가지고 있다.

두 번째, 매일매일 더 많은 돈이 들어온다.

세 번째, 하루하루를 보낼 때마다 나는 빚에서 훨씬 많이 벗어나고 있다.

네 번째, 세상은 지금 내가 필요로 하는 모든 번영을 가져다 주고 있다.

다섯 번째, 나는 돈을 손쉽게 아주 잘 다루고 있다.

여섯 번째, 나는 풍요로운 상태에 있다. 그래서 지금 그것을 완전하고도 즐겁게 받아들일 준비가 되어 있다.

일곱 번째, 나는 크고 강력하며, 아무도 저항할 수 없을 정도로 대단한 성공을 거두었다.

여덟 번째, 세상은 풍요로 가득 차 있다.

아홉 번째, 나의 욕구와 갈망을 충족시키고도 남을 만큼 충분히 돈을 모으고 있다.

열 번째, 나의 성공이 큰 만큼 다른 사람도 성공해야 한다고 생각한다.

열한 번째, 돈은 내 친구다.

열두 번째, 설정한 목표를 초과하는 것은 언제나 기쁘다.

열세 번째, 내가 부유하면 할수록 다른 사람과의 나눔도 더 많아야 한다.

열네 번째, 삶이 내게 제공하는 모든 즐거움과 풍요를 받아들일 준비가 되어 있다.

이것들 중 불합리하고, 부조리하고, 심지어 공포스럽기조차 하다는 부정적인 생각이 치밀어 오르는 것이 있다면, 바로 그것을 출발점으로 삼으라. 일반적으로 매우 강력하게 부정한다는 것은, 당신의 무의식에 깊이 뿌리 내리고 있는 왜곡된 신념과 새롭게 받아들이는 신념이 정면 충돌하고 있다는 것을 의미한다. 따라서 그것이야말로 당신이 가장 시급하게 뿌리 뽑아야 할 것들이다.

한 번에 하나의 확신을 다루는 것이 가장 좋다. 10일에서 2주 정도는 매일매일 방금 제시한 방식으로 적어 나가라. 당신의 확신을 적은 단문과 그것에 반발하는 오른쪽의 단문 항목을 철저하게 활용하라. (아마도 처음의 며칠은 반발의 강도가 점차 강해질 것이다. 그러나 그 과정 속에서 일시적이지만 수긍하고자 하는 마음이 생겨난다는 것도 알게 될 것이다.) 차츰 익숙해지면 반발 항목을 적지 말고 며칠을 지내 보라.

또한 당신은 확신 항목을 구체적 목적에 맞추어 만들어낼 수 있다. 그러려면 부정적 항목을 먼저 적고 스스로의 말로 정의해 보라. 예컨대 '누군가가 내게 어떤 것을 요구하거나 청구하면 언제나 당황하게 되고 신경질적이 된다'를 적었다고 하자. 그런 후에 전부 긍정적인 단어를 사용해서 이 문장을 바꾸어 보라. 겉으로는 긍정적으로 보이지만 실제로는 부정적인 뜻이 담겨져 있거나 부정적인 연상을 불러일으키는 방식으로 바꾸면 안 된다. 이렇게 바꾸는 것은 적절하지 않다. '나에게 청구나 요구를 할 경우 절대로 신경질적이 되거나 당황하지 않는다.'

다시 해 보자.

부정적 진술: '누군가가 내게 어떤 것을 요구하거나 청구하면 언제나 당황하게 되고 신경질적이 된다.'

확신: '도전은 늘 나에게 최고의 것을 불러일으킨다.'

또는, '다른 사람이 나에게 더 많을 것을 요구할수록 나는 더 행복해지고 더 자신감이 생긴다.'

확신에 대한 당신의 최초의 불신이나 불쾌감은 그 궁극적 효과와는 아무런 관계가 없다는 것을 기억하라. 당신이 확신을 가지고 일하면, 확신은 당신을 위해 작동하기 시작할 것이다. 아침에 자리에서 일어나 하루의 일과를 지속하면서 하루에 몇 번씩 잠깐 동안 소리 내어 당신이 적은 확신에 찬 문장을 읽거나 내면의 자기 자신에게 조용히 일러준다면, 이러한 과정은 훨씬 빠르게 강화될 수 있다.

많은 사람들이 확신에 대한 아이디어를 처음 접하고는 비웃는다.

나도 그랬다. 그러나 내가 마침내 시도해 보리라고 결정했을 때, 닫힌 사고가 나의 지성이 작동한다는 것을 나타내는 징표는 결코 아니라는 생각이 들었고, 한번 시도해 본다고 해서 돈이 드는 것도 아니었다. 그래서, 해 보았다. 지적 회의주의자의 명성을 유지하고 싶은 마음 때문에 조심스럽고 은밀하게 해 보았다. 하지만 요즘 나는 확신에 대한 아이디어를 정기적으로 활용하고 있으며, 효과가 있다고 생각되면 무엇이든지 이용하는 실용주의자가 되었다.

알면 쉽다

베이컨이 생긴 모양을 알면 베이컨을 집에 가져 오는 것은 아주 쉽다.

인간에 의해 만들어지거나 행해지는 모든 것은 처음에는 생각으로 나타난다. 그리고 나서 외부 세계로 옮겨지는 것이다. 무형의 관계에서부터 유형의 캐비닛 또는 예술 작품에 이르기까지, 그 어떤 것들도 생각이나 그림, 영상, 또는 머릿속에서 처음에 그려진 것이 없이는 결코 만들어질 수 없다.

건축가는 건물을 머릿속에서 처음으로 '본다'. 그리고 나서 자신이 '본' 것들, 즉 그가 구성한 생각을 도면 위에 옮긴다. 그것이 디자인이다. 청사진을 굽고, 인부와 숙련공이 일을 하고, 그리고 마침내 건물이 존재하는 것이다.

소유하거나 달성하려고 하는 뭔가를 얻기 위해서는, 의식의 통제하에 일련의 사고 과정인 '보기'가 일어나게 되는데, 그걸 정교하고 체계적인 방법으로 사용하는 것을 '가시화'라고 부른다.

가시화는 강력하고도 효율적인 수단이다. 심리학, 이론 물리학, 그리고 형이상학 등 모든 영역에서 그것의 효과를 기록하고 있고,

그것이 왜 효과적인지에 대한 합리적인 이론을 제시하고 있다. 가시화가 효과적인 이유에 대해서는 논쟁의 여지가 남아 있는데, 그러한 것들은 학술의 영역에 남겨 두자. 우리는 우리의 목적과 관련해서 '가시화가 효과적인 수단이다'라는 사실만 알아 두자.

가시화를 위한 테크닉은 간단하다. 그리고 당신이 무엇을 얻고자 하거나, 프로젝트를 성공하고자 하거나, 당신의 내적이든 외적이든 삶에서의 변화를 주고자 할 경우에 상관없이 똑같이 적용된다.

예를 들어 당신이 식탁을 원한다고 하자.

자연스럽게 편안한 의자에 앉거나 바닥에 누워라. 눈을 감고, 숨을 깊이 쉬고, 그리고 의식적으로 명상을 하거나 스트레칭을 위한 준비 동작을 하는 것과 같이 몸 전체의 긴장을 풀어라. 가능한 한 마음을 맑고 조용하게 하라.

마음 속에 갖고 싶은 식탁의 그림을 그려라. 그리고 이미 그것을 갖고 있는 당신 자신을 보라. 그것의 모양과 색깔을 보라. 빛이 반사되는 것을 보라. 다른 가구와의 조화를 보라. 그걸 즐기는 당신 자신을 보라. 그걸 닦고 그 위에 꽃병을 놓는 자신을 보라. 그 위에 저녁을 차리고, 그 주위에 둘러앉아 손님과 커피를 마시는 자신을 보라. 그것이 당신의 삶 속에 들어와 가능한 한 많고 다양한 방법을 통해 그걸 즐기고, 그로부터 기쁨을 얻는 것을 보라.

당신이 상상한 이런 이미지의 실현 가능성을 강하게 불러일으켜라. 식탁을 원한다는 것은 단순히 바라는 것이 아니라 지금 당신의 삶 속에 존재하는 것이며, 이미 갖고 있다고 생각하라. 식탁은 이제 실재하며, 당신 것이다.

가시화에 집중하라. 일이라고 생각하지 말고, 저항하지도 마라. 휴식을 취하고, 가시화를 통해 즐거움을 취하라. 아무리 길게 잡아도 5분이면 충분하다. 가시화가 완전해지면 확신을 가지고 조용히 끝내라. 그것의 효과는 다음과 같다.

대단히 만족스럽고 조화로운 방식으로, 적어도 지금 내가 그리는 것보다 더 나은 것들이 나의 삶에 들어오고 있다. 그래서 나는 대단히 즐겁고, 그러한 사실에 매우 감사하고 있다.

이것이 전부다.

실제의 것들을 그려 보는 '가시화'는 하루 일과를 시작하기 전인 이른 아침이나 모두 다 마친 저녁에 가장 잘 그려진다. 일주일 동안 하루에 한두 번 정도는 행하고, 아무리 잘 된다고 해도 한 가지 목표에만 집중하라. 또한 하루에 몇 번씩 하되 10초에서 20초 동안 짧게 행해도 좋다.

이런 맥락하에서 사람들이 자주 그려 보는 것들과 그들의 삶 속에 포함시켜 가시화시킬 수 있는 것들을 열거하면 다음과 같다.

- 휴가
- 성공적인 작업 계획
- 승진
- 화를 내거나 두려워하지 않고 하루를 보내기
- 진급
- 취직 면접
- 자동차
- 빚쟁이와의 조용한 협상
- 옷
- 직장 이동
- 유리한 법적 결정

- 새로운 아이디어
- 건강의 증진
- 더 나은 집중
- 학위
- 유능한 조언자
- 수입의 증가
- 보다 큰 집
- 가시화를 이용할 수 있는 능력
- 굴러 들어온 복

끝이 없다. 당신이 갖고자 하는 것, 되고자 하는 것, 얻고자 하는 것들은 어떤 것이든 '가시화'의 대상이 된다.

'가시화'를 함으로써 당신이 얻을 수 있는 성공의 정도는 3가지 요소에 달려 있다.

첫째, 욕망이다. 이건 강해야 한다. 단순히 소원하기만 하거나, 추구하고자 하는 것이 모호해서는 안 된다. 대신 '가시화'하는 것은 그 무엇이든지 진심으로, 그리고 강렬하게 만들어내고자 하는 마음가짐이 있어야 한다. 따라서 명확하고 확고해야 한다.

둘째, 신념이다. 당신이 세운 목표는 가능하고 얻을 수 있는 것이라는 확신이 생겨나면 가시화는 보다 효과적이 된다. 불확실과 의심은 목표를 손상시킬 뿐이다.

셋째, 수용하는 것이다. 가시화하는 것은 어떤 것이든지 조금의 망설임도 없이 전부 다 당신의 삶 속에 수용해야 한다. 주저함과 모호한 태도는 진행 과정에 장애가 될 뿐이다.

가시화는 종종 완전히 예기치 않은 결과를 낳는다.

앞에서 예로 든 식탁을 다양한 방식으로 구할 수 있다. 어떤 친구가 집을 새롭게 단장하기로 결정하고 현재 자기가 쓰고 있는 식탁이 혹시 마음에 드는지 물어 올 수 있다. 또는 전혀 기대하지 않았던 임금 인상이나 보너스를 받아 식탁을 구입할 수도 있다. 또는 가구점에서의 특별 세일 가격이 당신이 세운 소비 계획상의 설정액과 동등하거나 그 이하일 수도 있다. 또는 친척이 당신의 기념일 선물로 줄 수도 있다. 또는 승진해서 다른 도시로 이사하게 되었는데, 최신 가구가 완전히 갖추어진 직원용 사택에 입주할 수도 있다.

그 시기도 예측 불가능하다. 어떤 때는 당신이 낙담하자마자 재빠르게 나타나서 상황을 반전시킬 수도 있다. 또 어떤 때는 아무런 일도 일어나지 않을 것처럼 보이다가, 당신이 잊어 버린 순간 당신의 삶 속에 '짜잔' 하고 나타날 수도 있다.

'확신하기'처럼 '가시화하기'도 처음에는 신뢰하거나 실천하기가 상당히 어렵다는 것은 분명하다. 왜냐하면 지금까지 부정적으로 조건 지워져 살아온 세월과 그 세월 속에서 형성된 왜곡된 태도와 인식의 힘이 사람들을 못하게 하고, 회의적이 되게 하고, 비관적이 되게끔 한다. '가시화하기'라는 개념이 당신에게 갈등을 불러일으키면, 최고의 치료제는 당신의 능력껏 시작하면 된다는 것이다.

조그만 것부터 출발하라. 가능하고 아주 손쉽게 믿을 수 있는 목표로부터. 그래서 자신감을 가지고 더 많은 경험을 쌓은 후 목표를 확대해 가면 된다.

Get Out of Debt

제4부

자 유

번 영

풍 요

제15장 | 상환 제1부

이 책을 처음 펼친 이래 당신은 상당한 발전을 이루어 왔다. 당신 자신과 빚과 돈이라는 3자 간의 관계에 대해 배웠다. 그에 따라서 지금 실천하고 있는 테크닉과 체득한 개념들은 '빚으로부터의 자유'라는 길을 걸어가는 당신에게서 이미 자리를 잡았다. 그런 의미에서 지금 시작하고자 하는 이 마지막 과정은 일종의 소탕 작전인 셈이다.

그렇다고 해도 쉬운 일이라고는 결코 말할 수 없다. 갈등할 수도 있다. 어쩌면 지옥처럼 느껴질지도 모르겠고, 심시어는 포기히고 싶을지도 모르겠다. 그러나 절대로 포기해서는 안 된다. 감정에 좌우되지 마라. 당신은 끝까지 견뎌낼 수 있다. 닥쳐 있는 모든 문제를 해결할 수 있을 것이고, 그 불안한 감정에서도 빠져 나올 수 있을 것이다.

당신이 지금 걸어가고 있는 길을 수천 명의 사람이 이미 지나갔다는 사실을 기억하라. 그들처럼 당신도 빚에서 벗어날 수 있고, 벗어날 것이고, 풍요와 번영 속에서 살아갈 것이다.

확실하게 약속하라

빚진 돈 모두를 갚겠다고 당신 자신과 굳게 약속하라. 당신은 돈을 빌렸고, 반드시 갚아야 할 윤리적 의무가 있다.

특정한 빚쟁이를 향한 분노의 감정이 있었다 하더라도, 그 감정은 빚과는 전적으로 독립된 별개의 문제다.

그래서 약속하는 것은 '옳은' 것일 뿐만 아니라 당신 개인적으로도 상당히 큰 가치를 얻을 수 있다. 그것은 회복을 위한 주춧돌이 되며, 동시에 어떠한 요구와 책임에 대해서도 그것을 달성할 수 있다는 당신의 능력에 대한 자긍심, 활력소, 자신감을 선언하는 것이다.

최선의 상환 계획

상환 계획은 단지 빚을 갚기 위한 계획 그 이상도 그 이하도 아니다.

상환이 당신 삶의 질을 제한해서는 안 된다는 점이 중요하다. 만약 그렇게 된다면, 이 프로그램의 중심 취지를 벗어나게 되고, 새로운 빚지기로의 퇴행이 일어날 수도 있다.

사실 이를 수용하는 것이 쉬운 일은 아니다. 빚꾸러기들이 가능한 한 빨리 모든 스트레스와 불행의 원천인 빚을 자기 자신에게서 제거하고 싶어하는 것은 충분히 이해할 만한 일이다. 그러나 경제적 회복을 위한 노력의 핵심은 '빚쟁이를 위해 사는 것이 아니다'라는 것과 '빚을 졌기 때문에 결핍과 박탈을 선고받아야 하는 것은 아니다'라는 점을 이해해야 한다. 빚쟁이들에게 진 빚은 모두 다 갚아야 하지만, 그래도 당신 자신이 1순위이고, 그 다음이 그들이라는 점을 명심하는 것이 중요하다.

이제는 소비 계획에 새로운 범주로 '부채 상환'을 추가할 때가 되었다. 이 단계에서는 단지 월 5달러가 될지라도, 당신이 상환할 수 있는 만큼만 계획하면 된다.

상환은 언제나 조금씩 시작한다. 사실 대부분의 사람들은 아무리 적게 빚졌을지라도 몇 달 동안은 전혀 상환하지 못한다. 상환을 하기 위해서는 무엇보다도 '안정화'(즉, 비용이 수입을 초과하지 않도록 확실히 하는 것)와 '합리적 소비 계획의 개발'이 절대적으로 필요하다. 합리적 소비 계획의 개발을 위해서는 상환의 시작을 고려하기 전에 문화비, 건강 관리, 의복 같은 개인적 욕구를 먼저 충분히 고려해야 한다.

"그러나 그건 불가능해! 내 빚쟁이들은 기다려 주지 않을 것이고, 월 5달러 상환은 결코 수용하지 않을 것이야."

그럴 수도 있지만, 그러나 당신이 정직하기만 하다면 그들은 수용할 것이다. 어쨌든 그들에게는 돈을 받아내는 것 외에는 대안이 없으니 말이다. 그걸 좋아하지 않아 당신을 모욕하고, 무서운 결과가 초래될 것이라며 협박할 수도 있다. 심지어는 공격적 행동을 취할 수도 있다. 그러나 설득할 수 있다. 법정에 선다 해도 그럴 수 있다. 그리고 보통은 그렇게까지 되지는 않는다. 당신이 정직하고 목적을 고수한다면, 어느 누구도 당신이 실제로 지불할 수 있는 능력 이상을 지불하도록 강제할 수는 없다.

이제 소비 계획표와 예전에 잘 간추려 두었던 '전체 빚 목록'을 꺼낸 후 편안한 의자를 찾아라. 그리고는 계산기, 종이, 연필을 손 가까이에 놓고 쉬어라. 잠시 동안.

첫째, 소비 계획표를 참고하라. 스스로의 빈곤과 박탈 없이 매달 빚을 얼마나 갚을 수 있는지를 결정하라. 그 액수를 적어라. 설명을 위해, 그 액수가 50달러라고 해 두자.

둘째, 모든 빚쟁이들에게 갚아야 할 액수를 기록하라.

셋째, 빚을 모두 더해서 전체 빚을 구하라.

넷째, 총액에서 각각의 빚쟁이가 차지하는 비중, 비율을 계산기를 사용하여 계산하라. 이건 쉽다. 공식은 C÷T=CP(빚쟁이의 몫을 총 빚으로 나눈 것이 개별 빚쟁이의 비중이다).

예를 들면, 형에게 1천 달러를 빚지고 있는데 총 빚은 7천8백 달러이다. 형에게 갚아야 할 액수(1,000달러)를 총 빚(7,800달러)으로 나누면 그 답이 총 빚에서 형의 몫 또는 비율이다.

형	총 빚	형의 몫
1,000달러 ÷	7,800달러 =	0.13 또는 13%

각각의 빚쟁이에게 이렇게 하라. 그 결과는 이렇게 될 수 있다.

전체 빚 : 7,800달러

채권자		
체이스맨해튼 은행	5,000달러÷7,800달러=	64%
마스터 카드 회사	1,200달러÷7,800달러=	15%
형	1,000달러÷7,800달러=	13%
쥬디	600달러÷7,800달러=	8%
계	7,800달러	100%

몫이 소숫점 두 자리가 넘는다면 근사치로 사사 오입하는 것이 편하다. 예컨대 0.166(또는 16.6%)은 0.17 또는 17%가 될 것이고, 0.164(또는 16.4%)는 0.16 또는 16%가 될 것이다.

이것과 다음에 나오는 계산식이 이 책 전체에서 제시되는 계산식의 전부다. 예를 살펴 보면 알 수 있듯이 실제 계산은 계산기가 할 것이다. 잘 안 된다고 해도 걱정하지 마라. 누구에게 잠깐 부탁하면 몇 분도 안 걸려 해결할 수 있다.

다섯째, 이제 각각의 빚쟁이의 백분율을 첫 단계에서 결정했던 매달 갚을 수 있는 총액과 곱하라.

설명을 위해, 앞의 예에서 제시한 명단에 대해 1단계에서 인용한 50달러가 당신이 갚을 수 있는 액수라고 하자. 형에게 매달 얼마나 갚을 수 있는지를 알고 싶다. 이를 위해 형의 몫 13%를 갚을 수 있는 액수인 50달러와 곱한다.

형의 비중   상환 가능액   형에 대한 상환금
13%   ×   50달러   =   6.50달러

전체의 빚쟁이에게 똑같은 과정을 따라하라. 구해진 액수가 빚쟁이들에게 매달 당신이 갚을 수 있는 상환액이다. 그래서 다음과 같이 구해졌다.

채권자
체이스맨해튼 은행   64%×50달러=32.00달러

마스터 카드 회사	15%×50달러=	7.50달러
형	13%×50달러=	6.50달러
쥬디	8%×50달러=	4.00달러
계	100%	50.00달러

"너무 적어. 푼돈이야. 나는 7만 5천 달러를 빚지고 있어!"

그러면 어떡할 것인가? 어떤 사람들은 더 많이 빚지고 있고, 어떤 사람들은 덜 빚지고 있다. 여기서 액수는 문제가 되지 않는다. 원칙은 모두 똑같다.

"한 달에 50달러로 7천8백 달러를 갚으려면 평생 걸려도 다 못해!"

단지 그렇게 보일 뿐이다. 상환을 시작할 때는 그 액수는 언제나 아주 적지만 시간이 지남에 따라 액수는 증가하게 된다. 그 과정은 스스로 이루어지고, 끝으로 갈수록 종종 빨라져 상황은 드라마틱하게 된다.

여기서 중요한 것은 이젠 '자신의 상황을 완전히 역전시켰다'는 것이다. 당신은 지금 빚에 빠지고 있는 것이 아니라 빚으로부터 벗어나고 있다. 그것은 정말 대단한 성공이다.

한 달에 1달러라도 상관없다

이 점은 매우 중요하기에 우리는 그걸 독립된 주제로 하려고 한다. 합리적으로 빚을 갚아 나갈 수 있는 총액이 한 달에 1달러라면, 그래도 그것으로 충분하다.

'고작 1달러밖에 갚지 못하는구나'라고 생각하며 느낄 수 있는 좌절감이나 불편함은 당신의 그릇된 자존심 때문일 수도 있고, 빚쟁이들이 당신을 어떻게 생각할 것인가에 대한 두려움 때문일 수도 있고, 또는 그들이 당신에게 행할 수도 있는 모욕이나 협박에 대한 공포심 때문일 수도 있다. 아니면 아직도 버리지 못한 예전의 낡고 왜곡된 태도나 인식에서 기인했을 수도 있다.

그러나 자존심이 상하고 공포를 느낄지라도 일관된 노선을 견지하는 것이 중요하다. 만약 당신이 화가 나거나 무서워서 실제로 갚을 수 있는 액수보다 더 많이 갚겠다고 한다면, 당신은 빚쟁이들을 위해 살게 될 것이고, 스스로 덧붙인 스트레스에 책임을 져야 할 것이고, 그래서 결국에는 다시 새로운 빚지기로 끝날 것이다.

배관공인 행크가 바로 그랬다. 그가 처음에 세운 상환 계획표에는 전체 빚 1만 1천 달러에 매달 60달러를 갚는 것으로 되어 있었다. 이를 두고 예전의 납품업자는 수용하기를 거부했으며, 전문 수금 회사에 넘겨 받아내겠다고 위협했다. 또 장인은 그에게 실망했다고 했고, 형은 그를 경멸했다. 행크는 회복을 위한 시야를 상실한 채 갈팡질팡했다. 그래서 어떤 희생을 치루더라도 자신의 신용을 지키려고 했고, 낙오자 또는 실패자라는 장인의 암시를 견딜 수 없었으며, 경멸의 시선을 보내는 형에게 분노했다.

행크에게 예전의 자아가 고개를 쳐들었고, 상황에 대한 두려움이 생겨났다. 빚을 책임질 수 있으며, 자신은 그럴 능력을 갖추고 있으며, 강하다는 것을 그들이 요구하는 방식으로 증명하고 싶었다. 그래서 매달 425달러를 갚는 것에 동의해 버렸다.

행크의 삶은 다시 압박받기 시작했고, 곧이어 박탈감과 암울한 파국이 돌아왔다. 넉 달 뒤 그는 다시 빚을 지기 시작했으며, 이번에는 이전보다 더 심각한 절망의 늪에 빠졌다.

대형 유통점의 바이어인 신시아는 이 프로그램을 시작했을 때 2만 7천 달러를 빚지고 있었다. 유복한 환경에서 성장한 그녀는 당당하다 못해 거만하기까지 했다. 처음의 상환 계획에 의하면, 월 90달러를 갚아 나갈 수 있었다. 많은 빚쟁이들 중에는 200달러를 받아야 하는 세탁소 주인도 있었다. 그의 매달 몫은 67센트였는데, 그녀는 1달러로 올려서 상환하기로 했다. 자존심이 몹시 상했으며, 정말 쉽지 않은 일이었지만 그녀는 그렇게 했다.

내게 말했다.

"그게 내 기분을 어떻게 만들었는지는 이루 다 말할 수 없어요."

"내가 그러한 창피를 견딜 수 있으리라고 생각지도 못했어요. 나는 고급 샴페인을 마시고 리무진을 타는 여자였으니까요."

한 달에 1달러로 200달러를 갚으려면 16년 이상이 걸린다. 그러나 그렇지 않았다. 신시아는 더 이상 빚지지 않았고 '흑자 전환 프로그램'을 시행하고 있었기 때문에 활용 가능한 돈을 점점 더 많이 손에 쥐게 되었다. 따라서 소비 계획과 상환 계획을 다시 조정했고, 빚 갚기를 시작한 지 18개월 만에 세탁소 주인에게 마지막 상환을 하였고, 4년 반 만에 모든 빚쟁이들의 빚을 완전히 다 갚았다.

지금 당신이 빚을 갚아 나갈 수 있는 총액이 한 달에 1달러일지라도, 지금은 그것으로 충분하다. 당신은 이미 빚지기의 순환고리를 완전히 깨뜨려 버렸다. 한 번에 한 단계씩 당신은 완전한 자유를 향하여 움직이고 있다.

그래도 원칙은 같다

이상적인 상환 계획 또는 비율적으로 균형이 잘 맞는 상환 계획의 주요한 가치는 다음과 같다.

첫째, 빚의 완전한 청산을 향해 부드럽고, 점진적이며, 그리고 조용히 전진할 수 있게끔 한다.

둘째, 모든 빚쟁이들에게 공정하다. 왜냐하면, 다른 사람들보다 더 빨리 받는 사람이 아무도 없기 때문이다.

셋째, 때때로 협상을 더 쉽게 해 준다. 왜냐하면 어떤 빚쟁이들은, 당신이 다른 사람 때문에 그들이 손해를 보는 것이 아니라는 점을 이해할 때 당신에게 보다 호의적으로 반응한다.

그러나 종종 균형을 잡는 것이 불가능한 상황에 직면하기도 한다. 어떤 빚쟁이 한 명이 미친 듯이 날뛸 수도 있고, 어떤 것은 이자율이 고통스러울 정도로 높을 수도 있고, 전기 회사가 전기를 끊으려고 할 수도 있다.

그런 경우에는 아마도 당신은 보상하기 위한 계획을 조정하려고 할 것이다. 그러나 당신이 어떻게 수정한다고 해도 다음의 두 가지는 명심해야 한다.

첫째, 어떤 경우에도 당신이 먼저이고 빚쟁이는 나중이다.

둘째, 바로 그 어느 하루부터 당신은 더 이상 빚지지 않는다.

이자는 우선 처리하라

이자는 어떻게 해야 할까? 이상적인 상태라면 당신이 매달 갚을 수 있는 상환액에는 이자와 원금이 포함되어 있어야 한다. 그러나 그렇지 않다면 어떻게 해야 하는가? 예컨대 당신이 신용 카드에 진 빚이 상당하고 그것의 이자가 매달 1백 달러, 2백 달러라면?

이러한 문제에 맞닥뜨리면 당신이 가장 먼저 취해야 하는 것은, 반드시 하지 않아도 되는 것들을 가능한 한 많이 생각해내는 것이다. 즉 예전에 세운 소비 계획표상의 여러 범주들에서 지방을 걷어내는 방법을 찾는 것이다. 아니면 더 많은 수입을 가져 올 수 있는 것들을 생각해내는 것이다. 어쩌면 '이자 지불'이라는 독립 범주를 세우고 월별 지출을 계산할 때 그것을 포함시키면 된다.

"에이, 엉터리 같은 소리는 하지도 마시오! 그들은 내게 이자만으로도 한 달에 3백 달러나 청구하고 있어. 다른 곳에서 빚지지 않으면 그 망할 목록을 아무리 많이 작성해도 이자조차 낼 수 없단 말이야!"

당신이 맞을 수 있다. 목록이 아무런 도움이 되지 않을 수도 있다. 그러나 새로운 빚을 진다면 상황을 호전시킬 수 있다고 생각하는가? 그렇지 않다. 더 나빠질 뿐이다.

기억하라.

돈을 빌려 빚을 갚을 수는 없다.

그렇다면 어떻게 해야 하는가?

첫째, 빚뿐만 아니라 원금의 상환도 함께 잊어라.

둘째, 삶의 즐거움에 공헌하는 범주들의 삭감은 생각지도 말아라(당신이 합리적이었다고 가정하면).

셋째, 소비 계획에 이자 지불에 대한 여지가 없다면, 그것들도 잊어라.

"난 죽을 거야! 그들이 날 죽여 버릴 거야!"

아니, 그들은 그렇지 않을 것이다. 당신은 다른 선택을 가지고 있고, 우리는 그걸 16장과 17장에서 논의할 것이다.

고리대금의 문제

이 주제에 관한 마지막 단어다. 비정상적인 이자, 소위 고리대금이 바로 그것이다.

다음 중의 하나에 당신이 1천 달러를 갚아야 한다고 하자. 이자 지불이라는 것이 당신에게 무엇을 시사하는지 알아보자.

> - 아버지로부터 비교적 양호한 조건으로 돈을 빌렸다. 연 5%의 이자를 지불한다. 그래서 1년 이자가 50달러다.
> - 은행은 15%이다. 이자로 1년에 150달러를 지불한다.
> - 신용 카드는 20%이다. 1년 이자가 2백 달러이다.
> - (신이 금지한)고리대금업자, 보통 2주에 5달러부터 7달러까지. 그러면 1주에 20%가 되고 1년에 이자만 10,400달러를 지불해야 한다.

이자가 지나치게 크면, 최대한 빨리 그 구체적 빚의 원금을 줄이는 방식으로 상환 계획을 조정해야 한다.

대출 갈아타기

빚을 옮기는 것은 압박감을 없애거나 높은 이자율을 완화시키는 한 방법이다. 빚진 액수는 똑같고, 단지 그걸 새로운 빚쟁이에게로 옮기는 것이다.

예를 들어 보자.

비서인 카렌은 남자 친구에게 5백 달러를 빌렸다. 그들의 관계가 끝났을 때, 남자 친구는 화가 나 속이 뒤집혀졌고, 그녀가 자기를 이용했다고 느꼈다. 그는 전액을 즉시 갚을 것을 요구했다. 편지를 써서 보내고, 자동 응답기에 메시지를 남겼다. 카렌에게는 정서적으로 받아들이기 힘든 일이었다. 그녀가 현재 회복 프로그램을 진행하고 있다는 것을 아는 친구가 5백 달러를 빌려 줘 카렌이 이전의 남자 친구에게 돈을 갚을 수 있었다. 친구는 한 달에 40달러씩 갚고자 하는 카렌의 상환 계획을 수용해 줬다.

요리사인 토니는 연 이자 19.5%의 신용 카드 빚 3천5백 달러를 갚기 위해 형에게 같은 액수를 연 이자 5%로 빌렸는데, 그것은 1년에 507달러 또는 월 42달러의 이자를 절약하는 것이다.

아이린은 집세를 넉 달 동안 총 2천4백 달러 연체해서 집주인은 강제 퇴거 조치를 취하겠다고 통보해 왔다. 그래서 사촌에게 2천4백 달러를 빌려 집주인에게 연체금을 한꺼번에 지불했고, 사촌에게는 매달 1백 달러씩 갚아 나가고 있다.

빚을 옮길 경우라도 더 이상 새로운 빚을 져서는 안 된다. 단지 현재의 악성 빚쟁이를 다른 빚쟁이로 바꿀 뿐이다. 빚은 정확히 똑같다. 지금까지 당신의 삶을 불행하게 만든 샘에게 1천 달러를 빚지고 있다면, 질에게 1천 달러를 빌려 샘에게 갚고 압박감을 떨쳐 버려라. 근본적으로 빚에는 아무런 차이가 없는데, 단지 샘 대신 이제는 질에게 빚지고 있다는 것뿐이다.

보통 이렇게 하기 위해서는 당신의 상황을 잘 이해해 주고 당신의 회복하고자 하는 노력을 신뢰하고 있는 친척이나 친구를 필요로 한다. 그리고 당연한 말이겠지만, 이전의 빚쟁이에게 갚아야 하는 것보다 더 많은 것을 새로운 빚쟁이에게 빌려서는 안 된다. 예컨대 당신이 질에게 1천2백 달러를 빌려서, 1천 달러는 샘에게 갚고 나머지 2백 달러는 현재의 지출에 맞추고자 한다면, 그것은 새로운 빚을 지는 것일 뿐만 아니라 빚의 액수가 1천 달러에서 1천 2백 달러로 늘어나게 되는 것이다.

대개는 기존의 빚쟁이를 상대하는 것이 더 낫다. 그러나 협박을 받거나 위해가 예상된다면, 예외적이지만 빚을 옮기는 것도 가능한 선택이 될 것이다.

제16장 | 상환 제2부

당신의 삶은 이제 호전되기 시작했다. 더 강해지고, 더 좋아지고 있으며, 자존심이 충족되고 있음을 느낄 것이다.
이제 빚쟁이와 협상할 시기가 되었다.

어떤 사람들은 이렇게 말하면 심리적 공황 상태에 빠질지도 모른다. 그럴 이유가 없다. 몇 차례 심호흡을 하고 편안하게 생각하라. 당신이 지금 성취한 것을 생각해 보고, 얼마나 멀리 왔는가를 가만히 더듬어 보라. 심리적 공황 상태는 자신에게 어떤 일이 일어나고 있는지는 이해하지 못하고, 단순히 늘어만 가는 빚에 대해 철저하게 무기력했던 낡은 자아와 이전의 삶에서 나온 것이다.
그때와는 딴판으로 모든 게 변했다. 지금 당장 알아보라. 자기 자신과 돈에 대한 당신의 이해 정도는 미국인의 90%보다는 훨씬 낫다. 당신은 스스로를 잘 통제하고 있다. 당신이 지금 무엇을 하고 있는지를 잘 알고 있다. 내가 무엇을 하고 있는지를 잘 안다는 것이 강함과 활력의 원천이 된다.

정직하라

정직함은 당신 자신과 당신의 빚쟁이들을 상대하는 데 필수적인 요소이다. 정직함이 없으면, 당신의 삶에서 실질적 개선은 있을 수 없다. 빚에서 벗어날 수도 없을 것이다. 빚을 없애는 데, 그리고 이 책에서 서술된 개념이나 테크닉을 교활한 속임수로 이용하려고 하면, 궁극적으로는 당신의 상황을 악화시키는 것으로 되돌아올 뿐이다.

그래서 정직함이란 당신 자신을 위한 것이다.

먼저 연락을 취하라

빚쟁이로부터 숨는 것은, 예컨대 그들의 편지를 무시하거나 그들의 전화를 피해 다니면, 손해를 자초하는 효과를 가져 온다.

다음과 같이 된다.

첫째, 항상 공포에 떨며, 새로운 사건이 생길 때마다 더 커져 간다.

둘째, 빚쟁이는 점점 더 화를 내게 되고 공격적이 되어 간다.

셋째, 스트레스는 점점 커져 가고 재정 상태는 악화되어 간다.

주도권을 잡아라. 연락을 취하라. 그들과 만나거나 전화 통화를 한다는 것은, 실제로 행동하는 것이고 좋은 믿음을 쌓는 것이다.

할 수 있다면 직접 만나라. 인간적인 만남은 언제나 빚쟁이를 다루는 가장 효과적인 방법이 된다. 그게 불가능하면 전화를 이용하라. 전화를 걸 수 없다면 편지를 써라. 어떤 방법을 쓰든지 주도권을 잡아라. 그들에게 가라. 그들이 당신을 찾아오기를 기다리지 마라.

접촉을 시작하기 전에 철저한 준비를 해야 한다. 모든 사실과 숫자를 파악하고 있어야 한다. 당신이 지금 어떤 것을 하고 있는지 잘 알아야 한다.

당신의 상황을 단도 직입적으로 설명하라. 이때 정직함을 활용해야 한다. 당신이 어느 누구도 속이려고 하지 않기 때문에, 그리고 그 어떤 것도 감추려하지 않기 때문에 당신은 비난받지 않을 것이다. 음흉한 사람 또는 교활한 사람이 될 위험성은 전혀 없다.

빚쟁이에게 당신이 이 상황에 처해진 것을 후회하고 있고, 그래서 상황을 고치려고 결정했으며, 완전히 갚을 것이라는 점을 말하라.

그리고 실제의 소비 계획과 상환 계획을 가지고 협상하라. 그것들은 실제 상황을 잘 반영하고 있다는 점을 기억하라. 당신은 갚을 수 있는 능력 이상으로는 갚을 수 없고, 그래서 그 숫자가 무엇을 의미하는지 잘 알고 있다.

꼭 하고 싶다면, 당신에게 어떤 일들이 일어났으며 이 상황을 어떻게 이해하고 있는지를 그들에게 솔직히 설명하라. 그리고 당신이 재정적 회복 프로그램을 수행하고 있다는 것을 말하라. 자구 조직의 회원이 되었음을 밝혀라. 이 책도 보여 주고, 만약 상황이 적절하다고 생각되거나 도움이 될 것 같으면 그와 소비 계획과 상환 계획을 같이 의논하라. 할 수 있는 사람도 있을 것이고 그렇지 못한 사람도 있을 것이다. 실제로 그렇게 해 본 사람들은 빚쟁이와 함께 소비 계획과 상환 계획을 의논한 것이 종종 긍정적 효과를 불러일으킨다고 말한다.

빚쟁이와 협상할 때는 그의 태도와 행동에 상관없이 항상 진지하고 침착하게 행동하라. 분위기가 진지하거나 차분하지 않아도 침착하게 행동하라. 분노나 두려움에 반응하거나 반발하면 결국 손해만이 남겨질 뿐이다.

"이건 전부 매우 좋은 말이야. 하지만 단지 내가 정직하기만 하면 그들이 전부 나를 사랑하고 이해해 줄 것이라는 말에는 동의할 수 없어."

그렇지 않다!

친구나 친척, 동료와 같이 당신이 개인적으로 빚진 빚쟁이들은 고마워하고 지지해 줄 것이다. 애초에 당신을 좋아하고 믿었기 때문에 돈을 빌려 준 사람들이다. 대부분은 안심할 것이고, 당신 스스로 긍정적 행동을 취하는 것을 보고 행복해 할 것이며, 당신이 작성한 신뢰할 만한 스케줄에 따라 그들의 돈을 돌려 받을 수 있다는 것을 알고는 기뻐할 것이다.

사립 학교 교사인 쟈넷은 2천5백 달러의 빚 때문에 가장 가까운 친구로부터 따돌림당해 왔다. 쟈넷은 간헐적으로 상환해 왔고, 결코 지킬 수 없는 약속도 해댔다. 결국 그녀의 친구는 실망했고, 더 이상 참을 수 없었다. 쟈넷은 죄의식과 방어적 분노로 친구에게 대응했고, 그들은 1년간 말도 하지 않았다. 쟈넷이 상환 계획을 짜고는 친구에게 전화했고, 점심 약속을 했다. 거기서 그녀는 자신의 상황을 설명했고, 소비 계획과 상환 계획을 보여 주었다. 비록 매달 20달러밖에는 갚을 수 없었지만, 친구는 즉각 수용했고 그녀를 껴안았다. 그들의 관계는 다시 친밀하고 만족스러운 것으로 회복되었다.

친구나 가족과의 이러한 종류의 화해는 이 프로그램을 실시하는 사람들 사이에서 공통적으로 경험되는 것들이다.

또한 어떤 사람들은 빚쟁이에게 보편적으로 받아들일 수 있는 금융 시장내 이자율 정도를 제시함으로써 자신에게는 보다 유리하게 월별 상환에 대한 그의 동의를 얻어내기도 하였다.

"그렇게 하는 것은 가족과 친구들에게는 가능할지도 모르겠다. 그러나 내 빚쟁이들은 기관이야. 그들은 철권을 가지고 일해."

맞다. 때때로 그들은 그렇게 한다. 그러면 당신은 그들의 주먹을 맞아야 하는데, 그에 관해서는 다음 장에서 논의할 것이다. 그러나 때로는 협박을 하기도 하지만, 기관이라고 언제나 철권만을 행사하는 것은 아니며, 확고한 사업에 대해서는 악수를 하고, 때로는 따뜻한 손도 내민다는 사실을 확인해 보라. 그 빈도가 높다는 것에 대해 놀라게 될지도 모른다.

편집자인 미리엄은 650달러를 빚지고 있는 메이시 사의 담당자들을 만났다. 매달 73달러를 상환하겠다고 요청하고 그들에게 상황을 설명하였다. 그들은 즉각 3개월간의 모라토리엄(지불 유예)을 허락했을 뿐만 아니라 그녀를 곤란하게 했던 것에 대해 유감을 표하는 편지를 보내 왔다.

사진 기술자인 테드는 짐벨 사에 300달러를 빚지고 있었다. 그의 월별 상환액은 25달러였다. 그들과 접촉했을 때는 3개월 동안 연체하고 있을 때였다. 그들은 어리둥절해 했으며 그들의 경험상 독특한 사람이라는 생각이 들었다고 말했다. 이전에는 어느 누구도 유감을 표하고, 갚겠다고 말하고, 자신의 문제를 설명하고, 그리고 해결책을 실행하는 데 있어 그들의 협조를 구하는 전화를 한 적이 없었다. 그들은 그가 매달 5달러를 갚겠다는 상환 계획을 받아들였다. 테드는 매달 그들이 자신의 상황을 이해할 수 있도록 전화를 했다. 짐벨 사가 사업을 폐쇄했을 때, 그 연체 계좌들은 수금 회사에 넘어갔다. 테드는 즉시 그 회사를 이끌고 있는 변호사와 접촉했는데, 그 변호사도 똑같이 그의 주도권에 놀라워했다. 그때쯤에는 테드의 불규칙한 수입도 증가하고 있어서 상환 계획을 조정했다. 변호사는 매월 10달러씩 받는 것에 동의했다. 테드는 매달 그녀와의 접촉을 유지했고, 조금씩 조정된 그의 지불액은 15달러, 20달러, 결국에는 빚을 완전히 청산했다.

기관의 빚쟁이가 협상하기를 거부하고 처음에 동의해 준 것과는 다르게 지불을 요구할 경우에도, 당신이 일관성을 유지하면 협상의 여지는 계속 남아 있게 된다. 당신이 처음에 접촉한 사람은 당신과 새 계약을 갱신할 권한이 없는 낮은 지위의 담당자였을 것이다. 계속 시도하라. 해야 한다면 꼭대기까지. 사다리를 오르고 또 올라가 그럴 수 있는 사람을 발견할 때까지, 전화하고 또 전화하라. 될 때까지 하라.

한번 그런 사람을 찾았으면, 그 사람만을 고수하라. 만약 그 기관의 다른 사람이 당신과 접촉하고자 해도 그가 당신 일에 관여하게 하지 말고, 당신과 협상했던 그 사람만을 상대하라. 그리고 그 사람과 친밀한 관계를 유지하라.

배우인 글렌은 케미컬 은행에 신용 카드 빚을 3천5백 달러 지고 있었다. 그는 모든 빚에 대한 가능 상환액을 매달 148달러로 책정하고 있었다. 그가 협상을 시도했을 때, 후임자는 더 이상의 협상은 없으며 애초의 약정대로 지불하지 않는다면 그를 법정에 세우겠다고 말했다. 글렌은 계속 시도했고, 마침내 권한이 있는 사람과 접촉했으며, 그에게 세 번에 걸쳐 자신의 상환 가능액을 확고하게 말했다. "일주일에 20달러 이상은 갚기 힘들다." 그렇게 말할 때마다 그 담당자는 받아들일 수 없다고 말했고, 주별 상환에 관한 규정도 없고, 또 한 달에 80달러를 갚겠다는 것도 받아들일 수 없다고 말했다. 문제가 곧 닥칠 것이라는 경고를 보내기도 했다.

글렌은 어쨌든 매주 20달러씩 보내기 시작했다. 담당자는 받아들일 수 없다고 했고, 심지어 협박하기도 했지만, 글렌은 계속 돈을 보냈다. 또 글렌은 담당자에게 오전 9시가 되면 전화해서 그의 삶의 재정적 측면에서 발생하고 있는 일들을 알리고, 지난주에 그가 했던 리무진 운전, 교정 작업, 오디션에 관해 이야기했다. 결국 글렌은 담당자와 마치 우정과도 같은 전화상의 관계를 이뤄냈다. 몇 달 뒤, 글렌은 상황이 호전됐을 때 지불액을 매주 30달러로 올렸다.

글렌이 그의 첫번째 상환금을 보낸 뒤 1년 반이 지났고, 그의 약속은 지금도 계속되고 있다. 글렌의 잔여 빚은 1천 9백 달러로 떨어졌으며 어떤 조처도 그에게 발생하지 않았다.

불가능한 것들이 가능하였다.

주도권을 쥐어라.

빚쟁이와 접촉하고, 상황을 설명하고, 완전히 다 갚겠다고 약속하고, 협상을 시작하라.

빚도 단순한 사업상 거래일 뿐이다

빚쟁이와 협상할 때, 당신이 어떤 감정 상태에 있는지는 상관하지 말고, 결코 열등한 지위에 있지 않다는 것을 단단히 명심하라.

간단히 말하자면, 당신은 단순한 사업상 거래의 양쪽 당사자 중 한 명이다. 둘 다 똑같은 것을 원하고 있다. 당신은 돈을 갚고자 한다. 논의되는 것은 빚의 상환에 관한 최선의 방법이다. 그래서 당신은 할 수 있는 것과 할 수 없는 것이 무엇인지 분명히 알아야 하고, 그와 같은 내용을 빚쟁이에게 분명히 전달하는 것이다.

모라토리엄과 지불 기간 조정을 활용하라

당신이 왜 모라토리엄(상환에 대한 일시적 유예)을 필요로 하는지, 그리고 그 이유가 무엇 때문인지를 분명히 설명할 수 있으면, 기관에 따라서는 3~6개월 정도의 모라토리엄이 허용되기도 한다. 다만 보통 모라토리엄은 원금에 대해서만 허용되므로, 이자나 금융비용은 계속 내야 한다. 예를 들어 당신이 월별 상환액을 1백 달러로 책정했고, 그것이 원금 상환금 90달러와 이자 10달러로 구성되어 있다면, 모라토리엄 기간중에는 10달러의 이자만 지불하게 된다.

그렇다면 빚쟁이는 왜 모라토리엄을 기꺼이 수용하게 되는가? 자신들에게 이익이 되기 때문이다. 그들은 채무 불이행을 보고 싶지 않다. 빌려 준 돈을 받기를 원한다. 똑같은 이유로, 대출 기간을 1년에서 2년으로, 즉 12개월 분할 상환에서 24개월 분할 상환으로 기꺼이 재조정해 준다. 기간이 재조정되면 당신의 상환액은 한 달에 180달러에서 96달러로 줄어든다. 매월 상환액을 84달러 줄인 것이 앞으로의 소비 계획의 균형 잡기에 중요한 기여를 하게 될 것이다.

분할 상환을 하는 데에는 12개월보다 24개월의 분할 상환이 훨씬 많은 이자를 낸다. 한 은행으로부터 2천 달러를 1년 동안 매일 분할 상환하기로 하고 빌렸을 때 연 15%의 이자 총액은 166달러이다. 2년이라면 모두 327달러의 이자를 내게 된다. 당신이 2년을 선택한다면 이자로 161달러를 더 내게 된다. 그러나 여기서 중요한 것은, 당신은 분할 상환의 원금에서 매월 84달러, 1년에 1,008달러의 지출을 줄였다는 것이다. 이러한 절약은 이 프로그램의 안정화 단계에서 매우 중요하다.

여기서도 새삼 강조하는 요점은, 바로 그 어느 하루부터 더 이상 새로운 빚은 얻지 않는다는 것이다.

숫자는 단순하게 생각하라

방금 전의 주제에서 숫자가 언급되었지만, 이 책의 어디서도 숫자 때문에 혼란스러워하거나 골치 아파하지 마라. '흑자 전환 프로그램'을 시행하는 데는 복잡한 공식을 필요로 하지 않는다. 어떠한 상황에서든 당신이 정말로 알 필요가 있는 것은 장부에서 맨 아랫줄을 긋는 것, 즉 최종 결산액이 얼마인가 하는 것이다. 즉 수입은 얼마만큼이고 지출은 어느 정도인지, 지출에서 원금의 상환과 이자는 각각 얼마인지를 알면 충분하다.

그래도 혼란스럽거나 잘 모르겠으면 숫자에 능한 친구에게 물어보든지, 회계사와 상담하라.

동의서나 서류에 서명하도록 요청받으면, 그것이 현금으로는 얼마를 뜻하는지를 이해할 필요가 있는데, 잘 모르겠으면 자격이 있는 친구나 회계사 또는 변호사와 상담하라.

병합 대출과 공동 빚 관리의 함정을 직시하라

병합한다는 것은 분리되어 있는 요소들을 하나의 시스템 또는 체제로 통합하는 것을 의미한다. 병합 대출이란 당신이 여러 명의 빚쟁이에게 갚아야 할 총액과 같은 액수로 단일 대출을 받는 것을 말한다. 예를 들어 당신이 다섯 명의 빚쟁이에게 총 1만 달러를 갚아야 한다고 하자. 당신은 은행에 그 액수만큼의 병합 대출을 신청한다. 대출이 승인되면 은행은 당신의 모든 빚쟁이들에게 당신의 빚을 완전히 갚아 줄 것이다. 대신 당신에게는 1만 달러를 갚아야 하는 단 하나의 빚쟁이인 은행만이 남게 된다.

언뜻 보기에 일을 단순하게 하는 훌륭한 방법처럼 보인다. 그러나 기만적인 것일 수 있다. 은행은 종종 빚 문제가 있는 대부분의 사람들이 감당할 수 있는 액수 이상으로 월별 상환을 요구하게 되고, 그렇게 되면 곧바로 새로운 빚지기로 돌아가게 된다. 일반적으로는 병합을 피하는 것이 최선의 방법이지만, 당신이 그것을 고려하고 있다면 매우 조심스럽게 실제로 매달 얼마나 갚을 수 있는지에 대한 분명한 밑그림을 그린 후에 그렇게 해야 한다.

공동 빚 관리(pooling debting)는 이론상으로는 상업적 대행사가 당신의 대리인으로 활동하여 빚쟁이와 협상한다. 공동 빚 관리 회사에 매달의 수입 중 일정 비율을 기재한 수표를 보낸다. 그러면 공동 빚 관리 회사에서는 그것을 여러 장으로 나누어 빚쟁이들에게 지급한다. 일견 그럴 듯하게 보인다고 '상업적 대행사를 이용해 볼까' 하는 생각은 절대로 갖지 마라.

대다수의 대행사들이 제공하는 '공동 빚 관리 서비스'라는 것들은 한두 번만 제공될 뿐이고, 결국에는 떼어먹히게 된다. 그들에게 지불할 비용이 전체 빚의 35%까지 뛰어오를 수도 있다. 또 대행사가 돈을 받아 챙겨 착복만 하고 당신의 빚쟁이들에게는 한푼도 갚지 않을 수도 있다. 이러한 '공동 빚 관리'는 미국의 몇몇 주에서는 불법이지만 대다수의 주에서는 여전히 행해지고 있다.

이러한 상업적 대행사와는 달리 미국에는 2개의 합법적인 비영리 기관으로서의 '공동 빚관리 조직'이 활동하고 있다. 참고로 연락처를 소개한다.

The National Foundation For Consumer Credit

8701 Georgia Avenue, Suite 507
Silver Spring, Maryland 20910
Tel: 1-800-388-2227

The Family Service Association of America
333 Seventh Avenue, 3rd floor
New York, New York 10001
Tel: (212) 967-2740

이들 두 조직은 전국적으로 많은 제휴 기관을 갖고 있다. 위의 주소는 중앙 사무국의 주소이다. 미국인들이 전화를 걸거나 편지를 하면 거주지에서 가장 가까운 기관을 말해 준다. 이 기관들에서 조언을 구한 사람들은 믿을 만한 기관이라는 생각을 가지고 있다.

접촉 일지를 써라

빚쟁이와 가진 일체의 접촉 상황을 일지로 작성하라. 이전에 무엇을 논의했는지를 정확히 안다는 것은 미래의 혼란과 불확실성을 최소화시키는 하나의 방편이다. 접촉 일지는 빚쟁이가 당신에게 법적 행위를 제기할 경우 강력한 자료가 된다.

일지는 두 부분으로 나누어 작성한다. 첫째 부분에는 대면적으로 만났을 때와 전화로 접촉했을 때의 대화 내용을 기록한다. 둘째 부분에는 주고받은 모든 편지를 복사해 둔다.

대면적인 만남과 전화 통화시의 대화 내용을 기록하기 위해서는 커다란 공책을 사용하는 것이 좋다. 빚쟁이의 이름을 쓰고 그 밑에 만나거나 전화한 날짜를 기입한다. 기관의 담당자라면 이름뿐만 아니라 직책도 기입한다. 그리고 전체 대화 내용을 포괄하는 한두 개의 문장과, 당신이 접촉한 사람의 태도를 특징 짓는 형용사를 적어 두는 것이 좋다. 합의에 도달했다면 정확한 세부 사항을 확실히 기입하고, 합의된 세부 사항을 확정 짓는 편지를 보낸다. 편지 보내는 것을 미뤄서는 안 된다. 만난 날 오후 또는 다음날 아침에 보낸다. 이렇게 하는 것이 서로 간에 생길 수 있는 오해의 여지를 제거시킨다.

일지의 두 번째 부분인 편지 파일에는 각각의 빚쟁이별로 독립된 파일 폴더를 만들어 두는 것이 좋다. 당신이 빚쟁이들에게 보내는 모든 편지는 각각 복사해서 해당 파일에 보관한다. 빚쟁이들로부터 받은 모든 편지나 문서도 마찬가지로 해당 파일에 보관한다. 편지를 찾아보기 쉽게 하려면 날짜별로 보관하는 것이 좋다.

빚이 줄고 있다는 것을 기록하라

빚이 줄고 있다는 것을 기록하는 것은 단지 기분이 좋다는 것 이상의 의미를 지니고 있다. 왜냐하면, 매달 빚으로부터 벗어나 완전한 자유를 향하고 있는 점진적이고도 멈추지 않는 행진을 보여 주는 것이기 때문이고, 자존심의 회복과 즐거움의 원천이 되기 때문이다.

시작해 보자.

첫째, 낱장의 바인더를 구한다.

둘째, 첫 페이지는 비워 둔다.

셋째, 각각의 빚을 독립된 페이지에 기록하되 날짜, 빚쟁이 이름, 그리고 빚의 액수를 적는다.

넷째, 액수가 얼마이든 상관없이, 매달의 상환액을 보내는 즉시 상환한 액수와 날짜를 기입한다.

다섯째, 현재 잔액에서 상환액을 빼고 새로운 잔액을 기입한다.

나의 상환 기록 중 한 페이지를 소개한다.

보브   1988년 9월 14일

날짜	상환액	잔액
		500달러
10-01-88	5	495.00
11-01-88	5	490.00
12-03-88	5.16	484.84
01-02-89	5.64	479.20
02-03-89	6.12	473.08
03-04-89	6.12	466.96

상환은 이런 방식으로 89년과 90년까지 계속되었다. 그런데 중간에 수입이 증가되어 상환 계획을 조정하게 되었다. 완전한 빚 청산이 있기까지 마지막 3개월의 상환 내용을 이어 적는다.

07-01-90	35.70	91.60
08-01-90	41.60	50.00
09-01-90	50.00	(완전 상환)

빚의 청산을 즐겨라

빚이 줄고 있다는 것이 즐거움을 주는 것이라면 빚을 청산한 기

록은 기쁨을 가져다 준다.

바인더 첫 페이지의 (비워 두었던 줄)에 '청산 기록'이라고 적는다. 어떤 빚에 대해서든 최종적으로 청산했다면 그 빚이 아무리 작거나 무의미하게 보일지라도 그걸 기록한다. 이전에 진 빚에 대해 빚쟁이의 이름, 빚의 최초의 액수, 갚은 날을 기입하라. 예를 들어 보자.

채권자	총 액	청산 날짜
아메리칸익스프레스 카드	1,265달러	1989. 7. 10
시티 은행 – 비자 카드	1,493달러	1990. 6. 1
보브	1,500달러	1990. 9. 1

매달의 감소 기록에 가장 최근의 상환액을 기록하기 바로 전에 이 페이지를 반드시 보라. 빚으로부터 벗어나 완전한 자유를 향한 길을 가고 있다는 완벽한 증거가 거기 쓰여져 있다.

제17장 | 공포스런 장벽들

고대 지도에는 잘 모르는 지역에 '괴물이 있는 곳'이라는 표시가 있고, 바다뱀이나 무서운 생명체가 그려져 있다. 오늘날 많은 사람들의 마음 속 영역 중에는 채권 수금 회사, 법원의 판결, 신용 불량 기록 등과 같은 것들이 두려움의 실체로 표시되어 자리잡고 있다. 옛날의 환상 속 괴물들과는 달리 이것들은 실제로 존재하는 것들이다. 그러나 그것들도 당신이 그렇게 생각할 때에만 괴물인 것이다.

잠시 지금까지 당신이 배운 모든 것, 당신이 가진 명료함, 당신이 돈과 삶에 대해 행한 통제력, 당신이 획득한 힘을 생각해 보라. 당신은 이 책을 시작할 때와는 다르게 변했다.

괴물은 없다. 다룰 수 있고 해결할 수 있는 '문제'가 있을 뿐이다.

고객 계좌 담당 부서

금융 기관이나 유통 회사에는 고객의 빚을 처리하는 전담 부서가 있다. 당신이 매월 청구액을 지불할 수 없다면, 당신은 조정을 필요로 할 것이다. 그래서 첫 단계로 고객 채권 전담 부서의 담당자와 접촉하는 것이다. 만약 은행에서 대출받았다면 지불 유예(모라토리엄)나 재조정(리스트럭쳐링)이 필요할 것이다.

맨 먼저 대출받았을 때 처음 접촉했던 담당자와 그것을 논의하기 위한 약속을 끌어내어라. 만약 빚이 백화점과 같은 신용 구매의 형태라면 고객 채권 담당 부서와 접촉하라. 지금까지 요약한 가이드 라인에 따라, 어떤 빚쟁이에게든 당신이 현재 처한 문제를 제시하라.

빚쟁이들 중에서 많은 사람들은 기꺼이 당신에게 동의할 것이다. 왜냐하면 그렇게 하는 것이 당신의 계좌를 수금 회사에 넘기는 것이나 당신을 법정에 소환하는 것보다 더 쉽고 더 많은 이익이 남기 때문이다. 그러나 어떤 사람들은 거절할 것이다. 이러한 사례에 직면할 경우에도 그들이 요구하는 계획보다는 당신이 작성한 상환 계획에 따라 갚는 것이 여전히 가능하다.

많은 사람들이 그렇게 해 왔다.

니콜은 로드앤테일러 사에 6백 달러를 빚지고 있었는데, 그녀가 작성한 모든 빚에 대한 매월의 상환금은 130달러밖에 되지 않았다. 그녀는 로드앤테일러 사의 빚을 인정했고, 그걸 갚겠다고 약속했고, 자신의 상황을 설명했고, 그들에게 한 달에 40달러를 상환하겠다고 했다. 그들은 니콜의 제안을 거부했다. 그렇지만 니콜은 어쨌든 자신의 계획을 진행시킬 수밖에 없었다. 글렌이 케미컬 은행에 대해 했던 것처럼, 자신의 계획에 따라 상환액을 우송했다. 담당사는 계속 니콜에 대해 이러한 것들을 받아들일 수 없다고 했지만, 그녀는 계속 상환해 나갔다. 결국 그녀의 상환은 수용됐고, 어떤 조처도 그녀에게 취해지지 않았다.

당신이 이러한 과정을 밟아 나갈 것이라면 다음 사항은 반드시 명심하라.

첫째, 갚아야 할 원금의 액수에 상관없이, 매달 완전한 금융 비용(이자)은 확실히 지불해야 한다. 만약 금융 비용을 지불하지 않으면 현재의 잔액에 더해질 것이고, 그건 실제로는 새로운 빚을 지게 되는 것이다. 또 그것이 빌미가 되어 빚쟁이가 어떤 조치를 취할 수도 있다.

둘째, 믿을 수 있는 사람이라는 것을 보여 주어라. 그러려면 당신이 말한 액수를 빚쟁이에게 보내라. 그리고 그걸 제 때에 보내라.

셋째, 빚쟁이와 규칙적인 접촉을 유지하라. 그들이 당신의 상황을 알고 있게끔 하고, 완전히 갚겠다는 당신의 약속을 알게 하라.

빚쟁이는 이러한 일방적 약속을 받아들일 의무가 없지만 많은 사람들이 그렇게 한다. 그들이 그렇지 않을 때 일어나는 일은 다음 주제에서 얘기할 것이고, 다음 장에서도 계속 논의될 것이다.

수금 회사
수금 회사의 유일한 역할은 청구서를 결제 못한 사람들이나 빚을 갚지 못한 사람들로부터 돈을 받아내는 것이다. 어떤 빚쟁이든 채권의 회수를 수금 회사에 의뢰할 수 있다.

그러나 대부분의 빚쟁이는 수금 회사에 의뢰하기보다는 그들 스스로 당신과 그 상황을 해결하는 것을 선호한다.

왜? 수금 회사를 이용한다면, 돈을 손해 보기 때문이다.

미국에서는 하나의 채권 계좌가 수금 회사에 가는 순간, 그 계좌는 요구할 수 있는 이자율에 상한을 두고 있는 주 고리대금법의 보호 하에 놓이게 된다. 이자율의 상한선은 주별로 다르지만, 보통 9-10%인데 이 이자율은 빚쟁이가 당신에게 받을 수 있는 19~21%보다 적다. 이런 사실을 이해하는 것이 중요한데, 오늘날 대부분의 유통점, 신용 카드 회사들은 단순한 유통점이 아니라 대부 사업도 하기 때문이다. 그들의 많은 이윤의 창출은 대부분 할부 계좌의 금융 비용에서 나온다.

더구나 채권 수금 회사는 그 수수료로 자신들이 받은 채권액 중 18%에서 50%를 챙긴다. 그래서 빚쟁이는 이자가 잘릴 뿐만 아니라 달러 당 18센트에서 50센트를 손해 보는 셈이 된다.

그러나 최선을 다한 노력에도 불구하고 고집스럽게도 당신의 채권 계좌가 수금 회사에 넘어갔다고 가정해 보자.

수금 회사는 거칠게 나올 수 있는데, 그건 놀라운 일이 아니다. 그들이 처리하는 일들은 매우 힘든 것인데 심각한 재정적 문제가 있거나, 빚쟁이를 무시하거나, 속이거나 또는 빚을 떼어먹으려는 사람들과 접촉해서 일을 처리하는 것이기 때문이다.

그래도 당신은 스스로 작성한 지침에 따라 다른 빚쟁이들을 다루는 것처럼 수금 회사도 다뤄라. 그러나 쌍수를 들고 환영받을 것을 기대하지는 마라. 그들은 지금껏 모든 변명, 약속, 사기를 들어 왔다. 당신을 그들이 다뤄 왔던 사람들과 다르다고 생각할 아무런 이유가 없다.

그러나 당신은 다르다. 그리고 그걸 그들에게 심어 주는 것은 당신의 일이다. 끈실길 수밖에 없다.

진은 타자수로 일하는 젊은 여성이다. 그녀가 진 빚들 중에서 블루밍데일 사에 진 빚 1천 달러와 로드앤테일러 사에 빚진 450달러가 수금 회사의 수중에 있었다. 그녀의 상환 계획에 따르면 블루밍데일 사에는 한달에 25달러, 로드앤테일러 사에는 한 달에 17달러가 책정되었다. 수금 회사는 블루밍데일 사의 빚에 대해서는 한달에 75달러를, 로드앤테일러 사에 대해서는 곧바로 225달러를 갚고 두 달 내에 잔액 전부를 상환할 것을 요구했다. 결국 그들은 그녀를 법정에 소환했는데, 법원에서는 수금 회사의 담당자에게 진과 협상하여 합의하라고 주문했다. 수금 회사에서 법원의 주문을 수용하지 않으면 다시 법정에 출두해야 했다. 수금 회사는 진과의 협상을 거부했다. 법정에서 다시 만났을 때 수금 회사의 변호사는 블루밍데일 사에 대해서는 50달러, 로드앤테일러 사에 대해서는 30달러를 매달 상환하겠다면 받아들이겠다고 했다. 법원은 다시 노력할 것을 지시했고, 협상을 할 충분한 시간을 주었다. 이번에는 진은 담당자와 협상하는 대신 수금 회사의 사장에게 편지를 써서 자신의 상황을 정확하고 자세히 설명하고는 처음에 제시했던 25달러와 17달러를 각각 보냈다. 그리고 자신의 상환 계획을 수용해 주도록 요청했다. 그들은 더 이상의 법적 행동을 취하지 않았다.

당신은 수금 회사가 이전에는 결코 경험해 보지 못한 사람이라는 점을 명심하라. 당신은 협상의 주도권을 쥐고 있으며, 정확한 숫자와 사실로 무장하고 있으며, 무슨 일을 어떤 순서로 처리해야 하는지를 정확히 알고 있다. 당신은 정직함과 신뢰로 그들과 접촉하고 협상하고 있으며, 갚아야 할 돈을 어떻게 하면 빨리 갚을 수 있는지 노력하고 있다. 그게 당신을 그들의 경험에서는 드문 사람으로 만들고 있다.

당신은 합의를 이끌어 낼 수도 있고 그렇게 하지 못할 수도 있다. 합의가 이뤄지지 않으면 당신만의 일방적인 상환 계획이기는 하지만, 어쨌든 일방적인 상환 계획을 시작해서 당신이 보내겠다고 말한 액수의 상환금을 매달 보낼 수도 있다. 때때로 성공적인 방법이 되는데, 그들은 당신에게 일체의 법적 행동도 취하지 않기 때문이다.

미국에서 수금 회사는 청산법(clear lows)에 의해 지배를 받는다. 대부분은 법을 잘 준수하지만 그렇지 않은 회사도 있다. 법적으로 수금원은 채무자를 괴롭히고, 협박하고, 학대하는 것이 금지되어 있다. 또 검찰, 사립 탐정, 또는 신용 회사를 대표한다는 암시조차도 할 수 없다. 또 채무자의 승낙이 없이는 오전 8시 이전이나 오후 9시 이후에는 전화할 수 없다. 또 채무자의 행방에 관한 사항 외에는 채무자 주위의 다른 사람들과 접촉할 수도 없다. 만약 채무자가 수금 회사 담당자에게 서신으로 접촉하기를 요구하면 채권자와의 접촉은 그만두어야 한다. 오직 수금 회사 또는 채권자(개인 또는 기관)가 채무자에게 법적 조처를 취한다고 알려 줄 경우에만 직접적인 접촉이 가능하다.

미국에서는, 드문 경우이기는 하지만 사악한 수금 회사에 걸린다면, 즉시 주 검찰청과 지방 소비자 보호국에 신고하고 연방 정부에 불만을 접수시기라고 권고하고 있다.

국세청

내야 할 시기가 지난 세금에 대해서는 연체 벌금과 이자를 내야 한다. 그러나 선택의 여지가 있다. 국세청은 비합리적이지도 않고 이해를 못하는 기관도 아니다. 다른 빚쟁이에게 하듯이 정직함과 당신의 상황에 대한 완벽한 기록을 가지고 그들과 접촉하라. 그들은 엄격하고 단호하지만, 대부분의 경우에는 함께 살 수 있는 지불 계획을 협상할 수 있다.

대부분의 주 또는 지방 세무 당국에도 똑같이 해당된다.

법정 출두

당신이 이 프로그램대로 실시한다면, 당신이 법정에 서게 되는 일은 거의 없을 것이다. 그러나 때로는 최선의 노력에도 불구하고 그런 일이 발생하기도 한다. 미국에서는 각 주마다 서로 다른 법을 가지고 있고 신용 계약이 다르기 때문에, 포괄적으로 적용될 수 있는 모형을 세우기란 불가능하다. 그러나 법정에 출두해야 할 때를 염두에 두고 따라야 할 일반적인 모형을 만들 수는 있겠다. 더 이상 새로운 빚을 지지 않으려는 약속에 부합하는 합의를 이끌어내려는 노력이 실패해, 빚쟁이가 당신을 고소했다고 가정하자. 빚쟁이는 당신에게 소환장을 송달했고, 그래서 당신은 법원에 출두할 것을 요구받았다. 그때 법정에 출두하지 않는다면 법원은 당신에 대한 판결을 할 것이다. 이 판결은 봉급 압류의 길을 열 것이고, 당신의 고용주에게 빚을 갚기 전까지는 봉급의 일부에 대한 지불을 보류할 것을 지시하는 법원의 명령일 것이다(미국에서는 법에 의해 총액의 10%까지로 제한하고 있다).

때로는 소환장을 받지 못하여 빚쟁이가 고소했다는 사실을 전혀 알지도 못했는데, 법원으로부터 판결에 관한 통고문을 받게 되면 상당한 충격을 받을 것이다. 소위 '하수구 송달(sewer service)'에 의한 결과이다. 보통 소송 집배원이 빚쟁이에게 소환장을 송달하였다고는 하지만, 실제로는 마치 하수구에 쓰레기 더미를 밀어 넣듯이 함부로 던져 버렸을 경우 발생하는 것이다. 미국의 여러 주에서는 이런 식의 소환장 송달 방법이 우편 송달보다 비용이 적게 든다고 한다. 이것은 불법적인 처리 방법이다.

만약 이러한 일이 발생하면, 즉시 주 검찰청에 불만을 접수시키고, 판결이 이루어진 법원으로 즉시 가라. 법원 사무국에 법원 출두에 대한 송달문을 받지 못했기 때문에 판결을 보류시키는 행동을 취하고 싶다고 말하라. 판결은 보류될 것이다. 결국 당신은 적절하게 송달을 받을 것이다.

송달문을 받으면, 소환장이 발부된 날짜는 상관없이 소환장을 받은 날부터 당신의 반론을 듣기까지 약 한 달의 기간이 주어질 것이다. 반론을 위해서는 법원 사무국에 가야 한다. 사무국에 가서는 담당자에게 심리를 원한다고 말하라. 채권자에게 동의하기를 요구하는 의사 표현에는 일체 응하지 마라. 계속 심리를 요구하라.

법원에 심리 날짜를 요구하라.

많은 사람들이 법원에서 위협을 느끼지만 그럴 이유가 없다. 법원은 문초하는 곳이 아니다. 당신을 벌주거나 권리를 박탈하는 곳이 아니다. 빚쟁이의 요구를 승인한다는 도장을 찍어 주는 곳이 아니다. 법원은 당신과 당신의 빚쟁이 양쪽 모두에게 공정한 청문회를 제공하는 것이다. 그리고 당신이 이 프로그램을 실시하고 있다면, 그건 당신에게 커다란 이점이 된다.

많은 빚꾸러기들은 법원에서 청문 심리를 요구하지 않는다. 청문 심리를 요구하지 않는 대부분의 사람들은 자신의 돈과 빚에 대해 전혀 알지 못하며, 현재의 상황에 감정적으로 매우 격해져 있거나, 또는 다가올 파국에 대한 공포 때문에 얼어 있다.

당신은 이들과는 다르다.

법원에 갈 때, 다음의 방법대로 하라.

첫번째, 미리 잘 준비하라.

두 번째, 수입과 자산을 문서화하라.

세번째, 돈이 지출되는 것을 나타내는 '월별 지출 계획'을 작성하여 문서화하라.

네 번째, 전체 빚의 구조가 어떻게 되어 있나를 문서화하라.

다섯 번째, 상환 계획표를 가져 가라.

여섯 번째, 모든 대면 접촉 기록, 전화 접촉 기록, 빚쟁이와 주고받은 편지 등을 담고 있는 접촉 일지를 가져 가라.

일곱 번째, 빚을 인정하라.

여덟 번째, 완전히 다 갚겠다고 약속하라.

아홉 번째, 당신이 재정적 회복 과정에 있다는 것과 새로운 빚을 지지 않으려고 한다는 점을 설명하라.

열 번째, 상황에 따르되 마음이 내키면 자구 조직의 회원임을 밝혀라.

청문 심리에 이런 식으로 접근하는 경우, 법원이 바라는 것이 그 속에 있다. 예컨대 자신의 빚을 완전히 인정하고, 그걸 완전히 갚겠다고 약속하는 한 사람이 있다. 그는 자신의 빚쟁이를 피하려고 하는 것이 아닐 뿐만 아니라 그 자신이 접촉을 주도했다는 구체적인 증거를 제시하고 있다. 그리고 그는 합리적인 상환 계획을 협상하려고 반복적으로 시도했다. 더구나 자신의 수입과 비용에 대한 자세한 진술서, 총 빚에 대한 진술서, 그리고 그가 매달 갚을 수 있는 액수를 정확히 나타낸 서류를 가져 왔다. 법원은 회복하려고 몰입하면서 새로운 빚을 지지 않으려고 결정한 사람을 보고 있다.

이것은 당신을 지금껏 법원이 경험한 평균적인 빚꾸러기와는 다르게 보이도록 한다. 당신의 빚쟁이는 이를 잘 알고 있기 때문에 종종 사건이 판사 앞에 가기 직전에 항복할 것이다.

컴퓨터 프로그래머인 스탠은 체이스맨해튼 은행에 3천 1백 달러의 신용 카드 빚을 지고 있었다. 몇 달 동안 협상하려고 시도했다. 상환 계획상으로는 한달에 85달러를 지불할 수 있었다. 그들은 140달러를 주장했지만 그는 85달러를 보내기 시작했다. 그들은 그의 상환금을 받았으나 그의 계획을 수용하는 것은 거부했다. 결국 그들은 그를 제소했다. 스탠은 법원에 출두해서 그의 모든 서류가 들어 있는 서류 가방을 옆에 놓고 조용히 앉아 기다렸다. 법원의 서기가 그와 은행의 변호사에게 다음 번에 그들을 호출해서 사건을 심리할 것이라고 알려 줬다.

변호사는 스탠을 잠시 동안 바라보더니 말했다.

"좋아요, 우리는 당신이 제시한 85달러를 받아들이겠소."

그들은 문서로 된 합의서에 서명했고, 서기에게 합의에 도달했다고 알려 줬다. 사건은 심리되지 않았다.

사건이 판사에게 가게 될 때, 당신이 조심스럽게 위에서 제시한 일련의 지침을 잘 따랐다면, 자주 일어나는 일은 채권자가 당신의 상환 스케줄을 수용해야 한다고 판사가 결정하는 것이다. 그렇다면 어째서 이런 일이 일어나는가? 그것은 법원이 자의적이지도 비합리적이지도 않기 때문이다. 법원은 당신이 자신의 주장을 뒷받침하는 실질적인 증거들을 제시했기 때문에 당신의 약속을 믿었던 것이고, 그래서 당신은 이미 갚겠다고 제시한 것보다 더 갚을 필요가 없는 것이다.

물리 치료사인 사이는 시티 은행에 1천6백 달러의 신용 카드 빚을 지고 있었는데, 매달 60달러의 상환을 요구받았다. 1천6백 달러는 사이의 총 빚 중 7%였다. 그는 모든 빚에 대해 매달 총 250달러를 상환하고자 했다. 시티 은행의 몫은 17달러였고, 그게 상환 가능 액수였다. 그들은 사이를 법원에 제소했다. 판사는 사이가 제시한 증거, 편지 파일, 접촉 일지를 검토하고, 시티 은행은 사이로부터 매달 17달러를 수용할 것을 판결했다. 판사는 은행의 변호사를 비난했다.

"무엇 때문에 법원의 소중한 시간을 낭비하게 하는가?"

"이 사람은 당신에게 가능한 것을 솔직하게 보여 주었고 그가 할 수 있는 최고의 상환 방법을 제시했다."

우리가 앞서 인용했던 타자수인 진 또한 시티 은행에 신용 카드 빚이 2천5백 달러 있었고, 한 달에 103달러를 상환해야 했다. 그때 진은 막 이 프로그램을 시작했었다. 그녀는 가능한 액수를 결정하기 위한 3개월간의 지불 유예(모라토리엄)를 요구했다. 시티 은행은 거부했고 그녀를 제소했다. 그녀는 법원에 서류 일체를 가져 갔고, 자신의 상황을 설명했다. 판사는 모라토리엄을 허락했다. 모라토리엄이 끝날 때쯤 진은 은행에 자신의 소비 계획 및 상환 계획과 함께 부채 상황에 관한 파일을 제출했다. 그녀가 은행에 지불할 수 있는 액수는 한 달에 50달러였는데, 은행은 그녀를 다시 법원에 제소했고, 판사는 은행이 그녀의 상환 계획을 수용해야만 한다고 판결했다.

당신이 처한 일체의 상황을 보여 주고, 이러한 종류의 일을 경험하고, 당신의 목적을 관철한다는 것은 결코 쉬운 일이 아니다. 당신의 적극적인 노력과 힘, 그리고 결정을 요구한다. 그러나 그렇게 하는 것은 당신에게 매우 많은 이익이 되고, 회복과 자신감과 자존심의 성장에 중요한 단계가 될 수 있다.

당신이 당신 자신과 빚쟁이에게 솔직하지 않는다면, 긍정적 결과를 기대하지도 바랄 수도 없다. 예를 들면, 당신이 1만 9천 달러짜리 차를 몰고, 한 달에 2천 달러의 임대료를 내는 펜트하우스에 살고, 레저 비용으로 한 달에 500달러를 쓴다면, 한 달에 50달러만 갚을 수 있다는 당신의 주장을 법원이 지지할 것이라고 기대하는 것은 비합리적이다. 법원은 그렇게 하지는 않는다. 그렇게 할 수도 없다. 정직과 공정성만이 법원에서 성공적인 결과를 성취하는 데 중요하다.

나는 반드시 법원에서의 성공을 확언하지 않는다. 단지 아직 이 프로그램을 실시하고 있는 사람이 그들의 수입을 넘어서는 상환을 하라고 법원에서 명령을 받았다거나, 봉급을 압류당했다는 사람을 본 적이 없다는 사실만을 밝힌다.

신용 등급

많은 사람들에게 있어 불량 신용 등급은 끔찍한 것으로 간주된다. 현대 사회에서 신용 등급은 거의 종교적 숭배의 대상이 되었다. 그 힘은 이루 말할 수 없이 크고 강하며 우리에게 두려움을 안겨 주는 대상이다. 우량 신용 등급을 갖고 있으면 우리는 안전하고, 세상의 모든 것은 잘 되고 있다. 불량 신용 등급이라는 충격을 받는다면, 우리는 포기하게 되고, 내던져진 존재가 된 것이고, 혼돈 속에 빠뜨려진 것이고, 적대적인 황무지를 헤매도록 저주받은 것과 같다.

그러나 개인 신용 등급에는 그러한 것들이 부과되어 있지 않다. 대신 상업적 신용 조사 회사에 의해 유지되는 전산화된 기록의 출력물인 개인의 신용 상태에 대한 보고서가 있을 뿐이다. 오직 상업적 신용 대출을 이용한 적이 있는 모든 개인들에게만 이 기록이 보존되어 있다. 신용 정보 기록에는 조사 기관이 수집한 정보들이 담겨 있는데, 그 정보는 은행과 기타 대출 기관, 그리고 공적 기록 등등이 담겨져 있다. 개인들이 신용 카드를 포함해서 대출 기관에 상업적 신용 대출을 신청할 때마다, 장래의 대출자들은 그 사람의 신용 보고서를 얻을 것이다. 이 보고서에는 계좌의 취소, 연체, 수금 회사에 의한 행위, 그리고 당신에 대한 법원의 소송 등을 포함한 당신의 대출과 상환 유형에 대한 자세한 역사가 담겨질 것이다. 심지어는 당신이 할부로 납부할 경우 30일, 60일, 또는 90일 중 어떤 것을 선호하는지에 관해서도 언급할 것이다. 신용 조사 기관 자체는 당신의 신용 대출에 관한 리스크가 좋은지 나쁜지에 대해서는 판단하지 않는다. 단지 정보를 제공할 뿐이다. 대출기관이 보고서에 담긴 정보를 토대로 결정한다.

그러나 우리가 그걸 등급, 기록 또는 보고서 등 뭐라 부르든 간에, 빚 문제가 있는 대부분의 사람들은 신용 등급이 나빠질 것이라는 예측을 아주 두려워한다. 그래서 그와 같은 상황을 피하기 위해 빚쟁이의 어떤 요구에도 동의하는 경향이 있다.

이렇게 협박받는다.

"돈을 내놔, 그렇지 않으면 기록에 올라갈걸."

그건 맞다. 유통점이 당신의 (신용)계좌를 취소한다면, 은행이 당신의 신용 카드를 취소하면, 법원이 당신에게 불리한 판결을 내리면, 당신이 학자금 대출을 연체하면, 국세청이 당신에게 담보권을 설정하면, 그 모든 것들은 당신의 기록에 올라간다. 신용 조사 기관이 그들의 컴퓨터에 정보를 입력하고 그 이후부터는 마치 커다란 주홍글씨처럼 당신에 대해 발행되는 모든 보고서마다 나타난다.

당신은 불량 신용 기록을 가지고 있다.

울고 한탄하라!

오, 신이시여! 더 이상 나빠질 수 있겠습니까?

틀렸다!

많은 일이 가능하다. 사실 불량 신용기록은 최고로 끔찍한 일이 아니다.

신문에서 자신의 부고 기사를 읽은 후, 마크 트웨인은 편집자에게 이렇게 편지를 썼다.

"저의 죽음에 대한 기사는 매우 과장되었습니다."

신용 기록의 의미가 그렇다. 좋은 신용 기록이 하는 일은 이것이다. 기본적으로 돈을 빌리는 데, 빚을 지는 데 사용한다. 당신은 더 이상 돈을 빌리지 않기 때문에 신용 기록이 (좋든 나쁘든 또는 평범하든지 간에) 당신에게 그렇게 중요하지 않다. 그렇지 않은가?

나는 당신이 밖에 나가 장난삼아 당신의 기록 전부를 짓밟으라고 제안하지는 않는다. 그러나 나는 빚쟁이가 신용 기록을 당신을 때리는 곤봉으로 사용할 경우에는 그것의 중요성을 다시 생각해 보라고 제안한다. 그건 종이 곤봉일 뿐이다. 당신을 상처 입힐 수는 없다.

만약 당신이 (확신할 수는 없지만) 끝내 불량 신용 기록을 받게 되었다면, 빚쟁이가 당신에게 어떻게 말하든 상관하지 말고 당신에게 일어날 수 있는 최악의 상황은 더 이상 새로운 (유통점의) 외상 계좌나 신용 카드를 가질 수 없다는 것이다. (이럴 경우에도 협상에서부터 법원까지 선택권은 당신이 가졌다는 것을 기억하라.)

당신이 더 이상 빚지지 않기 때문에 그건 상관없다.

"그러나 좋은 신용 기록이 없다면 차를 살 수 없을 거야."

그건 맞지 않다. 당신은 소수의 유통점이나 은행과 거래를 할 수밖에는 없지만, 신용 불량 기록을 가진 당신보다도 더한 파산자조차 큰 문제 없이 자동차 대출을 얻을 수 있다는 것을 기억하는가? 차는 1등급 담보물이다.

"글쎄, 차는 그럴 수도 있겠지. 그러나 불량 신용 기록을 갖는다면, 집이나 가게를 사기 위해 저당을 잡힐 수 없다는 것은 알고 있어."

당신은 정말 제대로 알고 있는 것일까? 혹시 안다고 스스로 생각한 것이 아닐까?

하워드는 불량 신용기록을 갖고 있는 시장 조사가이다. 그에 관한 보고서에는 빚진 시절의 유산인 취소된 많은 신용 카드들에 관한 것, 백화점의 외상 계좌, 몇 건의 법원 판결, 미납 세금에 대한 담보물들로 채워져 있다. 하워드는 7년 전부터 그의 모든 빚에 관한 전설들을 끝내고 우리가 이미 아는 이 프로그램의 원칙들을 실시해 오고 있었는데, 3년 전에 최초에 진 빚 3만 달러를 모두 청산했다. 그보다 1년 전에 그의 건물은 공동 주택이 되었다. 그의 불량 신용 기록과 아직도 4천 달러의 빚을 갖고 있다는 사실에도 불구하고, 하워드는 아파트를 11만 달러를 주고 구입했다. 그리고 9만 달러에 저당 잡혔다. 1년 뒤 사업 확장을 위한 재원을 충당하기 위해 두 번째로 저당 잡히고, 1만 5천 달러를 구했다. 지금부터 6개월 전 그는 다른 도시로 이사하면서 아파트를 21만 5천 달러에 팔고, 새 도시에 35만 달러 짜리의 집을 27만 달러에 저당 잡히는 조건으로 자금을 조달하여 구입했다.

하워드가 했던 일은 그의 회계사로부터 지방 재정기관을 상대하고 있는 변호사를 소개받은 것이었다. 하워드는 변호사에게 그의 이력, '흑자 전환 프로그램'을 실시하고 있는 그의 재정적 회복 노력, 그리고 현재의 재정 상태를 설명했다. 그런 후 변호사에게 저당을 설정하기 위해 자신을 대신하여 처리해 달라고 요청했다. 변호사는 단 한 번의 시도만으로 어떠한 프리미엄이나 초과 포인트가 없이 일반적인 기준으로 하워드에게 기꺼이 저당을 해 줄 은행을 찾아냈다.

많은 사람들은 두 서너 곳 심지어는 그 이상의 은행을 찾아야 할 것이다. 내가 말하고자 하는 요점은 당신이 정말로 집을 원하고 그럴 여유가 있다면, 저당을 얻을 수 있다는 것이다. 어떤 사람들은 스스로 그렇게 하고, 하워드 같은 사람들은 자신의 대리인을 고용한다. 당신은 돈이 있고 집은 제시한 가격만큼의 가치가 있다면, 당신에게 저당을 잡아 줄 은행은 쉽게 찾을 수 있다.

신용 기록은 변화하고, 변할 수 있다. 나라마다 주마다 조금씩 다르겠지만, 취소된 계좌나 판결 같은 오점은 자동적으로 당신의 기록에서 삭제된다. 전혀 존재하지 않았던 것처럼 된다. 또한 정상을 참작할 만한 사유가 있다면, 기록을 보관하고 있는 조사 기관에 해명서를 제출할 수도 있다. 신용 조사 기관은 해명서를 당신에 관한 기록에 포함시킬 것을 법에 의해 요구받고 있다. 그렇지만 만약 빚을 모두 청산했는데도 기록상으로는 갚지 않은 것으로 나타나 있다면, 빚을 갚았다는 증거를 제출하고 기록의 정정을 요구하라. 그들은 반드시 정정해 주어야 한다.

빚쟁이가 당신에게 뭐라 말하든 간에, 좋은 신용 기록이 성공을 위한 필수 불가결한 요소는 아니다. 또 나쁜 기록이 당신에게 가난을 선고하거나 당신의 미래를 제한하는 것도 아니다.

마크 트웨인의 부고 기사처럼, 빚지지 않은 사람에게조차 신용 기록의 의미는 지나치게 과장되어 있다.

제18장 | 지원책들

이 장은 당신이 '흑자 전환 프로그램'의 다른 부분을 실행하는 데 도움이 될 자료들을 담고 있다.

정지시켜라

'정지(HALT)'는 머릿글자를 따서 만든 단어이다. 지나치게 배고프지도(Hungry), 지나치게 화내지도(Angry), 지나치게 외롭지도(Lonely) 또는 지나치게 피곤해 하지도(Tired) 마라. 진부한 말일 수도 있지만 분명히 효과가 있다.

배가 고프면 혈당치가 떨어진다. 그것은 집중력을 방해하고, 지적 능력을 감퇴시키고, 감정을 악화시킨다. 일들은 점점 어려워지고 성취하기 힘들어지는 것처럼 보이게 된다. 계획을 세우거나 결정을 하기 위한 최상의 상태가 아니다. 규칙적인 식사가 여러 모로 좋다. 기분이 좋지 않을 때에는 이전의 식사를 생각해내어라. 아마도 치즈, 과일, 샌드위치와 같이 먹을 게 필요하다고 느낄 것이다. 아울러 지나치게 많은 땀을 흘리는 것도 혈당치를 오르내리게 할 수 있으므로 피하는 것이 좋다.

정당한 것이든 부당한 것이든 분노는 파괴적이다. 화가 나서 행동하거나 말을 하면 스스로에게 상처를 입힌다. 분명하게 생각하지 않고, 배수진을 치고, 공연히 성질을 부리면 스스로 손해를 자초한다. 혼자만 있을 때의 분노는 스스로를 잡아먹고, 스스로의 생각과 감정을 지배하고, 아무것도 이루지 못하게 한다. 분노의 감정에서 거리를 두고 떨어져라.

모든 사람은 때때로 외로움을 느낀다. 외로움은 유쾌하지도 않지만 치명적인 것은 아니다. 모든 사람들이 조금은 외로운 삶을 살아간다. 그러나 지나친 외로움, 보다 정확하게 말해서 고독은 다르다. 외로움과 고독은 상생 작용을 한다. 외로울수록 고독해지고, 고독할수록 외로워진다. 이러한 고독, 즉 삶과의 점진적인 단절은 왜곡된 태도와 인식을 기르는 비옥한 토양이 된다. 자신만의 울타리 안에 혼자 남아 있을수록, 점점 더 어두워지고, 더 비뚤어지고, 더 왜곡되고, 일들이 점점 더 절망적으로 보이기 시작한다. 분노와 마찬가지로 고독감과도 거리를 두고 떨어져 있는 것이 최선이다. 친구와 만날 약속을 하고, 자구 조직 회원과 접촉하고, 영화를 보고, 책을 읽고, 산책을 하고, 체육관에 가서 운동을 하라. 억지로라도 움직여라. 분위기를 바꿀 수 있는 것은 직접 행동하는 수밖에 없다.

지쳤을 때는 잠을 자라. 자신을 몰아세우지 마라. 구석에 몰리면 생각이 분명해지지 않는다. 이성의 능력이 손상된 상태에서는 외로움과 분위기에 휩쓸리기 쉽다.

그리고 안전망을 준비하라

아침에 차가 고장났다면, 개가 소파를 물어 뜯었다는 전화를 받앉다면, 오후에 주요 거래처를 빼앗겼다면, 그리고 저녁에 집으로 돌아와 쉬려는 찰나에 거실 벽 아래쪽의 배관 시설을 교체해야 하고 게다가 화로까지 고장났다고 적혀져 있는 배관공의 쪽지를 발견했다면, 당신은 어떻게 할 것 같은가?

비상금을 따로 책정해 뒀다는 사실에 정말 고마워할 것이다.

비상 사태는 우연히 발생하는 예측하지 못한 일을 말한다. 비상 사태는 모든 사람에게 발생한다. 그것들 중 어떤 것은 돈이 든다.

비상금은 다른 돈과는 따로 보관해 두는 돈이다. 비상금은 반드시 바로 쓸 수 있는 상태에 있어야 한다. 특별 예금처럼 따로 계좌를 만들어 두는 것이 좋다. 다른 돈과 섞지 마라. 이 자금은 비상 사태나 예상치 못했던 비용이 들 때 당신을 엄호해 준다. 당신 스스로의 보험 정책이다.

우리가 11장에서 이야기했던 여윳돈을 기억하는가? 수입과 비용이 균형점을 찾은 안정화 단계로 접어들었고, 처음에 작성한 지출 계획보다 수입이 더 많아지기 시작하면, 남는 돈의 반은 증가시키고 싶은 범주에 분산시키고, 나머지 반은 저축하라고 제안했다. 그 저축이 바로 이 비상금이다.

그게 완성될 때까지, 액수가 얼마든 당신이 충분하다고 결정한 액수에 도달할 때까지 계속 쌓아 가라. 그렇다면 어느 정도가 충분하다고 할 수 있는가? 사람마다 다르다. 대부분의 사람들은 3개월 동안의 총 지출과 같은 액수를 비상금으로 책정한다. 모든 것이 완전히 엉망으로 되고 그 기간 동안 단 한푼도 못 벌어도, 지출계획상의 모든 비용을 충당하기에 충분한 액수이다. 자영업을 하는 사람들은 보통 이것보다는 많이 필요로 하는데, 아마 6개월에서 12개월치 정도면 충분하다.

비상금은 보너스나 임의로 꺼낼 수 있는 쉽게 번 돈과는 다르다. 단지 새 신을 사고 싶고, 산에서 주말을 보내고 싶고, 또는 갑자기 비싼 저녁을 먹고 싶을 때와 같이 변덕스러운 마음을 달래 주기 위한 돈이 아니다. 비상금을 그렇게 사용하면 좋은 의도에도 불구하고 곧 바닥이 날 것이고, 당신의 재정 상태는 이전과 마찬가지로 취약한 것이 되고 만다. 이 자금은 자신을 지켜 주는 안전망이다. 당신이 손잡이를 놓치는 것과 같이 일이 어떻게 잘못되는 것을 걱정할 필요가 없다. 왜냐하면 낭떠러지에서 떨어지기 전에 당신에게 내미는 도움의 손길과도 같은 비상금을 갖고 있기 때문이다. 그것은 언제나 그대로 있어야 한다. 중요하고, 필요하고, 그리고 예상치 못했던 비용이 들어가는 치과 치료나 자동차 수리 같은 사건에만 사용하고, 사용하고 나면 가능한 한 빨리 그 액수만큼 채워 놓아라. 액수가 지나치게 적어서 올려야겠다고 생각하지 않는다면, 처음에 결정한 수준을 유지해야 한다.

비상금이 쌓이면 비상금을 적립하기 위해 따로 떼어 놓았던 돈은 다른 목적을 위해 사용 가능한 돈으로 전환시키면 된다.

빚을 지느니 애장품을 팔아라

스페인 지방의 옛날 이야기가 있다.

한 가난한 농부가 땔나무도 없는 자기의 조그만 집으로 돌아와 보니 아내와 자식은 담요를 뒤집어쓰고 마지막으로 남은 빵을 뜯어먹고 있었다. 그때 도시에서 온 한 남자가 농부를 찾아와서는 투우에 쓰려고 소를 사고 싶다고 했다. 그 얘기를 듣고는 아들이 외쳤다.

"안 돼요! 소는 안 돼요. 세상에서 내가 제일 좋아하는 내 친구는 안 돼요. 송아지 때부터 내가 키워온 소란 말예요."
　농부가 말했다.
　"그러나, 애야. 우린 남은 돈이 한푼도 없고 먹을 것도 없어. 그들이 2만 달러를 준다고 하잖아. 이사도 갈 수 있고 네 신발도, 자전거도 살 수 있어. 영화도 보러 갈 수 있고, 학교에 다닐 수도 있단 말이다. 소를 팔면 이전에 네가 한 번도 가져 보지 못한 것을 전부 가질 수 있어."
　아들이 물었다.
　"2만 달러라구요?"
　"그렇단다!"
　"신발? 자전거? 학교?"
　소년은 잠시 생각하더니 밝은 목소리로 말했다.
　"좋아요. 소를 팔아요."

　아마도 이건 예외적인 것이지만, 얘기 속에 말하고자 하는 요점은 모두 들어 있다. 어떤 난제에 직면하여 돈이 급히 필요할 때, 노선을 견지할 것인가? 아니면 다시 새로운 빚에 빠질 것인가의 문제에 직면했을 때, 당신은 고상한 욕구를 충족시키기 위해 자랑스러운 소장품(헤어지기보다는 내 손톱을 찢어 버리는 것이 더 낫다고 평소에 생각했던)을 현금화할 수 있는데도 단지 쳐다보기 위해서 계속 보관하고만 있을 것인가?
　이것은 상황이 계속 조여드는 것 같고, 외부의 도전이 힘들게 느껴질 때인 회복의 초기 단계에서 자주 일어나는 인식의 문제이다.
　내가 '흑자 전환 프로그램'을 진행하고 있던 처음 1년 즈음에 그러한 종류의 결정을 해야 했다. 나는 소장자들 사이에서 매우 인기 있는 자동차인 1961년형 포드 컨버터블을 한 대 갖고 있었다. 처음에 구입했을 때는 내가 타다가 막내 아들이 대학에 입학하면 선물로 줄 요량을 가지고 즐거운 마음에 투자까지 고려해서 구입한 것이었다. 그 차는 상태가 매우 좋아서 이전 소유자에게 차를 팔라고 설득하는 데만도 거의 2년이나 걸렸었다. 그러나 나는 이 프로그램을 진행하면서 돈이 필요하게 되자 더 이상 빚을 지기 않기 위해 그 차를 팔았다. 그리고 골동품 거울, 100년된 힌두교 신의 나무조각상까지 차례로 팔았다.

나는 그 셋을 다 아꼈다. 정말 팔아야 하는지 갈등이 많았다. 아마 다른 상황이었다면 대안적인 시나리오를 선호했을 것이다. 하지만 나는 더 이상 새로운 빚을 지지 않고 나의 상환 능력을 유지하기 위해서 그것들을 팔아 치워 버린 나의 행동을 결코 후회하지 않았다. 또한 그런 상황에 직면했던 다른 사람들도 후회했다는 것을 들은 적이 없다.

저축은 쌓아 두기를 말하는 것이 아니다

어려운 때를 위해 돈을 저축하는 것은 바람직한 생각은 아니다. 의외의 말이라고 놀랐는가? 많은 사람들은 어려서부터 대파국을 피하기 위해, 그리고 노년을 위해 돈을 따로 떼어 두는 것이 낫다고 배웠다. 그러나 그러한 종류의 '저축'은 파괴적 결과를 가져 올 수도 있다. 그것은 가난뱅이 정신을 만들게 된다. '저축'이라는 말 속에는 지금 돈이 많지 않으며, 미래에는 더 적을 수도 있다는 뜻이 담겨져 있다. 또 '오늘은 일이 잘 되어 가는 것처럼 보여도 언제 재앙이 닥칠지 모르니 조심하는 것이 낫다'는 의미가 내포되어 있다. 어렸을 때 많이 들었던, 햇빛 아래에서 노래하는 베짱이가 되지 말고 다가올 흉년을 대비해서 저축하는 부지런한 개미가 되라는 이야기도 마찬가지다.

　파국에 대비해서 돈을 저축하는 사람들은 점차 커져 가는 파국에 대한 두려움 속에서 산다. 신경질적이고 사고가 날까 걱정하는 운전자가 자신감 있고 여행을 즐기는 느긋한 운전자보다 더 많은 사고를 내는 것과 같이, 파국에 대한 두려움이 파국을 만들 것이다. 또는 저축은 당연하다는 것에 마치 분개하듯 방향을 완전히 바꾸고 자기 수입보다 더 많이 쓸 수도 있다. 또는 무의식 속에는 저축한 돈을 쓰고 싶어 긴급한 상황을 자초하려는 욕구가 숨어 있을지도 모른다. 결과가 어떤 것이든 저축을 한다는 것은 제한감, 궁핍감, 그리고 결코 충분치 않다는 생각을 낳는다.

　영화 편집자인 마리아는 12년 동안 빚을 져 왔고, 낮은 소득 등은 그녀의 성격을 모질게 만드는 결과를 낳았다. 감정의 근저에는 분노와 공포심이 있었다. 이 프로그램을 시작한 지 3달 후에 그녀의 아버지가 돌아가시면서 유산으로 11만 달러를 남겼다. 마리아는 11만 달러 전부를 저축했고, 한푼도 손대지 않으려 했다. 몇 달 뒤, 그녀는 실직했는데 실업 상태로 2달을 지냈을 때 그녀는 공포심에 사로잡혀 거의 무기력한 상태에 처해 있었다.

　"집세를 낼 수 없어요. 음식 살 돈도 없어요."

　그녀는 늘 돈에 대해 비밀스러웠기 때문에, 유산에 대해 알고 있는 사람은 가장 친한 친구 한 명뿐이었다. 친구는 마리아에게 상당한 예금이 있고, 집세를 낼 수 있으며 음식을 살 수도 있는데 왜 그러지 않았느냐고 물었다.

　신경질적으로 마리아가 말했다.

　"나는 그걸 손댈 수 없어! 그게 필요해. 노인들이 돈이 없을 때 어떻게 사는지 잘 알잖아. 그렇게 산다면 나는 자살하고 말 거야. 그 돈에는 손댈 수 없어!"

30년 후쯤의 미래에 대한 공포가 가능성을 현실로 만든 셈이다. 그녀는 정말 한푼도 없고, 희망도, 도움도 없다는 듯이 행동했다.

친구의 도움으로 마리아는 자구 모임에서 자신의 문제를 공개하기에 이르렀다. 점차 침착해지기 시작했고, 마침내 그녀는 자신이 생생한 욕구를 가지고 있다는 것을 깨닫기 시작했다. 조금은 두려워했고, 기꺼워하지는 않았지만, 마침내 예금을 찾았다. 그것은 그녀의 감정적 마비 상태를 깨뜨리고 행동을 취하게끔 했다. 그녀는 몇 주 후 새로운 일자리를 찾았으며, 몇 달 뒤에는 예금을 상환 계획에 충당하기 시작했다. (마리아는 전체 빚 9천 달러를 한번에 청산할 수 있었지만, 자신과 자구 모임의 회원들이 새로운 생활 양식을 습득하고 재정적 문제의 처리를 위한 새로운 방식을 배우는 데 도움이 된다는 생각으로, 24개월 동안 천천히 그리고 계획된 형태로 갚는 것이 더 낫다고 생각하고 그렇게 했다.)

3년이 지난 후인 지금 마리아는 빚이 없다. 그녀는 이전 직장에서보다 수입이 30% 늘었고 이전보다 행복하게 살고 있다. 그리고 아버지의 유산 11만 달러가 이제는 12만 달러로 늘어났다. 두려운 미래를 상정해서 저축 계좌에 쌓아 두는 대신에 자신의 지속적인 번영의 일부로서 소득을 낳는 자산에 투자한 결과였다.

내일은 지워 버리고 순전히 오늘을 위하여 살아가라는 것이 아니다. 새로운 시각으로 당신의 잉여 수입을 보라고 제안하는 것이다. 앞에서 논의했던 비상금으로도 삶이 당신에게 던지는 불규칙한 커브볼은 대부분 막아낼 수 있다. 무조건 계속해서 저축만 하는 것이 능사가 아니다. 보통 돈이 늘어날 때 할 수 있는 최선의 일은 잉여 자금을 소비 계획에 골고루 분산시켜 점진적으로 삶의 질과 일상적 복지를 향상시키는 것이다. 그 나머지도 단순히 '쌓아 놓기'보다는 투자하는 것이 더 좋다.

진정한 투자는 벼락 부자가 되는 계획이나 시장에서 대성공을 거두는 것과는 아무 상관이 없다. 투자라는 것은 당신이 돈을 위해 일하기보다 돈이 당신을 위해 일하도록 하는 것이다. 안전하게, 그리고 물가 상승률을 초과하는 이익을 가져다 줄 방법으로. 당신에게 가능성을 설명할 수 있는 자격 있는 재무 설계사와 상담하라. 그들은 당신의 욕구와 목표에 맞는 계획을 짜줄 것이다.

저축은 비상 사태나 노년의 검소한 생활을 위해 쌓아 두는 것이 아니다. 저축이란 점점 커 가고, 이익이 되고, 그리고 즐거움을 주는, 당신의 부유한 삶의 일부가 될 자산이다.

보증된 대출에 대한 부언

우리는 1부에서 보증된 대출에 대해 자세히 논의했다. 그 이후 지금까지 논의를 미뤄왔지만 보증된 대출에 관해서 알고 넘어가야 할 요점이 하나 더 있다. 이것을 좀더 논의해야 지금까지 진행해 온 '흑자 전환 프로그램'을 더 깊이 이해할 수 있다.

더 이상 빚을 지지 않으면서도 비용을 충당하기 위한 대출이 필요하다고 해 보자. 당신이 아직 안정화 과정이나 그 직후의 단계에 있을 때라면, 필요한 대출을 보증하기 위해 담보물을 제공하는 방식은 당신의 직업에 따라 상당한 차이가 있을 수 있다. 특히 자영업을 하는 사람들이나 수입이 불규칙적인 사람들에게서 그 차이가 두드러진다. 어쨌든 중요한 것은, 새로운 빚은 피하되 욕구는 충족시켜야 한다는 사실이다.

그러나 가능한 한, 일상적 욕구를 충당하기 위한 목적으로는 보증된 대출을 이용해서는 안 된다. 대신 지출을 줄이거나, 새로운 수입을 만들거나, 또는 당장 소유한 물건을 팔아 치우는 것이 더 낫다. 일상적 욕구를 충당하기 위하여 보증된 대출을 얻으면 수입의 일시적인 증가를 가져 오지만 결국에는 수입과 비용 사이의 불균형을 남긴다. 대출금을 다 써 버리면 조만간 새로운 빚을 지게 된다. 더구나 대출금을 상환하지 못하면 담보물을 뺏길 것이고, 그렇게 되면 절망적이 되거나 실패하였다는 생각을 갖게 될 수 있다.

보증된 대출의 주된 기능은 집과 같은 목돈이 필요한 것들을 살 수 있게끔 해 주는 것이다. 이럴 경우에도 전제 조건이 있다. 당신이 감당할 여유가 있고, 월별 지불액이 소비 계획과 잘 들어맞는가? 답이 예라면, 진행하지 않을 이유가 없다. 답이 아니라면, 그걸 생각하는 것조차도 자기 파괴적이다. 다시 한 번 강조하는 것은, 보증된 대출을 일반적 생활비로 사용해서는 안 된다는 것이다.

도망은 해결책이 아니다

그럴 수도 있겠다. 그러나 물론 그렇게 하지 않는 것이 훨씬 낫다.

술이나 마약, 병원에서 처방된 진정제 등 보통 '화학적 기분 전환제'라는 것이 빚 문제와 결합될 경우는 그것을 복용하고 운전을 해서 생기는 결과보다 더 나쁘다. 술이나 마약 같은 것이 제공해 주는 안도감은 그저 환상일 뿐이다. 가벼운 상태일지라도 장기간 빠져 들면 알지 못하는 사이에 태도, 인식, 판단을 왜곡시킨다. 그것은 감정과 사고를 방해하며, 그것의 효과는 사용을 그만둔 후에도 놀라울 정도의 기간 동안 남아 있다.

모든 화학적 기분 전환제는 빚으로부터 당신 자신을 자유롭게 하는 데 심각한 장애물이 될 뿐이다. 그것은 현재 처한 상황을 부정하거나 인정하지 않도록 만든다. 사실 그 자체로도 심각한 문제를 유발한다.

제19장 | 특화된 원칙들

다음의 실천 예들은 세심한 주의를 요하는 것들이다. 모든 사람의 취향에 맞다고는 할 수 없지만, 많은 사람들이 실행하고, 만족할 효과를 보기도 하였다. 선택 사항으로 제시하고자 한다.

여백의 원리

'가도록 내버려두다', '뭔가를 쥐고 아둥바둥하지 않겠다', '매달리지 않겠다', '유산을 남기는 것이 삶의 목표는 아니다'라는 등의 개념을 확장한 것이 여백의 원리다. 집착하지 않겠다는 것보다 훨씬 적극적인 말이다. 여백의 원리를 실천하는 것은 자신이 가지고 있는 낡고, 원하지 않으며, 열등한 어떤 것들을 의도적으로 내다 버림으로써 여백, 즉 인생에서의 빈 공간을 만든다는 것이다. 이렇게 함으로써 새롭고 더 바람직한 어떤 것이 들어올 공간이 만들어진다. 특히 낡은 것을 버리면 과연 새로운 것으로 대체될 수 있을까 하며 걱정할 때가 여백의 원리를 실천해 볼 적기라고 할 수 있다.

누구나 삶이 혼잡하면 새로운 것을 채우기 위한 공간은 없는 것처럼 느끼게 된다. 빚 문제가 있을 때라면, 옷에서부터 주방 기구와 가구에 이르기까지, 삶을 채워 주는 많은 것들이 바닥나 버리거나, 질 낮은 것들로 채워져 있거나, 흠이 생겨도 바꿀 수 없는 지경일 수 있다. 이런 상태를 제대로 인식하지 못하면 무엇인가 부족하긴 한데 그것이 무엇인지 잘 모르는 모호한 상태가 될 수도 있다. 제대로 인식하고 있는 경우에도 무엇을 바꾸고 싶어도 바꿀 돈이 없어서 어쩔 수 없다고 생각하거나, 또는 임시 변통할 수 있기에 아직은 쓸 만하다고 스스로 말한다. 그래서 더 이상 생각하지 않고, 모든 것이 예전의 혼잡스런 그 상태로 남아 있는 것으로 결론이 나게 된다.

여백의 원리를 실천할 때는 낡은 넥타이에서부터 텔레비전에 이르기까지 가지고 있는 모든 것들을 평가해 본다. 스스로에게 질문한다. 이것이 정말 나에게 필요해? 이것을 즐기고 이것에서 기쁨을 느끼고 있나? 그렇다는 답이 나오지 않으면 버려라. 포기하거나, 팔거나, 내던져 버려라. 비록 그 순간에는 더 새롭고, 더 바람직하고, 더 즐거운 것이 과연 들어올는지 알 수 없을지라도, 의식적으로, 신중하게, 당신 삶 속에 새로운 것들이 들어올 수 있는 빈 공간을 만들고 있다는 믿음과 자신감을 가지고 버려라.

몇 달 동안 나는 침대 시트가 마음에 들지 않았다. 쓸 만한 상태의 시트였지만, 색상이 어두워서 마음에 들지 않았고, 심지어 나를 침울하게 만들기까지 했다. 하지만 그 외의 시트는 오래되어 낡고 색이 바랜 것이었다. 나는 그때 집안 가구에 할당할 만한 돈이 별로 없었다. 그러나 어쨌든 행동하여 여백을 만들기로 결심했다. 그렇게 하지 않는다면 아무것도 변하지 않을 것이고, 내가 이전부터 가지고 있는 것들하고만 살아야 한다는 것을 의미했기 때문이다.

나는 내 마음에 들지 않는 그 시트는 버리고, 단 하나의 시트만을 남겨서 매주마다 침대에서 벗겨내어 빨고 말려서 그날 밤에 다시 깔아야만 했다. 그리고 6주 후에, 나는 마음에 드는 디자인과 뛰어난 품질의 새 시트를 3개나 가졌고, 그 즐거움은 오래도록 지속되었다. 기적이라도 일어난 것일까? 천만의 말씀. 나는 다만 내가 여백을 만들기 전까지는 결코 보이지 않았던, 내 지출 계획상의 어떤 범주에서 돈을 찾아낸 것이다.

비서로 일하는 엘리자베스는 지출 계획상 옷 범주에 한 달에 30달러만을 책정했었다. 그녀는 입어도 기분을 좋게 만들지 못하는 모든 옷을 자신의 아파트에서 깨끗이 치워 버렸다. 그 옷들은 고등학교 시절부터 약 15년 동안 쌓아 둔 것이었다. 대부분의 옷가지들을 버렸다. 정말 용감한 행동이었다. 그녀가 망설이고 아까워하는 것을 버리지 못하게 막아 줄 친구들이 필요하다는 생각을 하기는 했지만. 14개월 지난 후인 지금 그녀는 자신의 모든 욕구를 충족시키고도 남는 새로운 옷장을 갖고 있는데, 그 모든 옷을 좋아하고, 그것들을 입을 때마다 스스로 뿌듯해진다고 한다.

여백의 원리는 대상뿐만 아니라 상황에도 적용할 수 있다. 비디오 기술자 양성 교육을 받았고 일한 경험도 있는 잭은 3년 동안 택시를 운전하고 있었다. 그 일을 하는 것이 잭에게 행복을 가져다주지도 않았고, 원하는 만큼의 수입이 있는 것도 아니었다. 그는 1년 동안 이곳저곳을 다니면서 다른 직업을 찾고 있었지만 아무런 성과가 없었다. 한동안 비상금만으로 먹고살아야 하고, 일뿐만 아니라 돈도 없을 것이라는 두려움에도 불구하고 잭은 여백을 만들기 위해 택시 회사를 그만두기로 결정했다. 그래서 잭은 집중적으로 일자리를 찾는 것으로 여백을 채웠고, 6주 후에는 일하기를 원했던 비디오 회사에 고용되어 택시 회사에서 받은 것보다 1년에 1만 5천 달러를 더 받고 일하게 되었다.

여백의 원리로 일하는 방식은 바로 이런 것이다. 일단 실천하기로 하였다면, 작은 규모에서부터 시작하는 것이 제일 좋다. 예를 들면 셔츠나 스웨터를 깨끗이 정리하고자 한다면, 당신이 정말 아끼고 즐겨 입는 것 외에는 추려서 내다 버려라. 지금의 빈곤한 상태로 결코 삶을 끝내지 않을 것이라는 자신감과 앞으로는 새롭고 더 즐거운 것이 당신이 만든 여백을 가득 채우게 될 것이라는 자신감을 얻게 된다면 당신은 의미 있는 수준에서 이 원칙을 실천할 수 있을 것이다.

바로바로 처리하기

이 원칙은 많은 사람들이 실천하면 좋지만, 특히 자영업을 하는 사람들이 이를 따르면 더 좋은 효과가 난다. 모든 사람들이 반드시 이 원칙을 따라야 한다는 것은 아니다. 대다수는 따를 수 없는 원칙이기는 하다. 왜냐하면 이를 실천할 때에는 긴장과 초조감 때문에 손에 땀이 나고 속이 메슥거릴 수도 있기 때문이다.

모든 청구서는 24시간 이상 책상 위에 있게끔 하지 않는다. 수중에는 50달러밖에 없고 청구된 돈은 40달러에 이른다 할지라도 즉시 지불해 버린다. 필요한 돈은 얼마일지라도 더 이상 빚지지 않을 것이며, 또 충분히 벌 수 있다는 사실을 알기 때문에 청구서를 처리한다. 돈이라는 것은 하루 24시간 동안 들어오고 나간다는 사실을 알기 때문이다.

나는 1년 반쯤 전에 처음으로 이 원칙을 실천하기 시작했다. 시작한 달의 6일째 되는 날, 가계 수표 계좌의 잔액은 1천7백 달러였는데 연체된 청구액은 1천3백 달러였고, 오늘 새로 1천5백 달러가 또 청구되었다. 내가 예상하는 수입을 받으려면 빨라야 5주 정도, 대략 9주는 기다려야 했다. 그때 내가 책정한 한 달의 지출액은 2천7백 달러였다. 누구나 쉽게 알 수 있듯이 다가올 두 달 동안 적어도 1천1백 달러에서 3천8백 달러는 부족하였을 것이다. 이런 상황이 걱정된 나는 그때 이 프로그램을 실시하고 있었던 두 사람을 급히 만나서 조언을 듣고자 했다.

그때 나는 식탁을 갖춰 놓지 못했다. 보통은 부엌의 좁은 조리대에서 식사를 했고, 가끔 아들이 찾아오면 식탁 대용을 할 뭔가를 임시 방편으로 사용해야 했고, 그래서 저녁식사 때 손님이 찾아오는 것이 기껍지 않았다. 식탁의 판매 가격을 여기저기 알아본 결과, 내가 처한 상황에 가장 알맞다고 생각된 접는 식탁이 2백 달러에 팔린다는 사실을 알고 있었다.

그때 내가 만난 두 사람 중 한 명인 폴이 상황을 검토한 후 말했다.

"내일 아침에 가게에 가서 식탁을 사세요. 그리고 나서 책상 위에 있는 모든 청구서를 즉시 처리해 버리세요."

같이 있었던 메어리도 동의했다.

그들에게 말했다.

"식탁 대금까지 지불해 버리면 내가 가진 돈 중에서 2백 달러를 더 줄이는 것이야. 하지만 내 수입은 언제 들어올지 알 수가 없어. 두 달이 넘게 걸릴 수도 있어."

폴이 말했다.

"모든 게 다 잘될 거예요."

다음날 아침 나는 식탁을 샀다. 그날 오후에 나는 식탁 대금을 지불했다. 마음 속으로는 계속 잘못되면 어쩌나 하는 생각이 들었다. 얼마나 안절부절했던지 6장의 수표 중 5장에 실수를 해서 고쳐 써야만 했고, 아파트를 나서서야 봉투에 넣지 않았다는 것을 알고는 다시 돌아가야 했다. 수표를 우편함에 넣었을 때는 땅이 꺼질 것 같은 한숨이 절로 나왔다.

그렇게 한 것이 내 마음을 그토록 뒤흔들어 놓았는데, 도대체 나는 왜 그랬을까? 나는 마음 속에 생겨나는 두려움을 극복하기 위해서 그렇게 했다. 나는 지금 회복되고 있다는 신념을 나타냄으로써 스스로를 강하게 하려고 그랬던 것이다. 나는 내 삶을 개선시키는 데 필요한 돈은 충분히 벌 수 있는 능력이 있다는 점을 스스로 확인시키고 싶어서 그렇게 했다. 그리고 무엇보다도 더 이상 빚지지 않고 빚을 다 갚아야 한다는 나의 책임을 다하고 싶어서 그렇게 했다. 때때로 이 프로그램이 수행될 때 어떤 사람들은 아무런 의심 없이 행동하는데, 그것은 아마도 여기서 제시하는 원칙들을 수행하지 않았거나, 아니면 현재 처한 상황에 대해 한 번도 두려워한 적이 없는 경우일 것이다.

예상하고 있던 수입을 받았을 때까지 몇 주일이 지나갔으나 별로 부족하지 않은 상태로 지냈다. 카운셀링, 잡지의 원고료, 보험 배당금, 내가 쓴 소설의 독일어 판에 대한 소액의 판권료 등 기대하지 않았던 돈이 들어왔다. 폴이 말한 것처럼 모든 게 잘되었다.

그 이후 집세는 매달 첫날에 냈고, 모든 청구서의 약 90%는 받은 후 24시간 내에 지불했다. 남은 10%는? 때때로 상황에 대한 걱정이 생기면 나는 2~3일, 1~2주 정도 늦추기도 한다. 그리고 생각한다.

"이번에는 안 될 거야. 이번에는 뭔가에 매달리지 않으면, 불구

덩이에 빠질 것 같아."

그러나 한 번도 이런 일은 일어나지 않았고, 내가 프로그램을 실시하는 한, 그렇게 되지 않을 것으로 확신한다. 아마 이 책이 출판될 즈음이면, 지불을 늦추는 마지막 10%까지 모든 청구서는 24시간 이내에 지불될 것이다.

솔직히 말해서 이렇게 하는 것은 대단히 어려운 일이다. 단지 소수의 사람만이 가능할 것이다. 그리고 나는 당신에게 전체 프로그램의 맥락과는 별개랄 수 있는 이런 원칙을 실천하라고 권하지도 않는다. 이것을 실천하기 위해서는 뚜렷한 신념과 자신감이 있어야 하며, 풍부한 경험도 있어야 하고, 무엇보다도 재정적 회복에 도움을 줄 수 있는 확실한 수입이 있어야 한다. 만약 이러한 조건들이 충족된다면 '24시간 내에 모든 청구서 처리하기'는 대단히 강력하고 가치 있는 실천 항목이 될 것이다.

이상적인 소비 계획

소비 계획표 양식을 복사해서 책상 위에다 놓고, 커피 한잔을 따르고, 편안한 상태로 잠시 앉아 있어라.

그리고 첫째 범주를 보라. 잠시 동안 생각하라. 생각하되 '방이 100개쯤 되는 성에서 살고 싶다' 혹은 '50대의 스포츠카를 갖고 싶다'는 등의 엉뚱한 환상 속의 비행은 절대로 삼가라. 이달에는 이 범주에서 얼마를 쓸 수 있을까? 얼마 정도면 내게 편안함과 행복함을 느끼게 해 줄까? 합리적으로 생각해서 결정된 숫자를 그 범주의 '계획' 칸에 적어 넣어라.

이제 다음 범주로 가자. 여기서는 얼마만큼 소비할 수 있을까?

그리고 '계획'칸에 결정된 숫자를 적어 넣어라. 각각의 범주마다 같은 과정으로 계속 결정해 나가라. 물론 당신이 이만하면 충분히 행복감과 편안함을 얻을 수 있겠다는 생각이 들 때의 숫자를 쓴다.

모두 끝내면 잠시 동안 멈추고, 스트레칭도 하고, 쉬어라. 이제 소비 계획을 보라. 이것이 이 순간 당신이 생각하는 이상적인 삶의 그림이다. 굉장하지 않은가? 당신이 이 책에서 얘기된 테크닉과 개념을 일상 속에서 실행한다면, 스스로가 생각한 이상적인 삶의 모습보다 더 나은 곳으로 옮겨 주는 기회를 잡은 것이다.

타깃의 명료화

당신이 삶에서 원하는 것을 얻고자 할 때 맞닥뜨리게 되는 큰 장애물 중의 하나는, 원하는 것이 도대체 무엇인지 모른다는 것이다. 가고자 하는 곳을 모를 때 여행 계획을 짜기란 어렵다. 목표에 다다를 가능성을 따져 보기 전에 당신의 목표를 분명히 해야 한다.

이상적 소비 계획을 세우는 것은 좋은 출발이 된다. 왜냐하면 적어도 지금 이 시점에서 당신이 어떤 삶을 원하고 있는가를 알게 해 주기 때문이다. 그렇다고 해도 단지 출발점에 서 있을 뿐이다. 그 다음에는 원하는 것을 보다 구체적이 되게끔 해 주는 하나의 발견 과정이 뒤따르게 된다. 이러한 발견 과정을 통해서 당신이 진정 원하는 것이 무엇인지 드러날 것이다.

펜과 종이를 가지고 앉아라. 맨 위에 '내가 원하는 사람이 될 수 있다면, 내가 원하는 것을 할 수 있다면, 내가 원하는 것을 가질 수 있다면'이라고 써라. 그리고 그 밑에 다음과 같은 범주를 나열하라.

- 일/경력
- 돈
- 생활 양식/소유물
- 관계
- 창조적 자기 표현
- 레저 활동
- 자기성장/교육

각 범주마다 제목을 만들고, 각 제목 아래 당신이 그린 이상적 모습, 즉 '내가 원하는 사람이 될 수 있다면, 내가 원하는 것을 할 수 있다면, 내가 원하는 것을 가질 수 있다면, 이럴 것이다'를 한두 문장으로 나타내 보아라. 이렇게 할 때는 '나는 가질 수 없어, 될 수 없어, 할 수 없어'와 같이 스스로를 제한하거나 속박해서는 안 된다. 원하는 것과 욕구가 마음껏 달릴 수 있도록 하라. 벌써 당신이 희구하는 것을 성취했거나 목표를 달성한 것처럼, 현재 시제로 기술하라. 예를 들면 다음과 같다.

"나는 아침 햇살이 가득 찬 커다란 흰색 기둥이 있는 집에 살고 있다. 정원에는 완만한 기복이 있는 잔디밭과 커다란 참나무 그리고 화사한 꽃밭이 있다."

"나는 1년에 7만 5천 달러를 벌고 있다. 오랫동안 빚지지 않았으며 25만 달러를 분산 투자하고 있다. 투자에 대한 배당금이 1년에 3만 5천 달러나 된다. 지금 나는 친구와 가족을 위한 선물을 사고 있다."

"나는 1주에 4일만 일한다. 매주 주말에는 테니스를 친다. 때로는 스쿠버 다이빙을 하려고 카리브해로 날아간다. 유명한 화랑에 가서 명화를 감상함으로써 눈을 즐겁게 해 주며, 틈틈이 나무로 조각하기를 즐긴다."

다 적었으면 적은 것을 읽어 보아라. 방금 적은 것들은 당신이 진정으로 살고 싶어하고, 가지고 싶고, 당신을 기쁘게 하는 것을 나타내는 그림이다. 상당히 가치 있는 일이다. 당신만이 그릴 수 있는 이상적 상황은 의사 결정을 할 때 이익이 되는 행동으로 이끄는 데 도움이 될 것이고, 원하는 목표를 지향하도록 해 줄 것이다.

또 다른 방법으로는 '100가지 목록'을 작성하는 것이다. 또 한 번 앞에서와 같이 원하는 것을 마음 속에 그려라. 하지만 이번에는 '이렇게 해야겠다'가 아니라 정말 '되고 싶고, 하고 싶고, 갖고 싶은 것들'만을 적어라.

목록은 이렇게 보일 것이다.

되고자 하는 100가지
1. 파일럿
2. 이탈리아 어에 능통하다
3. 수영 선수
4. 잘 읽는다
5. 이집트 학자
6. 요리사
7. 실력 있는 무용수
8. 화성에 간 민간 여행가
9. 파티를 즐기는 삶
10. 토크쇼 주인공……

하고자 하는 100가지

1. 아침에 빨리 일어나기
2. 매주 낚시 가기
3. 워싱턴 산 등반하기
4. 역사 공부
5. 유명 인사와의 데이트
6. 나만의 집 짓기
7. 쾌적한 곳에서 살기
8. 스카이 다이빙
9. 그리스 여행
10. 개 기르기……

갖고자 하는 100가지

1. 호숫가의 여름 오두막
2. 지금까지 출간된 모든 '백경(Moby Dick)'
3. 훌륭한 오디오 시스템
4. BMW 컨버터블 자동차
5. 한 켤레의 빨간 정장 구두
6. 노트북 컴퓨터
7. 푸른색 실크 넥타이
8. 차분한 애인
9. 침실이 두 개 있는 콘도
10. 유동 자산 10만 달러……

어떤 사람들은 이 같은 과정에서, 갖고 싶지만 갖고 있지 않다는 사실을 분명하게 만들어서 오히려 기분만 더 나빠질지도 모른다고 생각할 것이다. 잠재 의식은 원하는 것을 이미 알고 있다. 단지 그것을 스스로 숨겨 놓고 있을 뿐이다. '어쩌면 앞으로 나는 달성할 수 없을는지도 모른다'는 두려움이 지향하는 목표는 '나는 그것을 달성할 수 없어'라고 생각하게끔 하는 것이다.

빚에 시달려 지친, 의료 기사로 일하고 있는 린다는, 한 번도 스스로 이상적 상황을 인식해 보거나 목록에 쓴 이상으로 돈을 벌 수 있다고 생각해 본 적이 없었다. 빚 때문에 생긴 지속적인 스트레스와 좌절감이 다른 종류의 삶을 상상할 수 있는 능력을 파괴했다. 목록을 작성했을 때는 이 프로그램을 4달 동안 실시한 후였다. 6개월도 안 되어 그녀는 작성한 목록 중에서 '직장을 옮기겠다', '새 아파트로 이사하겠다' 등 몇 가지 것들을 달성했다.

진짜로 원하는 것이 무엇인지 당신 스스로 분명히 하기만 하면 인상적인 결과가 머지 않아 나타날 것이다.

처음에는 목록을 작성하거나 그림이 잘 그려지지 않을 수 있지만 적어도 2주마다 계속 시도해 보라. 삶에 대한 통제력이 점점 증가하고 있고, 두려워할 이유가 없다는 것을 잠재 의식이 깨닫기만 하면 열리기 시작할 것이다.

그 과정에서 더 많은 재미를 느낄수록, 거기에서 더 많은 이익을 얻을 수 있을 것이다. 노동으로 생각되지는 않을 것이다. 그렇게 하는 목적은 삶에서 진정으로 좋아하는 것은 무엇인가를 알게 해주는 것이며, 사고를 제한하는 것들을 벗어 던지게끔 당신을 도와주려는 것이다. 그리고 원하는 것들은 화강암에 새겨져 있는 것이 아니라는 것을 명심하라. 또 일단 목록을 작성하면 그것에 반드시 얽매이라는 것은 아니다. 시간이 지남에 따라 당신이 변하는 것처럼 목록도 변한다. 1년에 한 번 내지 두 번 정도 새로 작성하는 것이 좋다. 시간적인 변화와 병행해서 스스로와 스스로의 욕구가 어떻게 변화해 가는지를 알게 해준다. 이전에 작성한 것들을 찬찬히 살펴보라. 원했던 것들 중에서 얼마나 많은 것들이 삶 속에서 실현됐는지, 어떻게 이상적 상황의 방향으로 움직이기 시작했는지를 발견하고 놀랄 것이다.

목표 설정

무엇을 추구하고자 하는지가 분명하면 목표와 결과에 변화를 주기가 훨씬 용이하다. 목표 설정이 이 같은 생각을 세련되게 하는 좋은 방법이다.

당신이 그려낸 이상적인 모습들을 숙독하라. 그걸 명심하고 다음의 과정을 진행하라. 아무리 작은 것이라 할지라도, 또는 즉각 달성되는 것은 아니라고 해도, 당신이 설정한 목표는 어떤 방식으로든 이상적 상황을 실현하는 데 도움이 되는 쪽으로 공헌하게 된다. 종이를 갖고 앉아라. 맨 위에 다음과 같이 적어라.

5년간의 목표

이상적 상황을 향하여 움직일 것으로 보고 지금부터 5년 이내에 이루고 싶은 10가지의 목표를 적어라. 신중하되 합리적으로 생각하라. 5년은 상당히 긴 기간이다. 예를 들어 당신의 목표가 이것들이라고 하자.

1. 빚으로부터 자유로워진다.
2. 전원 주택에서 산다.

3. 결혼한다.
4. 이탈리아 어를 능숙하게 말한다.
5. 워싱턴 산을 등반한다.
6. 애완견을 기른다.
7. 5만 달러를 분산 투자한다.
8. 토크쇼의 주인공이 된다.
9. 취미로 목공일을 잘한다.
10. 크고 우아한 옷장을 갖는다.

적어 보라. 당신의 목표를.

1년간의 목표

이 제목 하에서는 앞에서 쓴 5년간의 목표를 달성하는 데 도움이 될, 내년에 반드시 달성하고자 하는 7개 목표를 써 보라. 이때 내년에 달성하고자 하는 목표는 그것을 이루기 위한 상당히 좋은 기회가 있을 것으로 예상되는 것들이어야 한다. 앞에서 작성한 목록으로부터 나올 수 있는 것은 다음과 같다.

1. 상환 계획을 잘 수행한다.
2. 이탈리아 어 초급반의 한 학기를 마친다.
3. 어디서 살고 싶은지를 정확히 안다.
4. 지역 방송에서부터 케이블 텔레비전에 이르기까지, 어떻게 해야 토크쇼의 주인공이 될 수 있는지를 알게 된다.
5. 액수에 관계 없이 적어도 한 번은 투자한다.
6. 가능한 한 결혼 적령기의 이성을 만난다.

7. 적어도 여섯 벌의 훌륭하고 아름다운 옷을 갖는다.

적어 보라. 당신이 내년에 달성하고자 하는 목표를.

1달의 목표

이 제목 하에서는 방금 세운 내년의 목표 달성에 도움이 될, 내 달의 목표를 적어도 5개는 세워라. 앞에서 세운 내년의 목표를 토대로 하면 이러한 것들이 나올 수 있다.

1. 전체 빚쟁이들의 명단을 작성하고, 각자에게 얼마를 지불해야 하는지를 알기 위해 총 빚 대비 각각의 빚의 비율을 정한다.
2. 어디서 이탈리아 어 강의를 하는지, 적어도 6개의 기관이나 개인을 알아둔다.
3. 텔레비전과 라디오 프로그램에서 차지하는 토크쇼의 비중과 빈도, 그리고 각각의 특성은 어떤지 알아 둔다.
4. 새로 사귄 사람들 중에서 같이 데이트를 할 때 기분이 좋은 사람을 자주 만난다.
5. 가장 사고 싶은 옷의 가격대가 어느 정도인지 알아 본다.

자, 준비가 되었으면 당신만의 한 달 목표를 적어 보라.

1주의 목표

이 제목에서는 당신이 그 달의 목표를 달성하는 데 도움이 될, 다음주의 5개의 목표를 작성한다. 앞에서 열거한 30일간의 목표에 기초하면 이러한 것들이 될 수 있을 것이다.

1. 소비 계획을 만든다.
2. 어디서 이탈리아 어 강의를 하는지 그것을 잘 아는 친구 3명에게 물어 볼 것이다.
3. 형광펜으로 표시되어 있는 주목하고 있는 토크쇼가 실제로 어떤지 체크해 본다.
4. 이상적인 배우자의 가장 중요한 특성 다섯 가지를 열거해 본다.
5. 새 옷장을 채울 의류 중에서 내게 가장 합리적인 품목은 무엇인지 결정한다. 예컨대 블라우스인지, 넥타이인지, 또는 스카프인지를 결정한다.

예에서 보는 것처럼, 설정된 시간의 틀이 크면 클수록 목표는 클 것이고, 시간의 틀이 작으면 작을수록 목표는 작을 것이다. 예를 들어 지금부터 5년 동안의 목표 중의 하나는 빚으로부터 자유로워지는 것이지만, 다음주에 달성하고자 하는 목표는 그 큰 목표를 위해서 단지 소비 계획을 작성하는 것이다. 또 5년 동안의 목표 중 하나는 크고 우아한 옷장을 소유하는 것이지만, 다음주의 목표는 의류 중에서 합리적으로 살 수 있는 것을 결정하는 것이다.

궁극적으로 원하는 것이 무엇인지 정의를 내리는 것으로부터 시작해서 오늘에 가까워질수록 그걸 더 작은 행동이나 목표로 줄여나가는 과정을 밟는 것이다. 이렇게 하는 것은, 비록 아무리 사소한 행동이라고 해도 주별 목표나 월별 목표를 달성하게끔 방향 짓게 해 주며, 결국에는 저 멀리 떨어져 있는 큰 목표를 향하여 서서히 전진하도록 해 준다.

목표에 관해 마지막으로 말할 것이 있다. 목표를, 무슨 일이 있어도 기필코 달성해야 하는 그 무엇으로 생각하지 마라. 목표가 당신을 채근하는 채찍이나 잠재적인 실패의 기제가 되어서는 안 된다. 오히려 진로를 유지하도록 하는 푯말이 되어야 한다. 주별 목표로 설정한 5가지 목표 중에서 3~4개 밖에 달성하지 못했다면, 그 다음 주에 이루지 못한 목표를 달성하고자 하거나 아니면 새로운 목표를 위해 그걸 버릴 수도 있다.

새로운 아이디어, 새로운 욕구가 떠오를 때마다 목표는 바뀐다. 그렇게 하면 된다. 목표를 다시 세우고 다시 정의할 때 목표 정하기가 제대로 시행되는 것이다. 그 과정을 즐겨라. 목표는 뚜렷할수록 좋다. 목표를 세우고 그걸 실행하는 것을 즐겨라.

실제적인 재료

가능한 한 최대한으로 현금화하는 것이 돈을 많이 버는 방법이다. 단순히 빚을 지지 않는 것과는 다르다. 집세와 공공요금과 같은 것은 가계 수표를 사용하고, 그 외 일체를 현금으로 지불한다. 대부분의 지출을 현금으로 지불하면 돈이 이미, 돈의 유용성, 관리하는 방법, 돈의 위력, 돈이 가져다 주는 기쁨 등에 대한 생생한 감각을 얻을 수 있다.

일체의 수입을 현금화해서 지출하는 사람들의 대부분은, 그렇게 함으로써 자신들의 돈에 대한 자유와 진정한 자격을 부여받았다는 것을 잘 안다.

관용의 원리

관용이란 희생이 아닌, 이기적이지 않은 특성을 말한다. 관용이란 다른 사람의 복지와 행복을 고려하는 것이다. 관용은 주는 것과 받는 것 모두 중요하다. 관용을 주고받는 것이 어렵다면, 삶에 돈이 들어오는 것을 막을 뿐만 아니라 빚으로부터 해방되는 과정을 늦추고, 그 이후의 번영도 막는다.

타인에게 관용을 쉽게 베풀지 못하는 사람은 보통 충분히 갖고 있지 못해서 그렇다고 한다. 타인이 베푸는 관용을 쉽게 받지 못하는 사람은 종종 스스로를 별로 가치가 없는 존재로 간주하거나, 또는 관용을 자선과 혼동하거나, 받는 것을 주는 것보다 덜 가치 있는 것으로 생각하거나, 또는 보답으로 뭔가를 돌려줘야 한다고 생각해서 받기를 두려워한다.

관용의 실천

처한 조건이 어떻든 간에, 누구든지 베풀 수 있는 능력을 가지고 있다. 나는 그럴 능력이 없다는 믿음이 타인에게 주기를 망설이게 한다. 1천 달러를 줄 수는 없어도 1백 달러는 가지고 있기 마련이다. 1백 달러를 줄 수 없다면 50달러는 있을 것이다. 50달러가 없다면 20달러는 있다. 20달러가 없다면 10달러는 있다. 10달러도 없다면 5달러는 있고, 5달러가 없으면 1달러는 있으며, 1달러도 없다면 10센트는 있다. 그렇지 않으면 교회나 재활용 센터, 그리고 마음에 드는 일을 할 수 있는 그 어떤 곳에 가서 자원 봉사를 할 수도 있다. 이야기하기를 원하는 친구를 만나서 그의 말을 들어줄 수도 있다. 가지고 있는 재능을 활용해서 타인에게 베풀 수도 있다. 나의 감정을 담은 전화나 편지를 잘 모르지만 필요로 하는 사람에게 전달할 수도 있다.

준다는 것은 선물을 만들어서 증여하는 것을 의미한다. 당신은 그렇게 할 수 있다.

왜 그렇게 해야 하는가? 물론 아무도 그렇게 해야 한다고 말하지는 않는다. 그러나 주는 능력을 개발하는 것은 아무것도 가진 것이 없고, 그 어떤 것도 줄 것은 없다는 왜곡된 신념을 부숴 버리는 데 도움이 된다. 당신은 삶을 비롯한 어떤 것을 망친 책임은 있되, 그것을 되돌리기에는 참으로 무력하다는 낡은 신념 때문에 분노를 느낄 수도 있다. 남에게 베푼다는 것은 그런 분노를 누그러뜨리는 데 크게 도움을 준다. 그래서 당신의 삶이 얼마나 풍요로운가를 생각해 보게끔 하는 데 일조를 한다.

자유롭게, 분노하지 않고, 완전히 베풀수록 더 많이 받을 수 있다. 밖으로 베푸는 만큼 되돌려 받는다.

관용의 수용

보편적인 시각으로, 또는 그 어떤 시각으로 보더라도, 당신의 가치는 다른 사람의 가치와 아무런 차이가 없다. 아직까지 이 말을 전적으로 믿지는 않겠지만, 지금까지 문제로 남아 있는 빚은 바로 스스로에 대한 낡고 왜곡된 인식 때문에 생겨났다는 점을 인정해야 한다. 당신은 이 지구라는 위성에 살고 있는 다른 사람들과 마찬가지로, 충분히 가치를 인정받을 만하고 그럴 자격을 갖추고 있다.

받는다는 것을 본래부터 뭔가 잘못된 것이라고 느끼는 사람들이 있다. 종종 그들은 모든 사람이 받을 권리를 대표하듯이 맨 앞에서 목소리를 높이는 사람들이다. 그들은 어떤 도움도 받지 않고 지내야 한다, '사양하는 것이 미덕이다', '나는 너무도 강인해서 받을 필요가 없다'라고 생각하는 사람들이며, 받을 때의 기쁨이나 받았으면 하는 바람을 마치 욕망이나 허약함으로 오해하고, 그래서 억제해야 하고 부정해야 하는 것으로 믿는 사람들이다.

누군가 당신이 입고 있는 드레스에 대해 칭찬하면 다음과 같이 반응한다.

"아! 이거요? 오래됐어요. 전에는 좋았는데 이제는 낡아 빠졌어요." 또는 "세일 때 샀던 것인가?" 라는 식으로 대답한다.

잘생겼다는 말을 들으면 이렇게 말한다.

"글쎄, 고맙습니다. 조명 때문에 좋게 보이는 것 같아요."

또는 이렇게 말한다.

"내 형을 보셔야겠네. 얼마나 잘생겼는데요!"

누가 선물을 주면 이렇게 말한다.

"그럴 필요가 없는데."

또는

"정말로 고맙지만 지나친 것 같아."

또는

"고마워, 하지만 그럴 필요가 없는데,"

심지어는

"이런 거 선물하지 말라고 했지!"

이것들은 언뜻 보기에는 별다른 뜻이 없는 것처럼 보이지만, 사실 받기를 꺼리는 것 같은 감정이 조금은 담겨 있다. 이러한 꺼림이 연쇄적으로 진행되면 점차 강력해질 수 있고, 결국에는 스스로의 번영을 막을 수도 있다.

칭찬에서부터 돈에 이르기까지 어떤 것을 받았을 때, 단순히 "고맙습니다"라고 하는 것 이상의, 가능한 한 품위 있게 받는 훈련을 시작해 보라. 이렇게 하기 위해서는 많은 훈련과 노력이 필요하다. 누군가 선물을 하고자 할 때 어떤 식으로든 받지 않으려 하거나, 자신은 그럴 자격이 없다고 하거나, 스스로를 지나치게 낮추거나, 황송해 하는 사람이라면, 특히 이런 '품위 있게 받는 훈련'을 많이 해야 한다. 또 누군가가 선물을 줄 때 단지 "고맙습니다"라는 말 외에는 더 이상 말을 잇기가 힘든 사람도 받는 것을 배울 필요가 있는 사람이다.

과거에 진 빚의 영향에서 조금씩 벗어나고 있을 때, 그때 크리스마스 무렵, 내게는 참으로 고통스러운 기억이 있다. 그때 나는 아무리 소비 계획을 짜고 또 짜도 선물을 살 돈이 없었다.

크리스마스 선물을 살 돈이 없다.

이것은 거의 고문이었다. 지금까지 살아오면서는 크리스마스 선물, 특히 나의 두 아들 녀석의 선물에 많은 돈을 썼다. 그건 내가 정말 원한 것이었고, 기뻤으며, 즐거움을 가져다 주던 것이었다.

그때 14살이었던 막내 녀석과 주말을 같이 보내게 되었는데, 편치 않은 마음을 담은 심각한 내 얘기를 듣고는 그 애가 말했다.

"괜찮아요, 아빠. 나는 이해해요. 언짢아 할 필요가 없어요."

그리고는 밝은 표정을 짓고 흥분하면서 말했다.

"나는 이미 아빠에게 줄 선물을 정했어요. 아빠도 그걸 좋아할걸요."

즉시 내가 말했다.

"세시, 나는 괜찮아. 니는 선물을 원하지 않아."

그 애의 얼굴 표정이 변했다. 얼굴 가득 서려 있던 흥분과 기쁨이 사라졌다. 배를 걷어차인 것처럼, 마치 내게 맞은 것처럼 보였다. 나는 아픔을 느꼈다. 우린 둘 다 아무 말도 하지 않았다.

다음에 내가 한 일은 쉬운 일이 아니었다. 나는 그 애에게 내가 아무것도 원하지 않았고, 어떤 것도 받을 수 없었던 심정을 말해야 했고, 선물을 못해서 그 애를 실망시켰으며, 그래서 어떤 것도 받을 자격이 없다는 것도 말했다. 하지만 내 아들이 내게 선물하는 것은 좋은 일이며, 그 선물을 받고 행복해 했을 것을 알고 있다는 것과, 그럼에도 그렇게 하지 않은 나 자신의 행동에 대해서 사과해야 했다.

이전에는 좀처럼 그렇지 않았던 아이의 눈은 촉촉이 젖었고, 나를 가만히 껴안았다. 그리고 잠시 후에는 다시 평상시의 맑고 밝은 아이로 되돌아갔다.

받는 것에 대한 무능력 때문에 내가 한 일은 내 아들이 내게 선물을 줄 권리와 나를 위한 일을 하고자 하는 권리를 박탈한 것이었다. 내가 그를 외면한 것이고 거부한 것이다. 그 순간 그를 상처 입혔고, 불행하게 했다. 받는 것에 무능력한 사람은 주는 사람에게 이런 식의 어리석은 짓을 한다.

그 해 크리스마스 때 내가 두 아들에게 준 선물은 편지였다. 각자에게 아주 사적인 편지를 썼는데, 삶에 대해서 그리고 최초로 대면한 순간부터 지금까지 그들이 나에게 어떤 의미를 갖고 있는지, 또 내가 그들을 얼마나 사랑하고 있는지를 적었다.

나는 그 해 크리스마스에 나 자신과 나를 알고 있는 모든 사람들에게도 선물을 주었다고 생각한다. 너무 추상적이고, 손에 잡기 어려운 것이며, 심지어 당시에는 뚜렷하지도 않았지만, 빚으로부터 재정적 회복이라는 선물을 준 것이었다. 나는 그들에게 한 사람의 아버지, 한 사람의 아들, 한 사람의 형제, 한 사람의 연인, 한 사람의 친구, 한 사람의 동료 여행가를 선물한 것이다. 빚 문제가 있기 전보다 훨씬 더 강하고, 훨씬 더 건강하고, 훨씬 더 분명하고, 훨씬 더 능력 있는 친지라는 선물을 보낸 것이다.

주기와 받기는 하나의 커다란 흐름이다. 어느 한쪽에서의 무능력이 그 흐름을 끊어 버리게 되는데, 그것이 없는 삶이란 참으로 건조하고, 훨씬 불만족스럽고, 훨씬 적대적이고, 그래서 번영과 풍족함이 뿌리 내리기 어려운 것이 되고 만다.

제20장 | 인간의 한계와 능력

    이 장은 간단하다. 이 장은 영성(spirituality)에 관한 것이고, 개인적인 주제이기 때문에 간단하다. 하지만 종교에 대해 어떻게 느끼고 있는가에 상관없이 그건 모든 사람에게 적절한 것이다.

    영성은 종교와 동의어가 아니다. 신조나 경전을 요구하지 않으며, 심지어는 신의 존재에 대한 믿음도 요구하지 않는다. 무신론자와 불가지론자도 신부와 랍비처럼 영적일 수 있다. 영성은 간단히 말해서, 인간이 우주의 중심적인 존재가 아니라는 인식이다. 즉 영성이란 생명의 근원이나 활력에 대한 직관을 말한다. 그것은 무엇인가가 더 있을 것 같다는 인식이고, 개괄적이며 폭 넓은 견해를 말한다. 근원적인 생명과의 연결을 지향하는 인식이고, 요청이며, 운동이다.

    전통적 동양화에서는, 우뚝 솟은 산이나 수직으로 떨어지는 폭포 등의 배경은 매우 크게 그리고, 사람의 존재는 조그맣게 그린다. 여기서 이야기하고자 하는 것은 바로 이런 시각을 말하는 것이다. 또 바닷가에 앉아 있을 때나 별이 가득 차 있는 밤하늘의 광대함을 바라볼 때 우리에게 엄습하는 바로 그 시각이다.

그저 이해하는 것이 전부는 아니다

어떤 존재의 맥락 속에서 우리가 살아간다고 할 때, 그 존재는 많은 이름으로 불리워진다. 그것들의 이름은 다르다.

- 무한
- 미지의 것
- 에너지
- 영혼
- 고차원의 자아
- 신성한 사고
- 무한한 사랑
- 일차적 동인
- 절대자
- 보편적 흐름
- 고도의 힘

- 원천
- 신
- 원인 없는 원인
- 존재
- 우주
- 궁극적인 것
- 영광
- 현존재
- 창조
- 광채

이름은 중요하지 않다. 그것을 어떻게 부르든지 우리가 입으려는 옷은 편안하게 입을 수 있을 정도로 충분히 크다. 그렇지만 우리는 그게 좋다는 것은 알고 있다.

생명력의 존재와 관련 있는 영성이라는 것은 중심화, 평화와 평온함, 그리고 내적 변화에 영향을 미치는 강력한 요인이다. 그래서 영성을 개발하는 것이란 기본적으로 자기 의지를 발현하는 과정이다. 결코 책임감을 버린다거나, 행동하지 않겠다거나, 계획에 실패한다는 것을 의미하지 않는다. 그건 당신이 모든 답을 갖고 있지 않고, 지금까지의 낡은 방법, 태도, 그리고 인식은 아무 효과도 없으며, 당신이 신이 아니고 우주의 중심이 아니라는 것을 의미한다. 그것은 당신이 모든 답을 구할 수는 없다는 것을 인정하고 인식하라는 것을 의미한다. 그리고 당신의 낡은 사고 방식과 태도와 인식이 더 이상 작동하지 않는다는 것을 인식하고 인정하라는 것이다. 또 결코 신과 같은 존재가 될 수 없다는 사실과 결코 우주의 중심적인 존재가 아니라는 점을 인식하고 인정하라는 것이다. 그리고 나면 스스로 최선의 것을 추구하게 되고, 평온해지며, 내적인 안내자를 받아들이게 되고, 개방적이 되며, 두려움과 절망을 떨쳐 버리게 되고, 어느 한 순간 당신은 완벽하게 좋고 다른 사람들과 이 세계에 통합되어 있다는 것을 알게 된다.

영성을 계발하는 데에는 여러 가지 방법이 있다. 산책하는 것, 명상, 공식적 기도 등 많은 방법이 있다. 어떤 방법을 선택하는 것보다 실제로 행하는 것이 더 중요하다. 영성은 엄청난 활력의 원천이고, 강함과 편안함을 끊임없이 샘솟게 한다.

평온하게, 그리고 영성에 당신을 맡겨라.

제21장 | 유지하기 제1부

빚으로부터의 자유 또는 자유를 향한 도정에 들어섰다는 것은 참으로 좋은 일이다. 빚으로 고통받던 시절, 어떻게 되어서 아무것도 생각할 수 없었는지 기억하는가? 그 시절, 당신 삶의 색깔이 어떤 방식으로 탈색되었으며, 당신의 삶이 어떻게 오염되었는지 기억하는가? 다시 돌아가고 싶지 않을 것이다. 어떻게 그렇게 되었는지, 기분이 어땠는지는 잊지 않을지라도, 그 슬픈 이야기를 다시 시작하고 싶지는 않다. 빚 없이 지내고 싶다. 그러기 위해 당신이 해야 할 것이 있다.

첫째, 어느 하루 빚지지 않는다.
둘째, 소비 기록을 꼼꼼하게 한다.
셋째, 소비 계획을 착실하게 지킨다.

무엇보다도 먼저 이렇게 하라. 터무니없이 자명한 것처럼 보이겠지만, 이토록 간결한 3가지 규칙만 따르면 결코 빚으로 다시 돌아갈 일은 없다.

그 누구도 그 무엇도 빚을 강요하지는 않는다

그 어떤 것도 당신에게 빚을 지라고 하지 않는다. 기억하라. 어느 누구도 당신의 머리에 총을 들이대고, 자기에게 돈을 빌리지 않으면 머리를 날려 버리겠다고 위협하지 않는다. 빚을 질 수는 있지만, 누구도, 그 무엇도 당신에게 빚을 강요하지는 않는다.

욕구를 만족시키고 싶을 때, 그걸 하기 위해서는 여러 가지의 선택 가능한 방법들이 있는 법이다. 상황을 숙고하라. 그 길을 찾아라.

결코 다시 빚질 필요가 없다.

이 책을 활용하라

'흑자 전환 프로그램'은 살아 있는 프로그램이지, 이론이 아니다. 그것은 당신이 하는 만큼 작동한다. 이 책이 책장에서 먼지를 뒤집어쓰고 있어서는 당신은 아무런 도움도 못 받은 것이다.

이용하라.

더 많이 이용하면 할수록, 당신은 더 나아질 것이다. 당신이 여기서 논의된 개념들을 흡수하고 테크닉들을 실천한다면, 당신은 스스로를 빚의 굴레로부터 해방시킬 것이고, 빚 없이 살아갈 것이고, 풍요와 번영 속에 살아갈 것이다.

두 번 다시 속아서는 안 된다

돈을 빌리고, 외상을 이용하고, 더 많이 소비하라는 광고의 압력은 엄청나게 크다. 우리는 가상의 바다에 살고 있는데, 의식적으로 거의 이해하지 못하고 있다.

사진 작가인 제임스는 지난 4년 동안 1만 2천 달러의 빚을 갚았다. 그는 이 프로그램에서 제시하는 실천 항목을 등한시했고, 몇 달 동안 자구 조직에서 볼 수 없었다. 얼마 후 그는 4천 달러의 빚을 새로 지고 나타났다.

몇 명이 물었다.

"무슨 일이야?"

제임스는 어깨를 움찔하더니 후회하는 말을 했다.

"'당신에게 이런 엄청난 기회를 부여합니다'라는 유혹이 나를 포위하고 있어서 견뎌내기 힘들었다."

이렇게 빚을 지라는 광고의 압력과 유혹을 더 많이 의식할수록, 그리고 그것이 함축하고 있는 뜻은 무엇인가에 대해 더 많이 조사할수록, 그러한 유혹에 저항하는 것이 더 쉬울 것이다.

매일 외상을 사용하라는 초청, 재촉, 자극의 횟수를 스스로 감지하라.

게임하듯이 찾아보라. 중간중간에 종이에 하루나 일주일의 전적을 기록하라. 라디오 광고, 텔레비전 광고를 들어라. 신문, 잡지 광고를 보아라. 우편물의 권유문, 은행의 팸플릿, 현금 입출금기 옆의 신용 카드 전단, 대중 교통 수단의 포스터와 절취 부분을 주목하라.

"지금 즉시 이용하고, 돈은 나중에 지불하십시오."

"새로운 이자율의 이점을 취하십시오."

"12개월 할부를 하면 부담이 매우 적습니다."

"당신의 신용 한도는 벌써 승인되었습니다."

"모든 곳에서 받아 줍니다."

"지불 시기는 마음대로 선택하시면 됩니다."
"오늘 이 동의서에 서명을 하여 보내 주시면 됩니다."
"상담원에게 전화하십시오. 무료입니다."
"지금 바로 돈을 보내지 않으셔도 됩니다."
"회비는 무료입니다."

이것들이 그들의 비밀이다. 별다른 노력을 하지 않더라도, 단지 지금까지 잘 훈련된 의식만으로도, 이런 광고는 10개, 20개⋯ 얼마든지 찾아낼 수 있다.

빚으로의 문은 활짝 열려 있을 뿐만 아니라, 매순간 누군가가 당신을 이렇게 흔들어댄다.

'빚을 얻어라. 어떤 빚이든지 얻어라. 일단 얻어 보라.'

고맙지만 사양하겠다. 나는 이미 경험이 있다.

타산지석을 찾아라

주위의 친구나 동료 그리고 뉴스에서 보도되는 사람들 가운데에서 빚 문제의 징후를 포착하는 감수성을 길러라.

한 달 혹은 며칠 동안, 당신이 포착한 징후들을 기록해 보라. 분위기 전환을 위해 쇼핑을 하는 친구를 주목하라. 돈, 청구서, 빚쟁이에 대해 불평하는 사람의 말을 들어라. 그들이 갖고 있는 신용카드의 숫자를 주목하라. 빚 때문에 회사 돈을 착복하고, 권력을 남용하고, 범죄를 저지르고, 심지어는 자살하는 사람들에 관한 뉴스와 잡지 기사를 찾아 보라.

그것들을 찾는다면, 매일매일 더 깊이 빚에 빠지는 무수한 사람들이 있다는 것을 발견할 것이다. 하루에도 몇 번씩 그들을 만나거나, 보거나, 또는 듣지 않고 지내는 것이 얼마나 어려운지 알 것이다. 이러한 사실에 대해 인식한다면, 당신은 과거 당신이 처했던 바로 그 지점으로부터 아주 멀리 왔고, 왜 빚 없이 지내고자 하는지에 대한 이유를 상기하는 데 도움이 될 것이다.

좋은 친구들과 함께 하라

자구 조직은 가치 있는 도구로 작용한다. 빚을 갚거나 또는 그 길에 있는 도중에는 절대로 그들로부터 멀어지지 마라. 연계를 지속하라. 전화로라도 그 사람들과의 접촉을 유지하라. 그렇게 하는 것이 당신의 목적을 강화시켜 주고, 시각을 분명하게 하고, 늘어나는 선택과 대안을 제공해 주고, 그리고 보다 즐거운 생활 방식으로 나아가는 데 도움이 될 것이다.

제22장 | 유지하기 제2부

다음의 원칙들은 '흑자 전환 프로그램'을 실시하고 있는 모든 사람들에게 적용된다. 그러나 대개는 통찰력에 문제가 있다고 생각할 수도 있다. 마치 착시와도 같이 찾기 전에는 결코 볼 수 없는 것이다. 그러나 그것들은 저기에 있다. 당신이 보기만 하면 된다.

돈이 들어온다
새로운 빚을 지지 않고 이 프로그램의 원칙들을 실천하면 언제나 충분한 돈이 들어온다.
어떻게?
정확히는 나도 모르고 다른 사람들도 모른다. 아마도 프로그램의 다양한 부분들이 결합되어 어떤 영향을 주는 것 같다. 그러나 나는 돈이 들어온다는 것, 그것도 충분하게 들어온다는 것을 내 자신과 그리고 다른 사람들의 삶에서 보고 또 보았다. 무조건적으로, 당신이 더 이상 새로운 빚을 지지 않고, 이 프로그램을 성실히 실행한다면, 돈은 들어온다. 그것도 충분하게 들어온다.

그렇다 해도 원하는 때, 원하는 형태로, 원할 때마다 늘 얻게 된다는 것은 아니다. 때로는 퇴보도 있고, 커다란 결점으로 보이는 것도 있고, 고통스러운 순간도 있다. 그러나 결국에는 돈이 들어온다. 때로는 놀라울 정도로 느리게 조금씩, 때로는 거품이 일 정도로 급격하게, 때로는 얌전하게, 때로는 화려한 사건으로 돈이 들어온다.

조경사인 셰릴은 1년 반 동안이나 다음달의 비용을 어떻게 충당할 것인지를 알지 못한 채, 하루하루 근근히 생계를 이어 갔다. 그런데 프로그램 시행으로부터 2년 후에는 그녀에 관한 명성이 주위에 퍼져 나갔고, 어떤 사업을 하든지 이전의 고객이 새로운 고객을 소개해 주었고, 지역 잡지에 성공에 관한 글을 썼으며, 이제는 하청업자를 고용할 정도로 번창해졌다.

음악가이자 코미디언인 밥은 아주 젊었을 때 많은 돈을 벌었으나, 그 이후에는 조그마한 재즈 연주회장에서 일하였고, 사설 강습을 하며 지냈으며, 몇 년 동안은 가끔씩 사무실에서 임시직으로 일하는 등 10년 이상을 무명으로 궁핍하게 살았다. 그러나 이제는 컴백해서 1년 수입으로 7만 5천 달러를 번다.

과학 칼럼니스트인 막스는 회복의 초기 단계 가운데 안정화 단계에 있다. 그는 어느날 그의 보험 중개인에게 전화해서 생명 보험료를 낼 수 없으니 보험을 해약해야겠다고 했다. 중개인은 그에게 배당금으로 6백 달러가 축적되어 있다고 알려줬다. 막스는 2백 달러는 보험료로 쓰고 나머지 4백 달러는 보내 달라고 했다.

사무 보조원인 메어리는 연봉 2만 5천 달러의 직장에서 해고되어 3개월 동안 실직 상태로 있었다. 비상금은 거의 바닥 나 단지 7달러만 남아 있었다. 메어리는 친구와 중국 음식점에서 저녁을 먹는 데 7달러를 썼는데 그 다음날 연봉 3만 6천 달러의 직장을 얻었다.

'흑자 전환 프로그램'의 효과는 각기 다르게 나타난다. 그게 왜 효과가 있는지에 관해서는 논쟁의 여지가 있겠지만, 효과가 있다는 점에서는 논쟁의 여지가 없다. 나는 절대로 빚을 지지 않으려고 하는 사람이 빚을 지는 것을 한 번도 본 적이 없다.

돈은 들어온다. 그것도 충분하게.

기적도 평범한 것이 된다

의도하든 의도하지 않든, 빚지지 않으려고 하는 것은 당신을 대안이 풍부한 삶으로 인도해 준다. 시간이 지남에 따라서, 그리고 경험이 쌓일 때마다 대안이 풍부한 삶이란 거의 무한하다는 것을 이해하게 된다.

긍정적으로 행동하면 긍정적인 결과가 예상치 못했던 방식으로 나타나며, 가끔은 원래의 행동은 잊혀졌더라도 그 효과는 오랫동안 지속되는 일도 일어난다.

낡고 왜곡된 신념을 새롭고 건강한 것으로 대체하면, 명료함이 증가하고 감정은 고양된다. 삶에 대한 통제력이 몸에 배면 두려움은 물러가기 시작한다. 빚을 벗어나면 고통은 사라진다. 스스로를 믿기 시작하면 행복이 싹튼다.

삶의 질의 향상이나 돈의 유입과 같은 모든 기적 같은 것들이 말 그대로 정말로 평범한 것이 된다.

기회가 찾아오면 기꺼이 맞이하라

기회는 문을 한 번만 두드리지는 않는다. 언제나 문을 마구 두드리고, 지붕을 찢고, 창문을 발로 찬다고 할 수 있다. 문제는 기회를 기꺼이 볼 준비가 되어 있는가 하는 것이다.

빚으로부터 벗어나기 위한 프로그램을 수행하고 있는 앤드류와 낸은 친구였는데, 어느날 그들이 처한 현재의 상황을 전부는 모르고 그저 두 사람 다 현재의 직업에 불만이 있다는 정도만을 알고 있는 한 친구와 저녁을 같이 먹었다. 그 친구는 거래하고 있는 한 회사가 마케팅 부를 개설하려 한다는 이야기를 전했다. 앤드류는 마케팅 일의 경험이 없었기 때문에 제대로 듣지 않았다. 낸도 앤드류와 비슷했지만 어쨌든 전화를 했는데, 그 회사는 마케팅 업무에 대한 훈련 과정을 계획하고 있다는 것을 알았다. 그래서 낸은 면접을 보러 갔다. 낸은 회사와 일이 마음에 들었고, 그들도 낸을 마음에 들어했다. 낸은 이전에 받았던 연봉보다 6천5백 달러를 더 받고 조사 분석가로 일하고 있다.

에리카는 말재주가 좋고 재미있는 사람이다. 친구들을 포복 절도하게 한다. 마이크도 그렇다. 그의 친구들도 그와 같이 있으면 언제나 배꼽이 빠지도록 웃게 된다. 그 또한 유머 집 전문 출판사에 프리랜서 작가로 자료를 팔아 부수입으로 1년에 3천5백 달러를 벌고 있다.

기회는 무지개처럼 우리의 삶에 걸쳐져 있다. 기회란 우리가 기꺼이 보려 하고 볼 준비가 되어 있는가에 달려 있는 시각의 문제이다.

돈 때문에 일한다면 돈벌기는 어렵다

사람들은 일을 보통 필요한 고역쯤으로 인식한다. 대개는 이렇다. '사람들은 개처럼 일하면서 살아가야 하고, 사무실에서는 노예처럼 일해야 한다.' 그러나 소수의 예외는 있지만, 성공한 사람들은 그들이 가장 즐기는 일을 하거나 그들에게 가장 의미 있는 일을 하는 사람들이다. 하루가 지나가기를 기다리며 불유쾌한 고생이나 긴장 속에서 '일'하지 않는다. 그들이 하는 일은 그들이 의미를 찾거나 그들에게 기쁨을 주는 활동에 몰입해서 이뤄내는 것이다. 때로는 힘들고, 많은 노력과 긴 시간이 요구되는 것도 있지만, 그들은 해야 한다고 생각하거나 반드시 해야 하는 일을 하는 것이 아니라, 하고자 원하는 일을 하고 있기 때문에 전혀 문제가 되지 않는다.

하기 싫은 일을 하거나 일을 하는 것에 짜증을 내고 있다면, 그 일이 얼마나 돈을 벌 수 있게 하는가와는 상관없이, 결국 당신은 그 일로 많은 돈을 벌지는 못할 것이다. 조만간 어떤 방식으로든 일을 엉망으로 만들거나, 또는 마지못해 일하면서 체념하거나, 그래서 때때로 왜 삶이란 회색 빛을 띠며 밋밋하고 실망스러운 것일까를 두고 고민하게 될 것이다.

비록 당장은 큰돈을 벌게 할 가능성이 희박해 보일지라도 어떤 일이 당신을 흥분시킨다면, 대부분의 경우 그 일을 함으로써 더 큰 이익을 얻을 수도 있다. 자신을 흥분시키는 일을 한다면, 그 일을 하면서 진정으로 원하는 것의 전부 혹은 일부라도 얻을 수 있는 방법을 찾아낼 수 있을 것이다.

나의 선생님들 대부분과 나를 아는 대부분의 사람들은 내가 전문적 작가가 되려는 생각조차도 말렸다. 그들은 작가가 되는 것도 좋지만 (아마도 광고, 홍보, 교육과 같은) 살기 위한 생활의 방편을 생각해야 한다고 말했다. 그러나 나는 광고, 홍보, 교육 등은 원하지 않았고, 작가로서의 가능성이 희박함에도 불구하고 작가가 되려고 했다. 요즈음 프리랜서 작가의 평균 연봉은 8천 달러가 채 안 되지만, 그때에는 그 액수가 훨씬 적었다. 졸업 후에 나는 두 개의 직업을 가졌지만 첫번째는 3개월, 두 번째는 9개월 정도만 버텼다. 그리고 그 이후로 지금까지 작가로 일하고 있다.

소수의 예외는 있지만, 성공하고 행복한 인생을 살아가는 사람들은 그들이 가장 즐기는 일과 그들에게 가장 의미 있는 일을 한다. 그것이 대륙에서 대륙으로 항공기를 타고 날아다니는 일이든, 추운 북쪽 숲의 강가에서 낚싯배에 모터를 달아 주는 일이든 상관없이 말이다.

번영과 풍요로운 삶을 살자

우리는 번영과 풍요라는 말을 이 책에서 자주 사용했다. 결국 번영과 풍요가 이 프로그램의 진정한 목표이자 목적이다. 어떤 사람들에게는 그것들이 큰돈, 비싼 차, 고급 아파트의 이미지로 나타날 것이다. 그러나 풍요와 번영은 반드시 돈과 관계가 있지는 않다.

번영은 번성하는, 점진적으로 향상되는 조건이다.

풍요는 충분한 것 이상의 넉넉한 공급이다.

양자는 장부상의 숫자가 아니라 삶의 질은 어떠한가를 나타내는 단어다. 돈은 결정적으로 삶의 질의 일부분을 나타내는 것이다. (그리고 나는 이 프로그램을 실시하고 있는 모든 사람들은 다 돈의 증가에 관심이 있다는 것을 잘 안다.) 그러나 돈의 증가는 단지 일부분일 뿐이다. 나머지는 삶을 살아가는 방식, 일상적으로 그것을 느끼는 방법과 관련이 있다.

실질적 풍요와 번영에 대한 우리의 개념으로 사는 것이 다른 어떤 방법보다도 부자로 사는 방법이라는 것이 진리이다.

마음을 바로잡는 것이 이 프로그램의 핵심이다.

맺음말

당신은 빚을 지고 있을 이유가 없다. 빚으로부터 완전히 당신 자신을 자유롭게 할 수 있고, 영원히 자유로울 수 있다. 이 책을 읽음으로써 이미 시작한 것이다. 그 개념들을 당신의 삶 속에 통합하고 그 기술들을 실천한다면 곧 당신은 성공할 것이다.

당신의 풍요롭고 번영된 삶을 기원하면서….

더 알려 주고 싶은 유용한 정보들

익명의 빚꾸러기들

빚 문제가 있는 사람들에게 '익명의 빚꾸러기들'보다 더 낫거나 효과적인 자구 조직은 없다. 모임의 명단을 얻거나 당신의 지역에 지부를 구성하는 데 도움을 받으려면, 다음 주소에 편지하면 된다.

Debtors Anonymous
General Service Board
P. O. Box 20322

New York, NY 100025-9992
Telephone:(212) 642-8222

질문들은 극비로 취급된다. 질문의 양이 많고, 모든 일이 자원봉사자에 의해 처리되기 때문에, 응답 시기가 늦어질 수 있지만, 모든 편지에 답장을 해 준다. 우표가 붙어 있는 반송용 봉투를 동봉하는 것이 도움이 될 것이다.

관련 서적들

미국의 많은 대형 서점에는 개인의 재정에 관한 특별 코너를 갖고 있다. 다른 주제에 대한 책들도 유용하게 사용할 수 있다. 특히 유용하다고 생각되는 몇 권의 책 제목들이다.

Creative Visualization by Shakti Gawain. Bantam Books, 1982. 가시화와 확신에 대해 간단하지만 분명하게 쓰여진 기본서

Feeling Good: The New Mood Therapy by Dr. David Burns. Signet Books, 1981. 자신을 무능하게 만드는 좌절감과 걱정을 야기하는 역기능적 태도와 인식에 관한 인지 심리학 분야의 훌륭한 해설서

How To Buy Money by Wayne F. Nelson. McGraw-Hill, 1981. 당좌 예금 계좌부터 양도성 예금 증서, 주식, 채권, 그리고 재무성 단기채권에 이르기까지 투자 수단에 대한 기본적 설명

How To Mediate by Lawrence LeShan. Little, Brown, 1974. 명상의

본질, 그 심리적·물질적 이익 그리고 그걸 경험하려는 다양한 방법을 설명하는 간단하지만 포괄적 저작

Money Is My Friend by Phil Laut. Trinity Publications, 1978. 돈을 버는 심리적 요소에 집중하는, 작지만 극단적으로 긍정적인 책. 돈 관리에 대한 훌륭한 실질적 제안도 포함하고 있다.

The Only Investment Guide You'll Ever Need by Andrew Tobias. Bantam Books(revised edition), 1983. 놀랍게도 대부분은 현실적인 투자 전략에 관해 철저하고도 완전하게 쓰여졌지만, 그러나 돈 일반을 다루는 데 좋은 코멘트가 있다.

Sylvia Porter's New Money Book for the 80's by Sylvia Porter. Avon Books, 1980. 당신이 생각할 수 있는 거의 모든 측면을 포괄하는 개인의 재정에 대한 조사. 정보와 대책에 관한 보고서

Think & Grow Rich by Napoleon Hill. Fawcett Crest Books, 1985. 50년 전에 처음 출판된 유서 깊은 고전. 여러 논의들은 낡았다고 볼 수 있으나, 그 전제는 여전히 심오하고 가치 있다.

What Color Is Your Parachute? by Richard Bolles. Ten Speed Press, 1986. 구직자와 이직 희망자를 위한 현실적 매뉴얼. 매년 개정되는 중요한 서삭이다.

잡지와 신문

『에스콰이어(Esquire)』에서 『레드북(Redbook)』에 이르기까지 많은 종합지들은 돈과 개인의 재정 상태에 관한 칼럼을 싣고 있다. 그걸 읽는 습관을 들이는 것이 좋다. 더 많이 알수록, 돈을 다룰 수 있는 더 많은 장비를 장착하는 것이다.

대부분의 주요 신문은 재정이나 비즈니스 면이 있다. 이걸 훑어보는 것도 도움이 된다. 거기에는 종종 빚, 외상, 소비에 대한 기사가 실린다.

『Consumer Reports』, 『Changing Times』 및 『Sylvia Porter's Personal Finance Magazine』과 같은 돈에 관한 잡지도 모두 유용하다.

회사를 소유하고 있거나 투자가라면, 『포브스(Forbes)』, 『월스트리트 저널(the Wall Street Journal)』 그리고 『베른스(Barron's)』도 가치가 있다.

전문 상담자들

저당권의 상실 같은 위기 또는 중요한 서류에 서명을 해야 할 때, 전문적 도움 없이 돈을 저축하려는 것은 바보 같은 짓이다.

가장 보편적으로 이용되는 조언자들은 변호사, 회계사, 재정 설계사, 관리인 및 전문 대리인들이다. 많은 것을 얻거나 잃을 때, 그들은 거의 늘 당신이 지불할 요금보다 더 가치가 있다.

훌륭한 전문가를 찾는 최고의 방법은 그를 이용해서 좋은 결과를 얻은 사람의 개인적 소개다. 그게 없다면, 지역 변호사 협회 같은 전문가 단체를 통해 소개를 받을 수 있다. 이들 협회의 중앙회의 위치와 전화번호는 지역 도서관의 단체 사전(Encyclopedia of Associations)에서 찾을 수 있다.

심리 치료

심리 치료만으로 빚지기를 멈춘 사람은 거의 보지 못했다. 그러나 치료가 실패한 뒤에, '흑자 전환 프로그램'으로 빚지기를 멈춘 사람은 많이 보았다.

이 책의 지침을 따르는 행동을 통하여 일단 빚지기의 고리가 끊어졌다면, 치료는 유용한 보조물이 될 수 있다.

치료사를 찾는 최고의 방법은 다른 종류의 전문가들처럼 그 사람으로부터 좋은 효과를 본 사람에 의한 개인적 소개다. 개인적 소개를 받을 수 없다면, 지역의 정신 건강 협회에 전화를 하면 그들이 자격 있는 치료사를 찾을 수 있도록 도와줄 것이다.

기관과 조직

대부분의 지방 자치 단체는 소비자문제 또는 소비자 보호 부서를 두고 있다. 전화번호부에서 찾을 수 있다. 지금은 많은 회사에서 종업원들에게 신용과 부채 상담 서비스를 제공하고 있다. 그렇게 하는 노동 조합들도 있다. 미국 전역의 성인 교육 프로그램에 개인의 재정과 돈 관리에 대한 많은 강의가 있다.

빚에 대한 도움을 제공하고, 미국 전역에 많은 관련 사무실을 두고 있는 두 개의 비영리 조직은 다음과 같다.

The National Foundation For Consumer Credit
8701 Gergia Avenue, Suite 507
Silver Spring, Maryland 20910
Telephone:1-800-388-2277

그리고

The Family Service Association of America
333 Seventh Avenue, 3rd floor
New York, Ne4w York 10001
Telephone: (212) 967-2740

옮긴이의 말

 우리 주위에 빚이 없는 사람은 거의 없는 것 같다. 이 책을 번역하면서 주위에 있는 선후배를 비롯하여 여러 사람에게 물어 보았는데, 그들 전부는 많든 적든 빚이 있었다. 등록금, 주택 자금 융자, 신용대출, 잘못 선 보증, 주식 투자 등등의 이유였다. 그러고 보니 빚의 액수와 출처, 빚진 이유와 상관없이 정말 많은 사람들이 빚을 지고 있다. 나도 적은 액수이지만 빚이 있다. 또한 나라 전체가 빚더미에 올라앉아 있으니, 나라 자체뿐만 아니라 나라 안이 온통 빚진 사람들로 가득 차 있는 것이다.
 그러나 빚은 일차적으로 개인적인 문제이다. 우리 사회의 '빚 없는 사람이 거의 없다'는 사실은 사회적인 문제일지라도, 여전히 개인의 빚은 개인이 진 것이고, 개인이 해결해야 할 것으로 남는다.
 빚은 그 액수에 상관없이 많은 문제를 낳는다. 심리적 고통, 분노, 압박감에서부터 사회적 문제가 되는 가출, 노숙, 자살에 이르기까지, 정말 많은 문제의 원인이 되고 있다. 이렇게 많은 문제의 원인인 빚을 청산하는 것이 바로 그러한 문제의 해결에 이르는 지름길임도 분명하다.

  이 책이 제시하는 해결책은 쉽다.

  빚의 청산은 개인의 변화, 즉 태도의 변화를 통해서만 가능하다는 것이다. 이 책에서 제시되는 기술적 처방은 이러한 태도의 변화를 유지하고 강화시킨다.

  빚갚기의 첫째 원칙은 '더 이상의 빚을 지지 마라'는 것이다. 이 처방은 빚의 액수에 상관없이 적용되어야 한다고 저자는 주장한다. 사소한 액수니까 무시해도 좋고, 엄청난 거액의 빚이니까 어떤 수단과 방법을 쓰더라도 소용 없을 것이라고 포기해서는 안 된다고 한다. 빚 문제의 본질은 개인적 태도의 문제이므로, 태도 변화를 위한 이 책의 실제적 처방은 누구나 어떤 경우든 다 적용될 수 있을 것이다. 이 책이 미국의 상황을 바탕으로 하여 기술되어 있음에도 불구하고 우리에게 유용하게 적용될 수 있는 점도 바로 그것이다.

  우리 사회는 많은 문제들이 있다. 그것도 심각한 문제들이다. 빚 문제도 그 중의 하나이다. 오죽 했으면 얼마 전 정부가 나서서 신용 불량자 중 빚을 다 갚은 사람들의 신용 불량 기록을 대대적으로 삭제했을까. 하지만 그것 역시 불완전해서 곳곳에서 문제가 생기고 있다는 것을 우리는 알고 있다.

  자신의 문제를 자기 스스로 해결할 수 있도록 도와주는 것이 이 책의 궁극적인 목적이며, 바로 거기에 이 책의 가치가 포함되어 있다. 저자의 주장과 소망처럼, 우리 사회의 수많은 빚진 사람들이 빚을 다 갚고 진정으로 풍요롭고 번영된 삶을 살 수 있기를 바란다. 역자의 노력과 바람도 그와 다르지 않다.

김도형

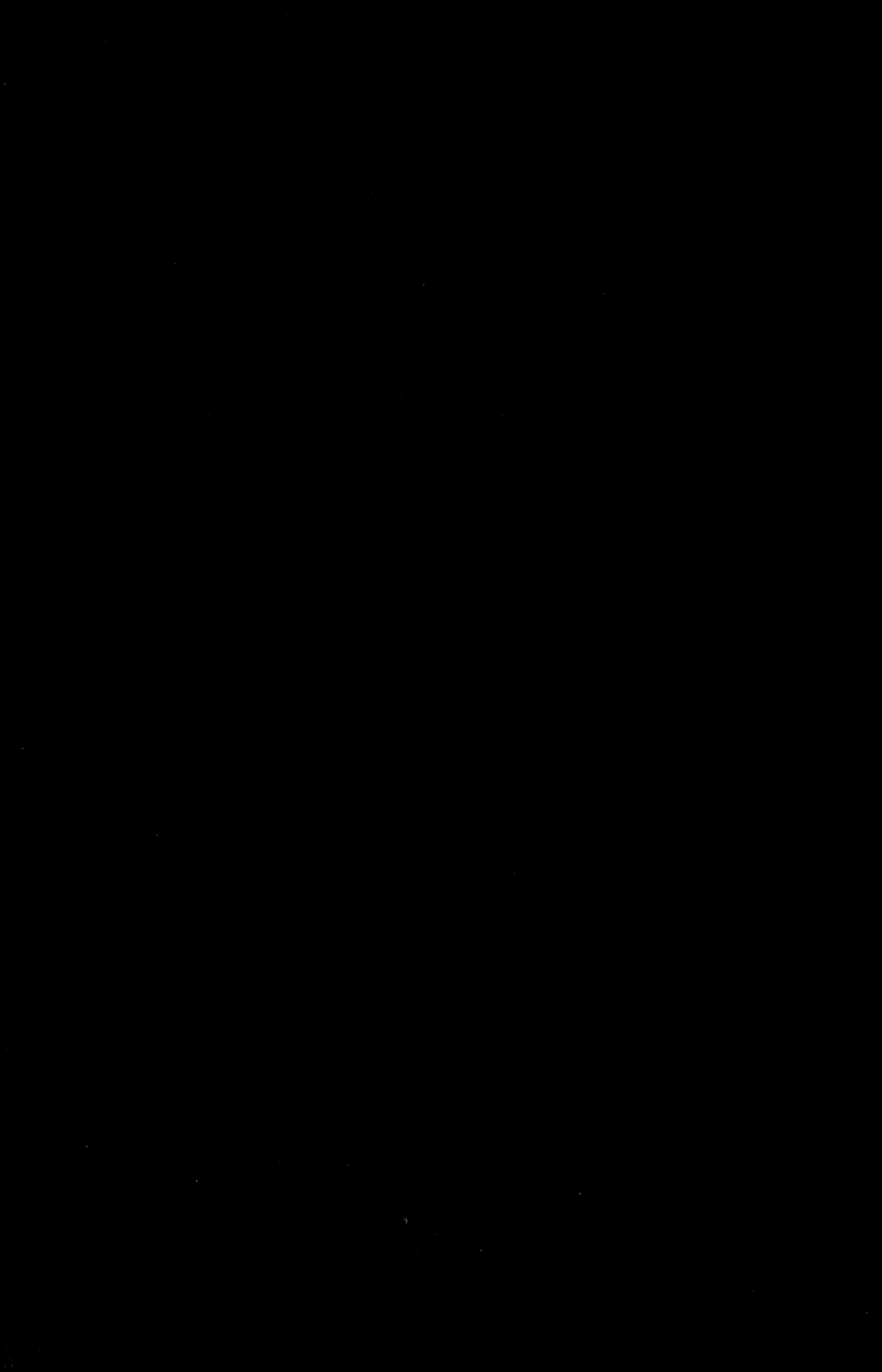